Therése Söderlind

Norrlands svårmod

Roman om ett försvinnande

Bonnier Pocket

www.bonnierpocket.se

ISBN 978-91-7429-162-9
Copyright © Therése Söderlind 2010
Omslag Jens Magnusson
Första utgåva Wahlström & Widstrand 2010
Bonnier Pocket 2011
V-TAB Avesta 2011

Till min mor,
den klarast lysande stjärnan
på den enda natthimmel jag känner,

och till min far,
som vandrade iväg genom markerna
medan jag satt och skrev.

Prolog

Ljudet fick honom att stanna. Ett rop som utstöttes djupt från strupen. Han hade hört det tusentals gånger förr, men det var lidelsefullt vackert och tillbad urkänslor i människan av att tillhöra vildmarken. Att naturen var stor och obändig, och därigenom okränkbar. Helig.

Att han kunde känna så i denna stund bragte honom ur fattningen ett långt tag. Sedan insåg han att det var naturens lag. Han tillhörde naturen och därför talade den till honom även nu. De marker han så ofta trampat var en del av honom själv. Bergen och sjöarna, myrarna och vattendragen, björkskogen och granarna, varje djur och minsta insekt – allt var en helhet i vilken han också ingick. Han var en tillfällig beståndsdel liksom allt annat levande, och han ville vara det.

Nästa gång storlommens ihåliga rop trängde genom skogarna tänkte han mer på själva fågeln än på naturen den var del av. Snart var det dags för flytten söderut. Lätet skulle inte eka i de ensliga markerna många dagar till. Det kanske bara var en fråga om timmar. Allt var förgängligt.

Vilken ynnest att han skulle få lyssna till det nu. Igår hade han inte kunnat förhålla sig till ekot som blev en tunnel genom tiden och förband dåtid med nutid med framtid. Idag, när han inte längre kände någon ånger, och han givit upp försöken att förstå om han kunnat förhindra det som skett, förmådde han ta till sig budskapet. Sorgen fanns där – den var djuplodande och genomträngande – men idag kunde han inte ångra någonting. Det som en gång hänt gick inte att göra ogjort, och det som var kvar skulle sluta cirkeln. Det måste fullbordas.

Nu hördes lätet igen. Även om han visste att storlommen var

vittljudande så trodde han sig veta att fågeln inte var långt borta. Hästtjärn låg endast några hundra meter österut, nedbäddad mellan höjderna. Dess klara, djupa vatten hade alltid tett sig orörligt. Sjön krusades knappast ens en stormig dag. Säkert hade fågeln sitt bo alldeles nära vattnet.

Nästa ljud bröt naturens vida frid. En skarp knall bombarderade trumhinnorna på människa och djur, med efterdyningar som gjorde att kroppen kändes stum ett slag. Någon fällde en älg. I bästa fall. Hade de otur blev den skadskjuten och det skulle bli en kamp mot tiden för att korta lidandet. Två tankar kom till honom på en bråkdels sekund. Den ena var att han aldrig varit ute i älgskogen förr med endast en patron i magasinet. Den andra att storlommen instinktivt skulle ta till vingarna nu.

Knappt hade han tänkt tanken förrän han såg den i flykt. Den steg brant från sjön och passerade rakt ovanför honom. Benen sträckte sig långt bakom stjärten. Länge stod han och såg snett upp mot skyn i riktning mot Ringarkläppen, som om granskogen dolde något nytt, något som kunde anas om man lät vildmarken tro att man var del av den.

Till slut rättade han till gevärsremmen över axeln och klev vidare. Ryggsäcken var lämnad hemma. En bit upp på höjden på Hästtjärns norra sida fanns en sten. Ofta hade han suttit där och blickat ut över sänkan, för att andas skönheten och känna friden när han var ute i markerna. Den här gången hade han kommit för samma sak, men också för att vila.

I.

Att ta sig fram

Om man väljer trottoaren på den vänstra sidan kan man ta sig hela vägen längs Renstiernas gata utan att kliva på skarvar eller gå på asfaltfläckar.

Anna formulerar inte tanken på det viset men den finns där, strax under medvetandenivå. Det är morgon och hon håller utkik efter cyklister och barnvagnar som kan störa hennes sinnesfrid. Att behöva sakta in på stegen är okej, att stanna till någon sekund är lite kännbart – men måste hon kliva åt sidan eller trampa på en skarv finns ingen väg tillbaka. Då är lugnet borta i flera minuter och svårt att återfinna.

Anna tänker på gårdagen. En söndag som försvann i ett töcken av illamående och en Mirja som inte kunde dölja sin besvikelse och bekymran. Det är en lisa och en plåga att ha en vän som alltid lägger sig i. En förutsättning för deras vänskap, det vet Anna. Ändå längtar hon efter en paus, något slags balans. Dagar då de kunde spilla tid tillsammans på ingenting är borta. Mirja utnyttjar tiden numera. Hon ställer frågor Anna inte kan svara på. Mirja är nästan för svår.

Utan Mirja klarar hon sig inte.

Igår hade Mirja tänkt åka ut till skärgården med sin tyske älskare. Det är så Mirja refererar till Franz, så hon vill se honom. Men de har varit ihop i snart ett år så han är definitivt mer än tillfällig. Mirja ligger inte med någon annan. Men hon är inte kär i honom så han hamnar ändå i kategorin »kompisknull«. Mirja avstod ett kompisknull ute bland kobbarna för att vaka över sin bakfulla och irritabla Anna.

Anna ler åt sitt sätt att ta plats i andra personers liv. Franz tycker intensivt illa om henne. Det gör inte att Mirja tycker mer om honom, men det har han inte hjärna att förstå.

Nu är Anna framme vid korsningen. Fem små raska steg runt hörnet och sedan är det raksträckan längs Folkungagatan. Här krävs en annan strategi. Anna följer ibland den skugglinje som hustaken bildar. Är det dåligt väder eller vinter kan man inbilla sig en rak linje så nära mitten av trottoaren som möjligt. Hon ser några meter fram och håller en oavbruten, jämn takt.

Mirja frågar ibland varför Anna tar dubbelsteg eller snavar till vid hennes sida. Anna säger som det är, att man måste gå mitt på plattorna. Trasiga plattor ska man däremot undvika helt.

Hon fick samma fråga i lördags. Då hon trodde att hon hittat rätt sorts kille igen. En svart, lång kille som blev en stor besvikelse trots att det började så bra. Med tillgjord röst hade Anna sagt att hon inte kunde riskera att trampa snett i sina högklackade skor. Det slog tydligen an rätt strängar. Don Juan lyfte upp henne och bar henne till taxikön. Anna gjorde ett lamt motstånd och sparkade förtjust med benen. Sjönk ihop mot honom när han ställde ned henne och betedde sig rent allmänt som ett våp. Han fick agera stor och stark mansperson och gjorde det övertygande. Så länge de var ute bland folk.

Anna drar ett djupt andetag och överväger att förtränga hela kvällen. Men hon vill veta varför det alltid blir så fel. Hur kommer det sig att hon gång på gång tror att hon hittat någon som kan tillfredsställa henne när det rätt ofta är precis tvärtom? De *kan inte* ta i henne hårdare och de *tänker inte* göra henne till viljes med nävarna. Anna har svårt att få ekvationen att gå ihop. Och hon kan inte kommunicera sina önskemål utan att förstöra en del av känslan.

»Nej, du tar i mig *försiktigt*. Jag tycker inte om det«, hade Anna upprepat i lördags natt. Vilket inte lett till någon ändring alls. Annas irritation gjorde bara den långe killen mer och mer tveksam. Till slut föreslog Anna att de istället skulle supa sig fulla och glömma alltihop. Givetvis gav han inte upp försöken att förföra henne.

Varför hon inte bara gått hem var lite oklart. Kanske hoppet är det sista som överger en. Anna var ordentligt full och besviken när hon lämnade hans lägenhet.

En gång hade hon genom hot fått en kille att gå över sin egen gräns och ligga med henne så våldsamt som hon behövde. Inte ens medan det varade gav det henne någonting. Anna var för arg över hans motstånd och för medveten om sitt övertag. I badrummet hade killen gråtit när han sett blodet. Den tysta stunden efteråt då Anna brukade gå in i sig själv och ibland bli omhändertagen på ett sätt som gärna fick vara fullt av ömhet gick om intet. Hulkande och förtvivlat bad killen om förlåtelse och fattade inte att han skulle hålla käft. Anna lovade på fem olika sätt att aldrig störa honom mer bara han var tyst och hjälpte henne. Han kunde inte hålla tillbaka snyftningarna.

Efter det har Anna levt efter devisen att endast hoppas på det bästa. Inga mer övertalningar. Men det har ofta blivit som i lördags när det började så lovande och slutade så mesigt.

Solen ligger på fasaderna och trottoaren på andra sidan gatan. Anna höjer huvudet för att planera hur hon ska korsa gatan vid Medborgarplatsen lite längre fram.

Så här efteråt önskar Anna att hon låtit bli att dricka så mycket. Då kanske hon och Mirja kunnat tillbringa söndagen med att mysa och prata om det som dyker upp i en associationskedja där allt är tilllåtet och ingenting uppstyrt. Fast Mirja har blivit jobbig och kommer allt oftare in på sådant som hände när Anna växte upp. Anna tänker på den tiden ibland, men aldrig så uttalat. Att börja dra i de trådarna känns svårt.

Lika svårt som när hon var tretton och började skolka från simträningen och ljuga om det hemma. Fast det var lika bra att hon tog en paus från simningen då. Hennes tränare hade i alla fall börjat förlora hoppet om att få ordning på hennes vändningar.

Hon ville alltid ta sista simtaget med vänster arm innan vändningen. Ibland började hon ofrivilligt korrigera flera meter innan bassängkanten. Även på tävling kände hon att det var viktigt att hon vände på rätt sätt, annars tappade hon koncentrationen och kraften. Hon försökte göra det så smidigt som möjligt men visste att det var ett stort problem. Hennes tränare trodde att hon var rädd för vändningarna och hoppades i det längsta att det skulle släppa.

Det har aldrig släppt. Snarare har det blivit mer påtagligt. När Anna ska på föreläsning på Frescati måste en flodhäst i plysch ligga i väskan. Är det tenta ska den sitta på bordet tillsammans med pennor och en flaska vatten för att det ska gå bra. Men hon kan åtminstone gå över Folkungagatan utan att följa en viss väg. Först försökte Anna räkna stegen från trottoarkanten till tunnelbanans galler. Tjugosju blev det första gången. Nästa gång diffade det på fem steg och gången därpå blev det lika mycket fel åt andra hållet. Det är lite av ett mysterium men kan bero på skorna.

Istället för att räkna steg har Anna försökt att andas på ett visst sätt. Hon drar in luften genom näsan men utan att ta så djupa andetag. Då får stegen en lugnande rytm. Men lukten av avgaser blir alltför tydlig. Alla vespor som spyr ut koldioxid får henne att minnas tider för länge sedan, då hon bodde i Ringarkläppen. Lukten av motorsåg och granbark. Anna får kämpa för att inte släppa fram det gamla. Hon gör som hon gjorde då – tillåter sig att stå på backen nedanför logen och titta upp mot de stora portarna, vidöppna i höstkylan. Närmare än så vill hon inte komma.

En enda dag i sin barndom önskar hon att hon kunde fånga. Den dag som började som vanligt i en vanlig unges liv. Den sista dagen hon vaknade på morgonen och var omedveten om att det fanns andra plågor än skrubbsår och getingstick och orättvisa storebrorsor.

Charlie var inte med vid middagen den kvällen, och när mörkret föll och Anna gick till sängs hade förändringen i familjen börjat.

Mirja har börjat gräva i henne. Hon säger att det är bra att bearbeta det gamla. Hon har sett Annas ärr och tror att det är där hon ska börja. Hon har fått för sig att ytliga ärr betyder något. Kanske Mirja borde få komma någonstans i sitt rotande, så Anna inte behöver närma sig det som trycker på och verkligen hotar ställa till det. Bara om Anna kan hålla minnena från Ringarkläppen i schack kommer inget oåterkalleligt att hända.

Anna andas genom munnen när hon går över Folkungagatan. Kan hon sedan ta trappan ned till tunnelbanan två kliv i taget, vilket hon försöker göra oavsett skor, så är minnena borta för resten av dagen.

Anna 7 år

Dagen Charlie försvann

Tre slag slog väggklockan ovan kökssoffans ena kortsida. Lisbeth bemödade sig om att ge den yngre av sönerna ett leende när han dök upp i dörren strax efteråt. Hon förstod att bråket på morgonkvisten mellan pappan och den andre sonen ännu satt och värkte som en tagg.

»Mattias«, försökte hon, »vi pratar om annat än jaktlaget när vi fikar nu.«

»Gärna för mig.« Mattias försökte låta obesvärad när han lirkade in sin gängliga tonårskropp mellan soffan och bordet. Lisbeth la märke till att han hade på sig den mörkblå collegetröjan. Den såg ut som om den varit med ända sedan morgonen. I håret hade han strimmor av rött, men hon avstod från att banna honom. Han hade slitit tillräckligt under förmiddagen och dessutom haft att hantera faderns dåliga humör.

»Kommer Charlie?« frågade hon istället.

»Nä.«

Lisbeth tittade till på sonen. »Vad är det då som har hänt?«

Att Charlie skulle avstå från eftermiddagsfika verkade befängt. Han var visserligen kortare än sin lillebror men han var nitton fyllda och kraftigt byggd. Han brukade smörja kråset vid varje middag och inte säga nej till två, ofta tre, av hennes hembakta bullar med glasyr och syltade apelsinskal.

»Var är han?« frågade hon.

Mattias andades irriterat ut. »Ja, inte fan vet jag. Han blev sur när han fick på käften av farsan i morse. Och det höll väl i sig för han har inte synts till sen dess. Han hörde ju på radion att jakten var avslutad så han är väl kvar i skogen. Eller också har han liftat ner till Docksta.«

»Så han ville inte hjälpa till när ni fick problem?«

»Men det visste väl inte Charlie! Inte kunde väl farsan ropa ut på radion att Lennart skjutit över kvoten. Då är det alltid nån som ringer polisen. Det är ju allmänt känt att den gubben såg fel på stor och liten för ett par veckor sen också. Så det sa farsan först när vi samlades, att vi hade en älgko att ta hand om. Men om vi hamnar i klistret är det Charlies fel.«

»Hur kan det vara Charlies fel?«

»Därför att Charlie borde varit med! Han hade aldrig gått med på att vi mörkat den här kon. Farsan hade haft en annan åsikt men jag tror inte Charlie gått med på en mörkläggning till för att rädda den där skjutgalne dåren för andra gången i år.«

Steg hördes i hallen. Både Mattias och Lisbeth tystnade omedelbart. Vem hade kommit in och kanske hört samtalet? De suckade lättat när någon slängde sig på köksdörren så den brakade i karmen. Sekunden efter stapplade Anna in, med ena träskon fortfarande fasthakad på foten. Den flög ut i hallen efter ytterligare en släng med benet. Sedan vände hon sig om.

»Hej, är det fika? Gott! Var är pappa? Han skulle hjälpa mig att fixa kedjan på cykeln.«

»Det blir nog inget av, gullunge«, sa brodern sarkastiskt. »Pappa har jobb upp över öronen idag. Han tar som vanligt hand om tjuvskyttar …«

»Sluta!« Lisbeths röst blev skarp. Hennes blick likaså.

»Men Anna-gullunge säger ingenting«, retades Mattias och drog lillasystern intill sig.

»Ret. Sticka. Dumma. Mattias.« Hon sträckte sig efter en bulle.

»Kan. Du. Inte. Tala. Riktigt. Längre?« Han tog bullen ifrån henne.

»Sluta. Den är min!«

»Okej, då.« Mattias petade bort pappret och lät bullen gå i en vid båge förbi sin öppna mun, innan han gav den tillbaka. I förbifarten glufsade han åt sig en tugga.

Anna bankade honom i huvudet. »Dumma. Mattias.«

»Nu räcker det.« Lisbeth ville få höra mer om sin äldste son men sjuåringen borde inte lyssna på samtalet.

»Kanske du ska springa upp till pappa på logen och säga att kaffet är klart?«

Anna spratt iväg från bordet med en ny bulle i munnen. Det bruna håret hoppade när hon studsade dubbelsteg ut till hallen för att leta efter träskorna.

»Jag begriper inte varför pappa försvarar Lennart gång på gång!« väste Lisbeth innan flickan ens hunnit utanför dörren.

»Inte jag heller, mamma. Han tycker ju inte precis om honom. Men det är nåt jävla konstigt. Det var ju om Lennart de bråkade i morse också. Om Charlie kunde hålla käften när farsan tänder till så behövde det inte bli så här.«

»Han är precis lik sin far så det är inget konstigt med det.« Lisbeth fick något strävt i rösten och det räckte för att tysta sonen. På det viset var Mattias lik henne själv. Lyhörd för andras sinnesstämningar. Medan Charlie kunde tända till och sedan rök de ihop, fadern och äldste sonen. Med tilltagande längd och styrka hade Lisbeth befarat att Charlie en dag skulle komma att slå ut tänderna på Henrik. Än hade deras skärmytslingar stannat vid knuffande och hårda tag om den andres armar. Nävar som vevade i luften. Faderns intensiva blick och sonens nervösa slickande på läpparna. Orden som föll. Anklagelserna som syftade på gammalt olöst groll.

Det fanns inga stora förhoppningar hos Lisbeth om att problemen skulle försvinna när sonen blev vuxen. Henrik hade haft hela livet på sig att lära sig bemästra humöret och inte kommit längre.

»Vad sa Charlie i morse när han gick till skogs?«

Mattias suckade. »Ja. Inte kommer jag ihåg allt. De skällde ju som bandhundar på varann. Så jävla onödigt. Charlie stack till skogs innan vi andra hade samlats.«

Lisbeth höjde på ögonbrynen. »Så han gick innan ni bestämt var ni skulle jaga?«

»Jamen, det visste han väl. Han sitter ju alltid på samma pass.

Han går ju inte med hund så det är väl inte mycket att välja på.«

»Vad sa han när han gick?«

»Att han skulle till skogs och inte komma tillbaka mer.«

Lisbeth blev tyst. Mattias såg upp på henne. En mer talande tystnad än hans mors fanns inte. Hon stod och såg på honom. Hennes ögon var stålblå, det långa håret grånande. En gång hade Lisbeths hår varit nästan svart. De grå stråna hade smugit sig in, ett efter ett, tills hon nu var mer silverfärgad än mörk. Mattias mindes inte förändringen, men den var tydlig när han tittade på de foton som fanns från hans första skolår. Mattias undrade om hon blivit gråhårig av allt grälande. De hade bråkat mycket under hans uppväxt. Pappa hade oftast varit löjligt undfallande för mammas nycker.

Det förbryllade Mattias att det skulle vara så. Vad kunde göra att en råbarkad sälle som Henrik förvandlades till en försiktig lillpojke med mössan i hand? Lisbeth hade uppenbarligen något som bara han såg. Som mamma var hon underbar, det hade Mattias insett för länge sedan. Det var hon som gick balansgång och fick familjen att överleva de stora kriserna när pappa och Charlie raserat allt med sina utbrott. Men som kvinna – Mattias försökte tänka sig in i hur en man som Henrik såg på henne.

»Kan du höra med Bo-Anders om han kan ta sin hund och gå till Charlies pass?«

Nu var det Mattias tur att bjuda på en talande tystnad. Hans mamma skulle alltid överdriva när det gällde Charlie. Mattias hanterade det på samma sätt som sin far. Inget blev bättre av att man spekulerade och alltid trodde det värsta.

Det var bara det att Lisbeth var mycket äldre än de fyrtiotvå år hon hade på nacken. I vishet var hon hundra år. Mattias skulle senare tänka att hennes förslag varit det enda rationella. Mamma, som var den som skulle bli mest ifrån sig frampå natten och de följande dagarna, var den man skulle lyssnat på i denna minut, när sorglösheten ännu hade ett namn.

Tider skulle komma när ingenting skulle hjälpa, när den blekgrå vardagen tog död på lusten till liv.

Väggklockan slog halv fyra. Ett dong.

»När du går upp till slaktandet igen tar du på dig en annan tröja. Den där är ju ny.«

»Jag hittade inte min röda«, blev svaret.

Hemma hos Petter

Anna kände sig upplyft. Hon var hemma hos Petter. Hon och ingen annan hade blivit polare med Petter. Det var fjärde gången hon var här nu men det kändes fortfarande spännande och lite förbjudet. Hon visste att några av tjejerna i klassen hade varit ensamma med killar och säkert legat med dem också, men hon var hundra på att ingen annan i hela sjuan hade varit med en så mycket äldre kille. Och hon var ensam med Petter för fjärde gången.

Fast första gången räknades inte. Den gången då han bara behövde en penna för att skriva ned sitt telefonnummer. Sedan vågade hon i alla fall inte ringa.

Andra gången räknades knappast heller. Hon var för tidig till ungdomsgruppen och hade vinkat och kastat småsten på hans fönster. Han öppnade dörren medan han tog på sig ytterkläderna men bad henne inte komma in. Sedan pratade de en del i köket i församlingsgården medan han gjorde i ordning fika. Anna frös om tårna. Det var barnsligt med raggsockor hade hon plötsligt fått för sig.

Men hon var ju inte in till honom så egentligen räknades det inte.

Det var också en grej med den andra gången som oroat Anna. Hon hade tyckt att Petter gått förbi därinne ett par gånger när hon hoppade och viftade utanför fönstret. Men han låtsades först inte om när det knastrade på rutan. Hon fick kasta flera gånger innan han kom fram till fönstret och hajade till igenkännande. Men varför fick hon inte komma in och vänta? Anna plågades lite över att han försökt undvika henne. Brydde han sig inte om henne? Var hon pinsam? Hade han en tjej hemma? Kanske någon av de andra i gruppen?

Om det första och andra besöket hos Petter inte riktigt kunde räknas så slog det gnistor om det tredje i alla fall. Anna hade ringt på hans dörr på väg till simningen. Hon tänkte skylla på att hon glömt sin mössa i församlingsgården. Hon stod där med hjärtat bultande och med farhågor om att Petter kanske inte var ensam. Men hon var ännu räddare för att han inte skulle öppna alls.

Petter öppnade. De pratade i två timmar. Anna simmade inte den dagen. När hon tog bussen hem var hon hungrig och glad. Hungrig men ändå inte. I badrummet hemma i villan på Bondsjöhöjden blötte Anna ned baddräkten och hängde upp den. På natten kunde hon inte somna. Var det känslan av renaste sanning i mötet med Petter som gjorde henne sömnlös? Eller var det den innehållna sanningen hemma? När Anna vaknade på morgonen visste hon att det handlade om något helt annat. Hon höll på att bli kär. Fast det gick ju egentligen inte. Kär i någon som var nästan dubbelt så gammal, det var helsjukt. Petter var ju gubbe. Fast han hade svart, snyggt hår som spretade ned i ögonen. Och hans mun var plutig och sexig.

Vanliga kvällar grät Anna ett slag innan sömnen kom. Av ensamhet och av rädsla för livets storhet. Hennes bästis hade flyttat och ingen av de nya i sjuan kunde ersätta henne. Det allra bästa med den tredje gången var att Anna slutade gråta på kvällarna.

Och nu var hon här för fjärde gången. Träningsväskan stod i hallen. Hon ville så intensivt att det skulle funka, annars kanske Petter inte skulle träffa henne igen. Det kändes viktigare än något annat att han inte tyckte hon var löjlig. Fast kanske ännu mer ville hon att han skulle bli kär i henne också. Lite grann i alla fall.

»Varför får jag inte säga att jag är här?« Anna satt halvt tillbakalutad längst ut på sängkanten med händerna bakom sig, utbredd som en diva. Hon la medvetet huvudet på sned.

»Därför att det kan missförstås.« Petter såg lite ledsen ut där han stannat mitt på golvet med colaflaskan i ena handen och ett paket digestive i den andra. »Egentligen ska du och jag prata som en del av mitt jobb. När vi träffar de andra. Och du får ringa om du vill. Jag har försökt förklara det.«

»Okej, jag vet. Jag bara undrade.« Anna högg fast underläppen med framtänderna och undvek Petters blick.

Lägenheten var en enrummare med ett minimalt kök. Sängen användes som soffa. Petter ställde ned grejerna på det lilla bordet och gick ännu en vända till köket. Satte sig sedan i den enda fåtöljen mittemot Anna och började smöra några kex. Anna såg att hans ost var båtformad, det som Per-Arne försökte bekämpa varje dag genom att enbart hyvla sina skivor på tvären längst upp på aktern av båten.

»Per-Arne och mamma är så perfekta«, sa hon snabbt.

»De är snälla mot dig, eller hur?« nickade Petter uppmuntrande.

Anna himlade med ögonen och rullade huvudet från sida till sida. »Jaaaa.«

»Vill du berätta varför du kallar din moster för 'mamma' medan hennes man får heta 'Per-Arne'?«

Anna svarade inte genast. Hon såg på kexen men kom sig inte för att ta. När Petter tuggat i sig ett par kex tvekade han. Lutade sig åt sidan och började leta bland cd-skivorna som han staplat i högar på golvet.

»Sätt inte på någon konstig vuxenmusik bara.«

Petter vände huvudet mot Anna.

»Det bara blev så«, sa hon stressat och drog i strumpskaftet. »Per-Arne har aldrig varit min pappa.«

Petter återgick till skivorna. »Men din moster har väl … aldrig varit din mamma heller?« Han gjorde överdrivna grimaser för att få bort smulor mellan tänderna. Anna såg det i profil och tyckte det var skämmigt. Hon vände bort huvudet.

»Spana in läget på de där«, fnittrade hon sekunden efter och höll fingret precis intill munnen och pekade. Petter rätade upp sig och kastade en snabb blick ut genom fönstret. Rynkade ögonbrynen.

»Men«, suckade Anna åt hans blindhet, »tycker du det är snyggt med så mycket häng på jeansen?«

Utanför, på andra sidan gatan, släntrade tre killar i Annas ålder förbi. Grenen på jeansen på den närmaste killen hängde nere vid knäna och bältet hakade knappt tag runt höftkammen. Anna fnissade.

»Det är ju så osexigt!«

Omedelbart ångrade hon sig. Det där lät fel. Och Petters tveksamhet gjorde inte saken bättre. Inte den musik han spelade heller, en kvinnoröst som lät naken. *Sensuell*, hette det.

Anna måste prata om något annat, snabbt.

»Kan vi inte prata om när jag bodde med mina riktiga föräldrar? Som du frågade mig om när vi fixade mackor i församlingsgården?« Hon drog i strumporna igen fast hälarna redan satt en bit upp på vaderna.

»Gärna.«

Nu vågade Anna se på Petter igen. Hon såg hans bruna, mjuka ögon och gropar i kinderna. Han hade en varm, vuxen röst. Inte som killarna i Annas klass. Han var läckrare än alla på hela Franzénskolan.

Anna hade tillåtit sig att fantisera efter förra gången men fastnat någonstans mellan att kyssa den där plutiga munnen och att bara stå nära Petter och trycka brösten mot hans kropp. Det hade känts konstigt. Om hon tänkte bort Petters ansikte kunde hon efter några dagar onanera till tanken på att hon låg med honom, men hon kunde inte föreställa sig att de kysstes samtidigt.

När Annas tankar nu nuddade vid det kändes det superkonstigt att sitta här igen. Eller om det var det andra som var konstigt och overkligt, för när Petter såg henne i ögonen kändes det så äkta. Han brydde sig verkligen om hennes funderingar kring föräldrarna.

Anna hade sagt att hon ville prata om sina riktiga föräldrar men berättade istället om den första tiden hos moster Erika och Per-Arne.

»Mamma, eller moster då, är så himla lik min riktiga mamma. Ibland är det nästan som att de är samma person. Det var jättelätt att börja säga mamma.« Anna log vid minnet. Sedan svepte en del av sorgen fram. »Men Per-Arne är ju … raka motsatsen till min riktiga pappa. Min pappa var stor och stark. Och kunde lyfta mig jättehögt och kittla mig. Och han jobbade i skogen ibland och luktade gran …«

Petter log vänligt. »… och Per-Arne är inte sån?«

»Men knäppskalle! Du känner ju Per-Arne. Han jobbar ju på kontor.«

»Han är kamrer. Och känner och känner … jag träffar väl honom en gång i veckan, i tio minuter. När jag ska kopiera eller så.«

»Ja, när ni kopierar ihop. Whatever.«

»Vet du ens vad han gör, Anna?« Petter hade något halvt roat i rösten.

Anna blev allvarlig med ens. »Han jobbar med ekonomi. I kyrkan.« Hon försökte låta vuxen.

Petter nickade och gjorde en min. »Inte illa. Han sköter Härnösands domkyrkoförsamlings ekonomi.«

Anna var på väg att säga »whatever« igen men hejdade sig i tid. Snabbt rabblade hon istället ur sig:

»Han säger ingenting. Han är så tyst … Och de bråkar aldrig …«

»Det är väl bra«, försökte Petter och räckte fram ett kex till henne, färdigt med smör och ost. Anna såg honom i ögonen och skakade leende på huvudet.

»Neeej«, sa hon och suckade djupt, »det är inte bra. Inte för en sån som jag …« Så sträckte hon sig snabbt fram och tog kexet. »Tack.«

»… en sån som du vadå?« Petter började bre smör på ett nytt kex.

»Va?«

Han gjorde cirkelrörelser med smörkniven i luften. »Det är inte bra för dig att dina nya föräldrar inte bråkar, för att du är en sån som … vadå?«

»För att jag är …« Anna blev lite fundersam och fastnade med blicken på en fläck på tapeten. Hon visste inte vad hon tänkt säga. »För att jag inte är van … och jag vill inte bli van. Jag vill ha min pappa …«

Petter la ned kexet och sträckte sig fram mot Annas lediga hand. Hans fingrar slöt sig om hennes lilla näve. »Du är söt.«

Anna kunde inte hejda sig. Hon ville verkligen inte gråta *nu*, men tårarna bara trängde fram. Hon försökte hinna lägga ifrån sig kexet och få upp båda händerna för ögonen men hon hann inte. Hon bölade redan häftigt.

Petter satte sig bredvid henne. Hans hand kramade hennes axel. Anna grät och försökte dra upp snoret utan att det skulle låta för mycket. Det här var förfärligt. Det här var det sista hon ville. Hon stretade emot men Petter klämde hårdare kring hennes axel.

»Det gör inget. Vänta, jag hämtar papper.«

Han tyckte hon var äcklig som snorade. Hon måste härifrån. Hon skyndade sig upp när han öppnade toalettdörren men han gick inte ens in. Bara stack in handen och greppade toarullen och vände sig om. Anna sprang rakt i famnen på honom. Han tog tag i henne och höll henne kvar. Höll om henne. Precis som hon drömt om. Fast hon grät ju som en snorunge. Nu hade hon förstört sin största fantasi.

»Sätt dig ner igen. Ta pappret. Här.«

Petter satt och höll om henne medan hon geggade ned hans svarta tröja och vräkte ur sig saker som:

»Per-Arne är så jävla perfekt … Mamma och han är typ perfekta paret … de bråkar aldrig … och de hade redan en flicka och skulle säkert fått en pojke … men jag förstörde deras dröm … det är så jävla orättvist … de har inte förtjänat det här …«

Mitt i alltihop tänkte hon att man inte ska svära. Ingen gjorde det hemma och inte Petter heller. Han tyckte säkert att hon var hemsk. Och nu hade hon redan sagt »jävla« flera gånger.

»Du ska inte säga såna där saker om dig själv. Jag är säker på att de älskar dig. Och du har rätt att sakna din pappa och tycka Per-Arne är tråkig. Du måste inte jämföra dem. Jag är övertygad om att både Per-Arne och din mamma är jätteglada över att ha fått dig att ta hand om.«

»Det var inte det här de önskade sig …« hulkade Anna, men redan mindre övertygat.

»Det är inte viktigt om de hade tänkt skaffa sig ett barn till eller inte. Du kanske kom och var precis den de ville ha. Det viktiga är att de bryr sig om dig och låter dig vara den du är. För du får väl ha din pappa kvar i hjärtat?«

Efter ett tag nickade Anna innesluten i Petters armar. Hon ville sluta gråta nu. Alla orden hon behövt höra i flera år. Nu blev de verkliga.

Lite senare skrattade hon till och med ett par gånger. Hon kände sig urvriden som en disktrasa men gladare än på länge. Hon ville inte längre vara kär i Petter. Hon ville bara ha honom som en vän. Det sista försökte hon förklara för honom, hur viktigt det var för henne att få prata.

När hon skulle gå – efter att hon varit på toaletten och tvättat ansiktet – sträckte hon sig upp och gav Petter en snabb kram. Hon kände skäggstubben riva mot kinden och läpparna. Det kändes konstigt. Anna var glad att hon inte gjort något dumt som att försöka bli kysst på munnen. Det här var mycket större. Petter skulle inte bli hennes kille. Han var för gammal, för vuxen. Hon skulle inte drömma som hon gjort om Petter mer. Han var värd bättre tankar än att hon inbillade sig hur det skulle kännas om han låg med henne. Det var nästan pinsamt att hon ens tänkt så.

Nej, det som var pinsammast var allt snoret. Hon hade snutit upp hela toarullen. Men han verkade inte bry sig om det. Inte heller att hennes mascara runnit ned på kinderna. Hon försökte låta bli att tänka på vad han egentligen tyckte om hennes utseende. Såg hon barnslig ut när hon tvättat bort all makeup?

Den kvällen unnade hon sig att komma ihåg hur det kändes i hans famn. Om hon aldrig skulle vara med om det igen ville hon i alla fall tänka på det när det ännu kändes så nära. Anna kunde nästan förflytta sig i tanken. Hon låg helt stilla under täcket och bara kände efter. Petter var så verklig och hon blev sann med honom. Han såg henne.

När det värmde hela vägen från brösten och ner i underlivet tänkte Anna sorgset att det i alla fall inte skulle fungera. Han måste ju vara alldeles för stor för henne. Det skulle bara göra ont. Så sög hon på långfingret och blundade. Drog det längs ena bröstvårtan. Det gjorde ont i hjärtat att vara kär i Petter.

Anna 23 år

Ytliga ärr

»Det är väl bara bra om jag åker till Berlin några dagar?« Mirja vänder sig om vid köksskåpet så håret gör en kaskad. »Ge mig den där skålen så ställer jag upp den.«

Anna slutar fokusera på vaxduken och ser sig omkring, utan att se någon skål.

Mirja pekar på bordet framför Anna. »Du har ju sagt att du behöver öva på att vara ensam.«

»Det är du som har sagt att jag måste vara ensam. Jag har aldrig velat det.«

»Skålen.«

Anna blinkar och ser. Den skålen kan inte ha stått där innan.

»Det är i alla fall ett bra tillfälle.« Mirja sträcker sig på tå och puttar in den i ett ledigt hål på översta hyllan. Luckan går inte att stänga den sista centimetern.

»Skulle inte vi ha en större lägenhet?« skyndar sig Anna att säga.

»Eller också flyttar jag ihop med Franz.«

Anna stirrar på sin vän. Mirja är bra på att hugga när man sänker garden.

»Aldrig«, säger hon långsamt, »det får du inte. Det vet du. Man ska bara bo med någon man vill ha … riktigt nära inpå.«

»Vad är skillnaden? Mellan att ha dig nära inpå eller Franz?« Mirja rotar i ett annat skåp och får fram en skorpa. »Ska du ha?«

Anna skakar på huvudet. *Skillnaden är att Franz är ett tidsfördriv.*

»Förresten. Ge mig en.«

Mirja lägger en skorpa på bordet och står kvar så nära att den gröna ulltröjan petar Anna på kinden. Hon stoppar in fingrarna vid Annas nacke och kammar hennes hår uppåt. De kortklippta, brunlackerade naglarna dyker upp som vågbrytare längst upp på Annas huvud. Flera gånger upprepar Mirja detta. Anna blundar och gnager på skorpan.

Så sjunker Mirja ned på stolen intill.

»Det jag är rädd för är att du inte alls tänker träna på att vara ensam.«

Annas ögon dras till Mirja. Innebörden av orden ramlar in sekunden efter. Genast vänder hon bort huvudet.

»Jag tycker vi ska ta bort den där pelargonen. Den är ful. Och luktar kiss.« Anna förlänger s:et, så det blir ett långt kissande.

»Du har tänkt fortsätta följa med okända män hem, eller hur? Det är skitfarligt, det du håller på med.«

Anna börjar peta på det närmaste bladet. »Det finns blommor som är bra för sömnen. Som luktar gott. En sån skulle vi ha.«

»Vi måste börja ta hand om dig. Det kan ju vara rena psykopater du hänger på.«

»Bara gamla tanter har pelargoner. De har så många så hela huset luktar nedkissat.«

»Det vet du inget om. Du är aldrig någonstans där det finns gamla människor.«

Mirja har rätt. Anna är inte den som har jobbat extra inom åldringsvården. Och hon har inga mor- eller farföräldrar kvar i livet. Men nu fick hon i alla fall Mirja att komma av sig i tjatandet.

»Var fick du de där ärren?«

Mirja ser ointresserad ut när hon ställer frågan, som om hon verkligen givit upp och byter ämne. För någon som känner Mirja så väl som Anna är det något helt annat. Det är raka motsatsen till att ge upp.

»Vilka – ärr?« Anna försöker tysta kompisen genom att stirra.

»De du har på benen. De jättestora.«

»Det har jag talat om för dig. Många gånger. Men du envisas med att inte tro på mig. Och du tar alltid upp det när du vill jävlas.«

»Nej, jag bara kom på det. Det syns så tydligt när du har shorts

och efter sommaren så här. Du blir ju inte brun på de där fläck-
arna.«

»Lägg av.«

»Nej, jag bryr mig. Jag tycker bara det är konstigt att skada båda
benen i en mopedolycka. Min brorsa körde också omkull med mop-
pen. Han krossade ena foten men den andra var uppe i luften när
han fick moppen över sig. Dina skador är ju omöjliga.«

»Bevisligen inte.« Anna reser sig häftigt och försvinner ut ur
köket.

»Jag vill bara försöka förstå!« ropar Mirja efter henne.

»Det finns inget att förstå, fatta det!«

Faktiskt är Mirja tyst ett slag. Anna börjar tro att det kanske
räcker för den här gången. Ljudlöst byter hon om. I förbifarten
synar hon underbenen. Stora fläckar av ärrvävnad. På ett ställe
transplanterad hud från längre upp på låret. Tillräckligt fult för
att vilken tjej som helst skulle göra mycket för att slippa se ut så.
Men Anna drar på sig jeans endast för att slippa Mirjas kommen-
tarer.

»Jag vill bara hjälpa dig, Anna«, kommer det mjukare från köket.
Från Mirja som aldrig ger upp. »Jag undrar om du fattar att det är
farligt att ljuga för sig själv …«

Det är första gången Mirja nämner ordet lögn. Första gången i
vuxen ålder som någon konfronterar Anna så direkt. Inte ger henne
utrymme att komma undan. Egentligen har det här samtalet varit
oundvikligt. Vänskapen med Mirja har hela tiden styrt mot detta
enda – undanröjandet av lögnen.

Anna går tyst fram till köksdörren.

»Jag vill inte överge dig«, säger Mirja och kommer emot henne.

Anna svarar inte. Hon tänker på att Mirja vill att hon ska förklara
varför hon har ett hål inne i bröstkorgen. Att Mirja vill att hon
ska fylla det med något annat än panikbeteende. Hon har sagt att
okända, hårda mäns händer och kroppar aldrig kan vara lösningen.
Att Anna måste bekanta sig med det svarta istället. Förstå varifrån
det kommer.

Mirja sluter armarna runt henne. »Jag ska fixa så du inte behöver vara ensam när jag åker till Berlin.«

Anna blinkar. »Det var en mopedolycka.«

Mirjas röst är precis intill Annas öra. Ingen annan i världen kan höra det hon viskar:

»Ja, Anna, det var en olycka. Din stora olycka. Men det var inga mopeder med.«

Inne på sitt rum undrar Anna vart de är på väg. Mirja vill hjälpa henne och gräver så djupt hon kan och får.

När Anna tänker efter är hon inte orolig för att berätta allt som finns att säga om olyckan. För hon kan bara berätta det hon vet.

Men årstidsväxlingarna manar fram minnen av annat slag. Igår, i den första höstkylan på väg hem från krogen, hemföll hon åt tankar om vintrar för länge sedan. Utflykter med skoter och släde på isen. Långa färder till ställen med någorlunda bråddjup strandkant där pappa borrar hål i isen för fiske och mamma gör upp eld på hällen. Glada timmar i gnistrande vitt. Mamma skrattar mycket, pappa är stor och tyst och brorsorna busiga och snälla mot Anna.

Förhärligar Anna minnet?

Det finns ett foto från en sådan utflykt. Mamma ler kisande mot den bleka solen och pappa sitter tungt på ryggsäckens lilla fällstol och agnar. Charlie har en bylsig, svart skoteroverall. Mattias syns inte på den bilden. En annan bild visar alla syskonen. Anna hänger med en arm runt halsen på vardera storebror och räcker ut tungan åt kameran. Charlies ansikte är nyfiket, Mattias mer allvarligt.

Anna plågas av att inte veta om det finns någon sanning kvar utöver fotografierna. Är hennes minnen verkliga eller är de skapade kring ögonblicksbilder som kan betyda vad som helst? Var mamma verkligen glad jämt? Var pappa alltid tyst? Det kan inte stämma helt för Anna har andra minnen som pockar på. Hon vill inte släppa fram dem för där finns inte många tåtar kvar som förbinder henne med den första barndomen. Om den glider ifrån henne blir hon vilsen för evig tid.

En timme senare sitter Anna och Mirja på randen av Stadsgårds-kajen. Bilarna kör förbi ett femtiotal meter nedanför deras fötter i ett oupphörligt motorljud. Upp till Anna och Mirja kommer det som en ljudvall som skulle kunna bära deras tyngd om de ställde sig upp och tog ett kliv rakt ut. Så tänker sig Anna att ljudet fungerar.

»Så det här är dagen då du ska berätta för din bästa kompis om olyckan«, retas Mirja. Den tidigare spända stämningen är borta. De är verkligen bästa kompisar.

»Men jag vill inte att det ska vara så hemligt, egentligen«, säger Anna. »Jag har bara inte velat berätta om allt runt omkring.«

»Då är det *alltruntomkring* du ska berätta om«, avgör Mirja. »Strunta i olyckan. Berätta om *alltruntomkring*.«

Anna ler. De sitter tysta i flera minuter. Så vänder Anna ansiktet mot Mirja. »Han hette Petter.«

Mirja tjuter. »Ja, ja, ja! Jag visste väl det! Det handlar om en kille.«

De ler samma slags leende. Det som betyder glädje och ohämmad berättarlust och som alltid, alltid handlat om killar. De båda har förrått fler killar än man kan räkna på sina fingrar och tår.

»Men det är inget att berätta om, egentligen«, säger Anna. »Han är bara en kille jag kände när jag var tretton och sedan inte kunde få ur huvudet på flera år.«

»Du menar att han inte betyder något längre?« Mirja lutar kinden mot knäna. »Du tänker ju på honom fortfarande.«

Anna har slutat le men kan ändå inte låta bli att dra på mungipan. »Det finns väl ett och annat jag skulle vilja fråga honom om«, säger hon till slut.

Sedan förvånar Anna dem båda. Hon börjar gråta och inget mer blir sagt den dagen.

Året innan Charlie försvann

En dag på isen

Charlie skuggade ögonen med handen. Solen var en blek cirkel bortom vinterdiset. Ändå räckte dagsljuset för att förläna det vintervita landskapet en genomträngande skärpa. Bortöver den öppna isvidden fanns nästan ingenting som utmärkte sig. Någon enstaka frostpuckel där tidigare skoterfarare sladdat upp en kant eller gjort en vändande cirkelrörelse.

»Vi kan dra rakt bort mot Lappviken.« Charlie gick till skotern för att fylla på bränsle. Anna stod intill och försökte hjälpa till. Hennes ansikte var rödkindat och ögonfransarna frostiga.

»Akta näsan, unge.«

»Det luktar gott.«

»Det är farligt. Doppa för helvete inte ansiktet i bensinen. Jag ser inte vad jag gör.«

Den simmiga vätskan landade i tratten och ringlade ner i hålet. Anna såg regnbågens färger röra sig i böljande mönster. Bakom henne klev någon närmare på isen. Tunga, knarrande steg. Anna visste att det var hennes far.

»Vi får hålla oss intill stranden på sörsidan.« Hans röst var kraftfull och beslutsam. »Vi kör inte rakt över isen när solen legat på så många dagar.«

»Jo. Så får vi en annan väg hem.« Charlie hade aldrig förstått när pappa använde rösten som tydligt signalerade *det sista ordet*.

»Du ska inte skitsnacka. Det räcker med en svag punkt därute så åker vi igenom.« Det sista sa pappa tystare.

»Jävla domedagsprofet. Du har borrat igenom en halvmeter is. Hur mycket behöver du?«

»Vi kör längs stranden hem i alla fall. Det är inget mer med det.«

»Vi kör mot Lappviken.«

»Men, Charlie«, försökte Anna som ville vara på sin fars sida, »du *vet* ju inte hur tjock isen är därborta. Den *kan* ju vara tunn!«

»Nog snackat«, avgjorde Henrik och stegade bort mot de hål han gjort. Han drog upp linan från första hålet och började linda upp den på pirken. Charlie log brett mot Anna.

»Nu ska vi ha ett litet bus. Du ska få se«, lovade han.

Anna gick för att hjälpa sin pappa.

»Ta ryggsäcken till släden«, sa han mjukt, »och hjälp mamma därborta.«

Mamma hade släckt elden och såg ut att stå och begrunda scenen på isen. Anna log och svängde med armarna när hon småsprang mot henne. Sedan förstod hon att hennes mor inte såg henne. Lisbeths ansikte var vänt mot barnet utan att se. Det var den lågt stående solen hon njöt av. Hennes ögon var slutna.

Anna slog armarna om rumpan på sin mamma. »Ska jag hjälpa dig med fikapåsen?«

»Nej, nej«, sa Lisbeth frånvarande och tog loss dotterns armar, »det behövs inte.«

Anna såg på henne. Oavbrutet och alldeles stilla höll mamma ansiktet mot den bleka solen. Hennes tankar måste vara långt borta. Anna dansade vidare mot Mattias som tidigare varit en bit inåt land och huggit färskt granris att sitta på. Hans ben var fortfarande vita av den djupa snön han pulsat i och när Anna ställde sig nära och försökte hålla runt hans ben luktade han kåda.

Mattias tog tag i hennes armar och svängde upp henne i luften. Så fångade han henne mot bröstkorgen och såg henne rakt i ögonen. »Busunge«, sa han allvarligt. Hon kände sig nöjd.

Anna satt baklänges på släden, mellan benen på sin far. Mattias satt framför henne. På så vis blev hon inklämd mellan de två männen och slapp frysa. Mamma och Charlie satt på skotern. De hade vänt i en vid båge och följde nu stranden hemåt. Vass och rörelse under vattnet kunde göra att isen fläckvis var svag vid strandlinjen, därför låg de i en bana ett tiotal meter ut.

Charlie accelererade och samtidigt ökade avståndet till land. Anna blev inte medveten om det förrän hennes far började skrika:

»Vad i helvete! Tillbaka!«

Anna vred sig om. Hon såg mamma och Charlie luta sig framåt som en enda kropp, sammankopplade som legobitar. Ingen av dem bar hjälm. Deras ansikten var bortvända.

När farten ökade ytterligare och de verkligen började komma ut på den öppna isvidden gastade pappa återigen, den här gången mot Mattias:

»Hur ser det ut i spåren?«

Mattias försökte luta sig mot bakänden av släden och titta. Han var så otympligt klädd att han fick kana närmare för att klara det. När han vände huvudet mot färdriktningen såg han rädd ut. »Det är blött! Ordentligt blött!«

Så lyfte Mattias huvudet mot sin mamma och bror. »Det går åt helvete!«

Henrik drog sig loss från Anna. Det han såg när han vände sig mot skotern fick det att rycka till i honom – spåren framför släden var vattenfyllda och skotern låg med bakänden ett par decimeter djupare än medarna fram.

»Lisbeth!« vrålade han.

Äntligen verkade mamma och Charlie höra. Båda vände sig samtidigt om. Henrik viftade med en ilsken arm mot vattenspåret efter dem. Lisbeth spärrade upp ögonen.

»Öka farten!« skrek Henrik. »Dra på och gå tillbaka mot stranden!«

Motorljudet ändrades och blev mer högfrekvent. Antingen drog Charlie på mer gas eller så snurrade det breda bandet under maskinen lättare när skotern gick än djupare genom det sörjiga underlaget.

Annas pappa tog ett beslut. Han lutade sig över sin dotter, tog henne runt midjan och hojtade i hennes öra:

»Rulla bort! Ligg ner och rulla åt sidan!« Sedan vräkte han henne överbord. Hans råstyrka skjutsade henne över en meter från släden. Några sekunder senare hade han vrålat åt Lisbeth att hoppa av och följt sin egen uppmaning. Hans rullning började närmare det blöta spåret men med mer rotation. Därför kom han en bra bit bort från den brutna isen innan hans vikt började knäcka delar av den. Han fortsatte rulla och lyckades ta sig från det svaga partiet.

Omedelbart som han kände sig säker vände han blicken mot skotern. Han såg silhuetterna av de kvarvarande. Två på skotern och en på knä på släden. Han vred sig på isen så han kunde se var Anna fanns. Hon låg ner ett tjugotal meter bakom honom. Han vinkade och manade henne att förbli liggande, att rulla vidare bort från spåret.

Mattias satt mitt på släden och försökte se hur spåret bakom dem såg ut. Han märkte att direkt när pappa och Anna lämnade släden ökade hastigheten och ganska snart såg isen fastare ut. När han vände sig om satt mamma bakåtvänd och vinkade. Hon skrattade med öppet ansikte. Mattias kände sig lättad samtidigt som han häftigt drog in den kyliga luften och försökte tränga bort en känsla av att ingen hade brytt sig om honom när det krisade. Ingen hade bett honom hoppa av.

Charlie körde med oförminskad hastighet flera hundra meter innan han vände skarpt mot stranden. Nära land gjorde han en sväng och började köra tillbaka mot pappa och Anna som hamnat långt efter. De kom gående någon kilometer ut som små prickar på några meters avstånd från varann. Charlie tänkte uppenbarligen inte köra ut och hämta dem på den öppna isen för han drog förbi längs stranden och körde ända till utgångsläget med resterna efter grillstunden på klippan. Där gjorde han en vid sväng runt de fem ishålen och kom tillbaka lagom tills pappa och Anna var så nära land att han utan att riskera något kunde svänga ut och möta dem.

Charlie var beredd. Han stannade skotern med sidan mot de gående och kastade sig av åt andra hållet i samma stund som hans far rusade fram för att slita tag i honom. Charlie skrattade nervöst. För att undgå Henriks språngmarsch runt skotern fick han ge sig iväg en bra bit bort.

»Jag får fatt på dig förr eller senare! Vill du gå hem?«

»Ja, hellre det än att du får tag i mig«, flämtade Charlie.

Fadern gjorde ytterligare ett utfall mot sonen och gav sedan upp. Charlie försökte springa tillbaka för att hinna kasta sig på släden när de drog iväg, men skotern var redan igång och Henrik var snabbare. Charlie blev kvar på isen när de i sakta mak körde hela vägen hem till Ringarkläppen. De sista kilometrarna genom skogen satt Mattias och undrade hur i hela friden Charlie skulle ta sig fram. Det gick bra att gå i skoterspåret på isen för det var någorlunda packat och hårt. Vinden gjorde sitt för att sopa bort nyfallen snö och isen var ett fast, stumt underlag där den höll. I skogen däremot låg snön metertjock. Där det inte fanns skoterleder gick det inte att gå i spåren. Charlie skulle sjunka ned till knäna och mer och det skulle ta honom flera timmar att ta sig hem. Ännu längre eftersom det skulle hinna bli mörkt.

»Nej, du ska inte hämta honom«, slog Henrik fast när de kommit hem till gården. »Han riskerade mammas liv därute och Annas också. Hade jag inte kastat mig av hade han gått igenom med släde och allt, och fått sluta sina dagar på botten av Degersjön.«

Mattias tänkte igen att alla andra men inte han. Var det verkligen så? Charlie var först och Anna var minst. Vad var Mattias?

»Om inte Mattias får hämta Charlie så gör jag det«, beslutade Lisbeth och kopplade bort släden.

»I helvete du gör«, gormade Henrik och torkade sig i ansiktet med sin stora näve. Han hade precis dragit den ur en handske som han skakade ren på snö och skräp. Så gjorde han samma sak med den andra handsken. Längre tid än så behövde inte Lisbeth för att leta fram sitt vassaste argument.

»Jag åker och hämtar honom eller också sitter jag uppe och väntar i natt. Så kan du gå och lägga dig ensam.«

Henrik låtsades inte om ifall det stack till i honom. Mattias kände dock sina föräldrar och visste precis vad som komma skulle. Så han gick mot skotern samtidigt som Henrik muttrade:

»Mattias åker och hämtar sin galning till brorsa. Så lär han sig nåt också. Att inte göra såna dumheter själv.«

Sent den kvällen släntrade Mattias från teven till badrummet. Sedan gick han in i köket. Vid vedspisen stod mamma lutad med pappa tungt emot sig. Pappas händer grävde sig runt mammas skinkor, på undersidan av dem, och hennes armar var lindade runt hans hals. Hon kysste honom med öppen mun och tryckte sig mot honom. Han grymtade och gungade kroppen av och an mot hennes.

Mattias kom av sig. Blev stående vid diskbänken och öppnade ett skåp. Det skallrade lite bland glasen. Mamma och pappa hörde inte. Mattias öppnade vattenkranen. Ingen reaktion. Så kom Charlie in.

»Lägg av och hångla. Ni är ju snart femti för fan. Inte femton.«

»Håll truten«, mumlade Henrik grötigt och såg Lisbeth i ögonen från en tums avstånd. »Du kommer aldrig att bli femti. Du ser inte en dag äldre ut än tjugetvå …« Han drog efter andan så bröstkorgen spändes ut. »… du är alltid precis som du var den dan jag träffade dig …«

Lisbeth vred sig fri från den sugande blicken och suckade lyckligt. Hon log mot Charlie. »Du ska inte klaga. Du hade inte kommit till om jag inte fallit för din pappa.«

»Den har jag hört förr«, sa Charlie och plockade fram smörpaketet från kylen. Sedan tryckte han tillbaka det och slet åt sig mjölkpaketet istället. Han halsade direkt ur förpackningen. Mattias visste att det brukade framkalla en reaktion under vanliga dagar. Men dagar som denna, då livet blivit skörare och Lisbeth fått ta till det tunga artilleriet, kunde man komma undan med vad som helst. Det var speciella dagar. Charlie dunkade tillbaka mjölken på hyllan och stängde sedan kylskåpet så överdrivet försiktigt att inte ens det lilla suget hördes. Sådana här dagar var till för kontraster.

»Jag behöver inte en påminnelse om det«, sa han lugnt, blinkade åt föräldrarna och gick därifrån. I dörren vände han sig om. »Stäng kranen, Mattias.«

Föräldrarna stod tysta intill varann, störda i sin stund av tvåsamhet. Den yngre sonen stängde kranen. Mattias visste med intensiv visshet att Henriks och Lisbeths fysiska dragning till varann var kittet som gjorde äktenskapet möjligt. Det var dessa pisksnärtar av åtrå som gjorde att de höll kvar vid varann.

Mattias öppnade kylen för att se om där fanns något att äta. Han hittade inget så han upprepade Charlies mjölkmanöver. När han halsade visste han att det skulle komma.

»Sluta med sånt där, Mattias.« Det var faderns röst som gjorde sig påmind.

Mattias gick och la sig. Den här familjen var något i särklass, det förstod han. Hur skulle någonsin ett lugn kunna finnas i en familj med en pappa som hans? Eller var det kombinationen av pappa och Charlie som gjorde att hela byn kändes som ett jordskalv mellan varven? Det kokade ofta mellan pappa och den ene grannen. Och mellan Charlie och grannens son.

När Mattias och Charlie precis återvänt med skotern tidigare på kvällen hade granngubben stegat in på gårdsplanen. Mattias mindes de första åren på gården, då han och Charlie levt i en pojkars värld där alla var snälla och de sprang och hälsade på hos grannen när det föll dem in. Gubben hade en vårta på tungan som både fascinerat och avskräckt pojkarna. Och tanten ställde alltid fram en gotteskål. Det hade tagit flera år innan de förstått att de inte var så välkomna. Det var när grannens halvvuxne son Bo-Anders sagt att de skulle sluta komma och dra in skit. Nu var det länge sedan vare sig gubben eller vårtan varit särskilt spännande.

Killarna hade nickat kort mot honom där han stannat precis vid gårdsbrunnen.

»Jag tänkte påtala att det snart måste repareras här på gården. Kanske ni pojkar har mer fart i er än gammgubben ni har till far.«

»Han är väl bra mycket yngre än du«, högg Charlie av.

»Men inte är det nån fart på'n. Min gumma hörde att Lisbeth vill få ner björkarna vid garaget. Fast Henrik får aldrig ändan ur vagn …«

Mattias lyssnade och undrade varför grannen var här. Han försökte komma någonstans och Mattias hoppades att Charlie inte skulle spela honom i händerna.

»… så Lisbeth måste väl lägga om garagetaket själv, när det blivit helt förstört av de där fallande grenarna. För jag har ju förstått att Henrik sagt nej till att ta ner björkarna. Och ni grabbar går väl inte farsan emot.«

»Vi tar inga order från farsan …«

»Käften, Charlie«, väste Mattias. »Han är här för att ni är förbannade på varann, du och farsan. Fattar du inte?«

Charlie blängde oförstående på Mattias. *Hur i helvete vet han det?* sa blicken.

»Varför fick jag åka och hämta dig?« fick Mattias ur sig mellan framtänderna. »Du kan väl också lägga ihop två och två.«

Grannen harklade sig och påkallade deras uppmärksamhet igen.

»Det blir ingen fällning har jag förstått.«

»Vad är ditt intresse i det?« slängde Charlie ur sig.

»Ja. Jo. Inte betyder det nåt för mig. Det är ju sikten från köksfönstret då. Men det är ju värre för erat garage och för Lisbeth …«

Charlie teg äntligen och förstod att det var viktigt att hålla enad front. Grannen stod kvar och väntade någon sekund extra för att låta slutklämmen verka fullt ut.

Det var så split såddes. Mattias såg mönstret och förundrades.

»Du får väl njuta av björkarna från köksfönstret så länge det varar«, var det enda han fick ur sig.

När de sedan kommit in hade Henrik inte väntat en sekund innan han rykt på Charlie.

»Du äventyrade hela familjen. Vill du död åt oss allihop?« Han ställde sig så nära han bara kunde och gormade rakt i ansiktet på sonen.

»Du är så jävla rädd«, svarade Charlie och gick undan några steg. »En smalbandare kanske hade gått igenom, men det var aldrig nån fara för oss.«

Henrik rev tag i Charlies arm och snurrade honom runt.

»Se på mig när jag pratar med dig! Du ska inte gå emot det jag säger. Du höll på att ta ihjäl oss allihop!« Han hötte med sitt tjocka finger i ansiktet på Charlie.

»Ta't lugnt. Vi är häääär allihop«, svarade Charlie.

»Du har inte ens vett att hålla käft när du gjort bort dig.«

»Jag håller inte käft för dig.«

Då bröt Lisbeth in. »Nu sätter ni er ner och är tysta båda två. Jag vill inte ha det här längre. Ingen av er är kapabel att diskutera.«

»Vad kallar du det här då?« frågade Charlie, störd av att inte få fortsätta reta gallfeber på fadern.

»Det kallas lillvett! Det kallas käftande, det kallas bråk! Det kallas ointelligens, oförskämdhet, dålig självkänsla, dåligt självförtroende, dålig självtillit …«

»Lägg av, lilla mamma. Snart kan du inte fler ord. Och jag är jätteledsen att ni fick ett litet äventyr, det är jag verkligen. Något du kan skriva i din dagbok om. Ledsen för det.« Charlie log och klappade sin mamma på huvudet där hon satt.

»Du behöver inte göra narr av situationen«, sa Lisbeth, alldeles lugnt. »Du hade kunnat orsaka katastrof därute. Du kan lyssna på pappa nån gång också …«

Henrik drog ljudligt in luft i näsborrarna och såg kaxig ut igen.

»Men mamma, allvarligt nu.« Charlie lutade sig ner mot sin mor och frågade med len röst: »Kan du ärligt säga att det inte var spännande?«

Lisbeth försökte komma undan. Hon, som skröt om att hon aldrig ljög, stirrade Charlie stint i ögonen. Men det som kunde ses där var liv och glittrande glädje. Kanske spegelbilder av hennes egna känslor. Lisbeth brast ut i ett stort leende.

»Neej«, sa hon och skakade sakta på huvudet, »jag måste säga att det var mycket spännande.«

Varvid Henrik stormade ut ur köket och smällde igen dörren efter sig.

Mattias låg och funderade över mamma och pappa den kvällen. Var det inte alla knepiga relationer som ungar växte upp med och trodde var normala, som gjorde människor så skadade? Ett längre tag nu hade Mattias sett sina föräldrar dra fler och fler saker i sina liv till det yttersta. Han tänkte att han höll sig utanför som en iakttagare. Att han hade distans till föräldrarna och skulle klara sig, just därför.

Mattias var på väg att upptäcka pappas svaga punkt, kände han. Men vad var mammas svaga punkt? Kunde det bara vara Charlie?

Innan han somnade funderade han över sin egen akilleshäl, utan att se någon.

Djupare vatten

»Kom igen! Möt kanten med full fart!«

Anna hörde ropet fast det fragmenterades av vattenkaskader och dämpades av hår och en blå badmössa. Hon visste att Susanne stod med tidtagaruret i handen så hon gjorde allt hon kunde för att vara ännu snabbare på nästa femtio meter.

Ibland kom krafterna från ingenstans. Urkrafter som sprang ur ilskan över tränarens blindhet. Andra gånger, som nu, kände hon energin sugas ur henne och kroppen blev tyngre och tyngre för varje simtag. När hon kom tillbaka inför nästa vändning och visste att Susanne stod där och glodde på tiden och antagligen skakade på huvudet, kände hon sig så stressad och olycklig att hon avbröt alltihop. Hon slutade simma och bara gled in till kanten. Där höll hon sig kvar och lät kroppen sjunka ner. Fötterna kändes som bly. Hon andades djupt genom munnen.

»Anna. Vi måste träna mer på det här. Du måste göra kraftfulla vändningar. Du får inte sakta in och tappa koordinationen. Hur sjutton ska jag få dig att inte vara rädd för kanten?«

Susanne var snäll i vanliga fall men nu bankade hon handen mot kaklet och lät riktigt irriterad. Anna kände sig tom. Och när hon såg att Susanne väntade sig en förklaring blev hon med ens gråtfärdig. Hon orkade inte med att vara utsatt. Hon ville inte vara här.

»Jag tror jag håller på att bli sjuk.«

Anna kände badmössan klämma ned ögonbrynen och det brukade göra att hon såg lite ledsen ut. Hon hade inget emot det just nu. Tårar i ett plaskvått ansikte hade ju ingen effekt.

»Jag måste nog hem«, pustade hon. »Jag kände mig förkyld i hela kroppen i morse men sedan gick jag till skolan i alla fall. Men nu måste jag hem.« Anna undvek att se tränaren i ögonen men häpnade över hur lätt det gick att ljuga.

Susanne strök sitt blonda hår bakom örat, först på ena sidan, sedan på andra. Hennes hår hade ett grönt skimmer av allt klor.

»Ja, jag har märkt att du tappat farten på sistone.« Susanne såg ut att tänka efter en stund. Sedan lät hon snällare. »Åk hem och vila upp dig. Kom inte tillbaka förrän tidigast om en vecka. Jag tror du behöver vila av andra anledningar också.«

Annas blick flög omedelbart till Susannes ansikte.

»Hur menar du?« frågade hon andlöst.

»Du behöver nog komma bort från mitt tjat ett tag. Och komma tillbaka lite mer lustfylld inför uppgiften. Det är ingen idé att du kämpar och kämpar om du tycker det är träligt hela tiden.«

»Neeej, det förstås. Men jag brukar ju tycka det är roligt …« Fast i tankarna var Anna någon annanstans.

Att komma tillbaka mer lustfylld, hade Susanne sagt. I duschen smakade Anna på orden och bestämde sig där och då för att titta in till Petter innan hon åkte hem. Hon hade sparat en halvtimme genom att avbryta träningen. Den kunde hon sträcka ut till trekvart utan att någon undrade hemma. Frågan var bara vilket som var viktigast – att få ytterligare tio minuter med Petter eller att blåsa håret?

Eftersom Anna inte ville gå ut utan makeup och eftersom hon inte brukade komma hem med blött hår slutade det med att hon fönade det och målade ögonen och kanten runt läpparna. Sedan hade hon bråttom från badhuset upp genom de gamla kvarteren mot domkyrkan. Den första snön hade fallit tidigt och frusit på. Flera gånger höll Anna på att trilla, men hon kunde inte låta bli att småspringa.

Anna stod säkert i tio minuter innanför porten och velade. Petter var inte hemma. Kanske var han borta i församlingsgården, men hon ville inte gå dit. Om han bara kunde komma hem snart!

En tant kom in genom porten och tittade nyfiket på henne. Anna såg ned på sina kängor, sedan slank hon ut för att komma undan blickarna. Efter någon minut gick hon in igen. Hon var rädd att någon hon kände skulle se henne stå utanför huset. Någon från ungdomsgruppen eller någons förälder som hämtade från simningen. Inte för att det var troligt att de körde den här vägen men ändå.

Anna gav till slut upp och tog bussen hem, men hon hade redan bestämt sig. Hon skulle gå till Petter imorgon kväll igen, när föräldrarna trodde att hon simmade.

Anna missade bussen till skolan nästa morgon. Hon kunde inte bestämma sig för vilka kläder hon skulle ha och tyckte aldrig hon fick till håret så det såg snyggt ut. Det var tur att hon var sist hemifrån – det var hon ofta sedan hon börjat högstadiet på Franzénskolan – för då var det ingen som sa något om hennes kläder förrän efteråt. Vid middagen kunde hon få ett höjt ögonbryn från Per-Arne, vilket ofelbart ledde till att mamma kommenterade hennes smycken eller linjer runt ögonen eller någon tröja som var för öppen över axlarna.

Det kändes lite löjligt, men Anna valde ett par andra trosor än de som låg överst och hon bytte den vita behån mot den enda svarta hon hade. Den var inte riktigt ren men hon tog den i alla fall. Den hade små kuddar som förstorade brösten och med en tight tröja såg hon äldre ut, kanske som femton eller sexton.

Innan Anna smög upp dörren till samhällskunskapen hade hon sumpat fem minuter till på att behöva ta reda på vilket ämne de skulle ha och sedan upptäcka att hon inte visste vilken sal som gällde. Hon lyckades aldrig lära sig schemat utantill. Det var ett mysterium för henne hur de flesta i klassen automatiskt visste vilka böcker de skulle plocka ut därnäst och utan att tveka valde rätt uppgång till rätt klassrum.

»Hur är det med dig idag?« Mamma sträckte handen över bordet för att stryka undan Annas lugg men nådde inte fram innan huvudet drogs undan.

»Du är ganska förkyld, Anna. Du stannar hemma från simningen, va?«

»Nej, jag ska simma«, svarade Anna snabbt, »det är inget fel på mig.«

»Vill du att jag ringer Susanne och frågar om det är nödvändigt att du tränar fyra gånger i veckan? De får inte ta kål på dig ...«

»Du ringer ingenstans! Jag bestämmer själv. Susanne har sagt att jag får vara hemma när jag behöver.« Anna hörde att hon lät hätsk, men hon hade svårt att hejda ordflödet.

»Men det behöver jag inte«, la hon till och försökte låta snällare. Det kändes tillgjort men brukade vara värt mödan.

»Jag vill börja rida«, förklarade Olivia för säkert hundrade gången under hösten.

Per-Arne harklade sig från sin kortsida. »Det går inte om vi måste skjutsa. Jag kan inte ha hästlukt i bilen när Westberg och jag kör runt i stiftet.«

»Varför tål prällen inte hästlukt?« undrade Olivia.

»*Prästen* vill inte ha hästlukt i kläderna, det är väl ganska självklart«, sa Per-Arne med ledsen röst. Det här var ingen ny diskussion, men Olivia gav med sig utan att driva frågan vidare den här gången.

Anna återgav middagssamtalet när hon satt i Petters soffa. Hon tyckte själv att hon var ganska bra på att härma Per-Arnes tveksamma röst och hans sätt att hålla handen för munnen när han ständigt harklade sig. Lite skadeglatt plussade Anna på lite upprördhet hos Per-Arne över döttrarnas respektlöshet inför prästerskapet – väl medveten om att även Petter kände kyrkoherde Westberg – och tänkte att han i alla fall borde tycka att hon var rolig att tillbringa ett par timmar med.

När Petter skrattat till ett par gånger i sin fåtölj kände sig Anna nästan lite berusad. Hennes erfarenhet av onykterhet inskränkte sig till bara två gånger, men hon kände igen känslan av uppbubblande, lättsam glädje. Hon spånade vidare genom att återge den scen som utspelade sig de gånger Olivia inte gav med sig utan det blev en ordväxling om huruvida hon kunde tänkas få åka buss själv genom hela stan och på hemvägen stå och vänta på den öde hållplatsen rätt långt från ridskolan. Anna härmade Olivias sura miner (som hon visste att systern kopierat från henne själv) och påpekade med monoton röst:

»Olivia, lilla flicka, du är bara tio år och kan inte (krax-krax) stå där i mörkret ensam. Tänk om det kommer en (krax) ful gubbe eller någon annan bråkstake ...«

»Vad gör du såna gånger, Anna?« avbröt Petter utan att le särskilt mycket.

»Vad jag gör? Jag bara ... jag är tyst ...!« Anna exploderade i skratt. Det var så roligt för det var ju tyst hon brukade beskylla Per-Arne för att vara.

»Hjälper du din lillasyster så hon ska få som hon vill? Eller håller du på Per-Arne?« Petter verkade studera Anna.

Hon försökte svälja skrattet. »Vad menar du?«

»Är du en snäll storasyster eller är du hellre en vuxen dotter i det läget?«

Anna satte sig upp ordentligt på sängen. Berusningen kom av sig lite. Hon funderade på vilket svar som skulle låta bäst men kom av sig där också. Hon ville inte ljuga. Hon kunde vara hos Petter tack vare lögner. För Anna kändes det plötsligt mycket viktigt att inte ljuga här. Då skulle hela tillvaron komma i gungning.

»Jag ... är nog en elak syster. Och en elak dotter.« Nu var Anna helt nykter. »Jag flinar. Och säger taskiga saker ibland. Till båda.« Så såg hon upp på Petter och häpnade själv över sin uppriktighet. Av bara farten la hon till: »Så nu vet du det om mig. Att jag är rätt värdelös hemma.«

Efter att ha sagt de sista orden blev det knäpp tyst i rummet. Cd-spelaren hade kört sista spåret för ett litet tag sedan. En bil utanför kämpade tydligen för att komma ur sina nedisade hjulspår.

Till slut klev Petter upp ur fåtöljen. Det högg till i Anna. Nu skulle han visa henne på dörren. Hon reste sig självmant men hann bara ta ett par steg. Petter mötte henne och slöt armarna runt hennes smala axlar. Hon suckade och andades ut. Han svek henne inte. Inte ens nu.

De stod ett slag i tystnad. Så skönt det var. Det kändes inte konstigt alls. Och någonstans i omfamningen och tryggheten vågade Anna trycka sig mot honom.

Petter lutade sig ned mot hennes axel så bara hans huvud hade kroppskontakt med henne. Hon missförstod. Hon kände det som ett gensvar och tänkte att han ville kyssa henne. Vågat vände hon upp ansiktet och planterade en puss på hans mun. Han sträckte på sig för att undkomma. Då kände hon hans hårda jeans mot sin mage och förstod vad han försökt dölja.

För henne var det försent. Hon klamrade sig fast för livet, för att inte bli avvisad. Stint såg hon honom i ögonen och drog hans huvud mot sig.

»Anna, gör inte så här«, sa han innan de möttes i ett slags puss som halkade av direkt. Petter drog undan huvudet. Till slut lättade Anna på taget runt hans hals. Han såg på henne. Sedan tog han över.

Och kysste henne.

Att inte vara ensam

Anna har precis börjat tro att lugnet infunnit sig när hon ser att Mirja inte viker kläderna ordentligt. Hon bara lyfter upp plaggen ett efter ett och lägger ned dem i en hög på soffbordet. Högen blir någorlunda prydlig genom att Mirja fäller in skrynkliga ärmar och ben som spretar ut.

»Skulle inte du berätta mer om den där Petter?«

Det här är hämnd för att Anna låtit kläderna ligga en hel vecka i soffan, det inser hon. Kanske också för att Anna markerat så tydligt genom att sitta på högen när de tittar på teve på kvällarna.

»Jag har berättat tillräckligt.« Anna drar upp benen under sig.

Mirja plockar upp en svart tröja med knappar fram.

»Bara för att jag sa några kritiska saker … Det sista du sa var att Petter fick dig på rätt spår. Annars kanske du blivit en mobbare. Det var en kille du försökte mobba, men Petter fick dig att tänka om … *Petter-som-var-så-viktig-och-påverkade-allt*.«

»Men det är ju därför det inte går att prata med dig! Du bara säger skitsaker om honom.«

Anna biter frenetiskt på läppen. Mirja väntar, men inte så länge.

»Anna. De här grejerna hände dig och jag vill veta.« Hon talar lågt och intensivt. Så drar hon Anna intill sig och håller armarna hårt, hårt runt henne. Tuggar på hennes hår och mumlar med munnen full: »Jag älskar dig, jag älskar dig, jag älskar dig …«

Då ringer det på dörren, någon öppnar och kliver in. Franz ringer alltid på först, fast han har nyckel. Medveten hänsyn, enligt Mirja. Med vem som helst annars skulle hon spytt av omtänksamheten. Anna tror henne. Den lilla omtanke Franz lyckas visa kan vem som helst stå ut med.

Nu hinner Mirja släppa taget om Annas huvud, spotta ut håret och byta samtalsämne.

»Har du hört att Annas mamma kommer på fredag?« frågar hon medan de följer efter Franz ut i köket. Franz svarar genom att dra åt sig sin flickvän och markera sitt ägande med vidöppen mun. Anna vrider bort huvudet. Hon vet hur det ser ut när han blöter ned halva ansiktet på Mirja. Det är omöjligt att få ett grepp om Franz läppar för man försvinner helt in i den stora munnen, har Mirja sagt.

»Varför kommer inte Annas mamma nästa vecka istället? När du ska till Berlin?«

Nålsticken i Franz röst medan han fyller en kastrull med vatten avslöjar att han och Mirja redan kört den här diskussionen några varv.

Annas underläpp har försvunnit in i munnen. Något utanför fönstret har hennes hela uppmärksamhet, hon till och med lutar sig över bordet för att se bättre. Mirja kommer nära och lägger handen bredvid Annas och krokar in sitt pekfinger under hennes lillfinger. Nyper till och håller kvar greppet.

»Kan du inte prata med din mamma?«

»Jag vill inte att du ska åka.« Anna talar lågt, i hopp om att utestänga Franz.

»Det är min studieresa. Du har vetat om den i flera veckor. Varför kommer inte din mamma då istället?«

»Därför. Hon vill komma nu till helgen. Komma bort från Härnösand.«

»Du kan inte säga nästa vecka att du mår dåligt och inte vill vara ensam. Jag tänker inte ställa in en resa igen.«

Annas ögon smalnar. Nu börjar hon ana vad som rört sig i samtalen mellan Mirja och Franz.

»Jag klarar mig. Du ska åka nästa onsdag. Och komma tillbaka söndag kväll. Och jag ska sitta och plugga hela tiden.«

Franz häller kokande vatten i tekannan. Tepåsarnas små lappar med sina snören åker ned av bara farten. Han ställer fram kannan utan lock och utan underlägg. Plastduken har mängder av buktiga ringar sedan tidigare.

»Det går inte, Franz. Om jag ska kunna åka får du hjälpa mig.«

Franz klirrar med temuggar. Mjölken står redan på bordet. Han sätter sig mittemot Anna.

»Okej, jag ställer upp som barnvakt. Fyra kvällar i rad ska jag se till att Anna har näsan över vattenytan och ett mjukdjur i sängen. Ska hon ha händerna ovanpå täcket eller går det bra om hon har dem under?«

I skydd av bordet sätter Franz sin fot på Annas. Hans smil är så brett att han kan få in ett cigarrettpaket på bredden. Han visade Anna förra gången de var hänvisade till varann en kväll.

Anna drar undan foten. Hon har en hemlighet ihop med Franz. Ingen av dem tänker utsätta sig för en enda kväll till i den andres sällskap, oavsett vad Mirja vill. Men Anna hatar att han driver om det.

På kvällen tar Mirja med sig sin pojkvän och sin bästa väninna till en vernissage. Den hålls i en våning på Östermalm tillhörande en av de andra i klassen. Det verkar som om Mirja med följe är de enda yngre som bedömts vara salongsfähiga. Anna tänker att hennes vän har då en förmåga att bli omtyckt av kreti och pleti. Men det är svårt att säga nej till en gratiskväll mitt i veckan. Massor av vin man kan skölja ned små snittar med.

I början är det roligt också. När de går runt försöker Anna kommentera tavlor och människor så bara Mirja hör. Hon känner sig trevlig och leker vuxen.

»Var har du fått ordet 'salongsfähig' ifrån?« undrar Mirja skrattande. »Ibland pratar du som en gammal stofil.«

»Det var något min pappa sa … Om sig själv, för att slippa gå bort. Det lät så roligt. Han och mamma brukade åka och dansa. På dansbana, alltså. Men pappa sa att det räckte med dansen, för han var inte salongsfähig.« Hon tänker att hon inte visste att det fanns en historia bakom ordet förrän Mirja frågade. Så lustigt att hon kommer ihåg det nu.

»Dansbandsmusik«, säger Mirja. »Var du på dansbana?«

Anna tänker efter. »Strömsborg hette stället mina föräldrar åkte till. Men innan jag var tillräckligt gammal hade det brunnit ned. Mina bröder var nog den sista generationen som lärde sig dansa foxtrot. Jag hann aldrig.«

Mirja drar till i Annas hand. »Men du kan ju.«

Anna stirrar till på sin vän. Sedan vänder hon sig bort. Hon har aldrig varit på dansbana. Ändå kan hon se sin storebror Charlie framför sig just nu. Han dansar stor och lång intill henne och musiken är nästan hörbar. Anna hinner vara sju år i flera sekunder innan hon rycker sig ur inbillningen.

»Nu pratar vi om annat«, säger hon. Sedan slinker hon iväg för sig själv.

Hon kommer in i nästa stora sällskapsrum, ett hörnrum med fantastiska och många fönster mot Grev Turegatan. Det går inte ens att försöka tycka om tavlorna. Anna struntar i dem. Hon går från rum till rum och tittar på folk, men hittar inga andra under trettio. Kanske inte ens någon under fyrtio. Konstnären är femtio plus.

Anna har varit här två tre gånger tidigare. Kvinnan som bor här helt allena verkar ha gjort det till en hobby att anordna vernissage för alternativa amatörmålare i hennes egen ålder. Hon anser det vara vulgärt att prata om pengar, eller en konstnärs brist på pengar, och det går ju bra att ha den attityden om man badar i dem, har Anna och Mirja konstaterat. Men hon kan inte vara en äkta konstnärssjäl, för hon försöker för mycket, och dessutom styr hon ut sig med för många silversmycken. Men det är det bara Anna som sagt. Mirja kan skämta om folk, men hon är inte hjärtlös.

På väg hit idag påminde Mirja om att värdinnan antytt redan inför förra gången att man kanske inte skulle ta med samma vänner varje gång, utan förnya umgänget lite och »bredda exponeringsytan«. Mirja valde att fokusera på det där med bredden och utökade därför skaran med Franz.

»Men jag vill inte att du gör värdinnan ledsen igen. Försök att bara säga plattityder«, bad Mirja.

Nu står Anna i hallen och undrar för femtioelfte gången om inte Mirja kan slita sig från konstnärsgruppen snart. Franz har redan tröttnat och gått. Han ägnade en halvtimme åt att charma värdinnan, kanske på Mirjas begäran, men sedan skyllde han på en tenta i onkologi och försvann. Anna misstänker att han sitter och super med sina kursare någonstans i närheten.

Anna hör på ljudet från alla silversmycken vem det är som kommer ut från köket bakom henne. Hon bemödar sig om att le innan hon vänder sig om.

»Är du på väg att gå, Anna? Så rart av dig att komma till en av mina enkla tillställningar igen.«

»Jag väntar på Mirja.« Anna försöker låta artig, men den falska rösten går henne på nerverna. Hon vill verkligen vara trevlig. Mirjas trevliga kompis.

»Du påminner mig alltid om julen«, säger Anna och blir själv överraskad av känslan.

»Julen?«

»Ja, all bjällerklang och så …«

Anna hinner inte ens se tantens ansiktsuttryck förändras innan hon snor runt och försvinner bort genom hallen till det samspelta ljudet av en hel drös smycken med små kläppar i.

Sedan står någon alldeles intill Anna. Hon vänder upp huvudet mot den långe, kraftige karlakarl – ordet ramlar på plats direkt och Anna förvånas själv – som helt tyst står alldeles för nära. Han studerar tavlan i hallen, men den ingår inte i utställningen så det är bara en skenmanöver.

»Vadå«, säger hon.

»Jag tycker om dina associationer.« Rösten är grov och släpig.

»Jag är bara trött.« Annas röst är tonlös. Hon vänder också blicken mot tavlan.

»På det här spektaklet, ja. Det finns bättre. Jag själv brukar ha roligare vernissager än så här.«

Mannen och Anna står vända åt samma håll. Tavlan är enda ursäkten för att stå så nära någon man inte känner. Om de skulle vända sig mot varann nu skulle det bli något annat. Något vådligare rentav. Anna vrider sig en aning mot honom.

»Det skulle vara trevligt att få visa dig något bättre«, säger han.

Hon känner lukten av cigariller. Hans mage är av modellen *gubbe*, men han har kavlat upp skjortärmarna ända upp över armbågarna och det är snygga armar han har. Håriga och starka. Anna sneglar på nedkanten av en traditionell tatuering. En i bleknat blått utan skarpa konturer. Jävligt snygga armar.

»Är du på väg härifrån?« frågar hon.

»Skulle du följt med?«

Hon svarar inte. Utan skruvar sig ännu mer mot honom. Han står kvar och ser på tavlan. Anna känner hans hand peta strax ovanför midjan. Han sticker ned ett finger i hennes jeanslinning och tynger till. Släpper inte taget. Hon sväljer. Hennes mun andas ut och in precis intill hans armhåla. Han luktar inte svett, men cigarillröken och hans aftershave får henne att tänka på ålder.

»Hur gammal är du?« frågar hon. Det är ett test. Kanske gör han bort sig.

»Fyrtiofem.«

Anna står kvar. Det är något så sugande attraktivt med en fyrtiofemåring som inte låtsas vara trettionio när han stöter på en mycket yngre tjej.

Så släpper han henne och letar fram något ur kavajen han håller i andra handen.

»Ring mig när du är ensam någon kväll. Kanske har jag vernissage. Eller något ännu bättre.« Han ger henne ett vitt kort med några siffror i blyerts.

Så försvinner han in i lägenheten. Ett så alldagligt ansikte är Anna inte säker på att hon skulle känna igen om en vecka. Hon vet inte ens vad han heter. Hon vänder på kortet. Det är värdinnans visitkort. Han måste ha hittat ett och skrivit dit sitt nummer innan han kom fram till henne. Det var inte så spontant som det verkade. Eller var hon bara någon, vemsomhelst, som råkade passa hans intentioner?

Det spelar ingen roll. Anna stoppar kortet i bakfickan och går för att leta reda på Mirja. På väg ut ser hon honom igen. Han står med en annan man på balkongen. Ärmarna är nedkavlade nu. Den andre är minst lika stor, och skallig dessutom. De delar en cigarill. När Anna ser det får hon en vision av de två männen nakna, i våldsamt erotiskt handgemäng.

Det är äntligen fredagskväll. Anna hattar runt och städar lite här och var. Fönsterbrädan måste torkas, den är full med svart äckel från alla avgaser Franz släpper in för att kunna sitta och röka vid köksbordet. Men det är ännu viktigare att hinna bli av med alla tomburkar under vasken. När Anna samlar ihop dem rinner det ut lite ur en ölburk. Det luktar gammal fylla. Hon torkar upp med det sista arket hushållspapper och tänker att hon måste köpa mer, hellre än att hämta in en toarulle till köket. Mamma tycker definitivt att en toarulle i köket är opassande, nästan äcklig.

Hon kan inte låta bli att fundera över hur mamma kunnat bli så pedantisk, gränsande till manisk. Med Olivia och Anna som tonårsflickor i huset borde hon blivit van. I deras rum gick det knappt att se en enda liten fri golvyta för alla saker som alltid låg kringspridda och alla kläder de steg ur på stället.

Nu är det mindre än en kvart kvar. I servicebutiken två kvarter bort har Anna svårt att välja. Det dubbla, kritvita hushållspappret kostar jättemycket. Det billigare ser ut som toapapper på tåg. Hon kan gott och väl tänka sig att mamma har eget papper med för att slippa använda det på SJ. Anna väljer det dyra men har bara några lösa mynt i fickan. Det räcker inte. Killen bakom disken vill inte gå med på att hon betalar senare så hon får småspringa hem med oförrättat ärende.

Några minuter till. Anna sitter vid köksbordet. Hon har gjort vad hon kan. Det är alldeles tyst i lägenheten. Hon ser på sina händer, lugna på bordsskivan nu. Knogarna är grova, fingrarna inte så långa. Det är inga flicksmala händer hon har. Anna har sin pappas händer till en smal kropp i övrigt. Någon kille har sagt att hennes händer är sköna och starka och kan sin sak. Det bekommer henne inte illa att tänka på det samtidigt som hon längtar så förfärligt efter mamma. Det är flera månader sedan de träffades.

En vecka till hade varit alldeles för länge.

Året innan Charlie försvann

Dansbandsmusik

Anna dansade runt på gårdsplanen. Hon hoppade jämfota och försökte komma undan bröderna efter varje gång hon vågat sig fram med en näve snö.

»Vilken retsticka du är, Anna. Kan du inte låta Mattias och Charlie jobba ifred?«

Anna vågade sig inte på pappa. Han tyckte inte alls det var kul med snö, i alla fall inte när de hade problem. Men Charlie kunde man skoja med. Han stod bredbent nere i diket och lutade sig framåt med händerna mot knäna. Anna var nästan i jämnhöjd med hans huvud. Hon smög sig fram igen men pappa stoppade henne.

»Sluta nu.« Han lät trött.

Ett ljud hördes långt underifrån vägen. Det var Mattias. Han låg i cementtrumman med bara skorna synliga i diket. Nu måste han vänt på huvudet därinne för de kunde höra riktiga ord:

»Vi behöver tina det här röret. Ta hit en brännare. Vi får börja längst in.«

»Satan också«, muttrade Henrik. »Det är ju snart vår. Kan vi inte vänta tills det blir varmgrader? Ge oss på det nu, det gör vi inte.«

Charlie lutade sig ännu längre ner. »Farsan vill att vi ska fortsätta bära in snö när vi skiter. Och när avloppet fryser också får vi skita ute på åkern.«

»Det är väl inget problem med det. Större problem med tvätten. Men det bryr väl inte ni er om. Ni gör ju inte ett handtag för att hjälpa mamma.«

»Gör du det då, gubbe?« retades Charlie. »Vi diskar åtminstone. Du borde ta var fjärde dag. Vi skulle införa det, var *fjärde* dag diskning. Varför ska du slippa undan?«

»Kom igen nu!« hördes nerifrån trumman.

»Ja. Vi får väl försöka tina upp röret då. Så mamma slipper åka iväg med tvätten. Och så vi kan duscha igen.«

»Ja, det vore väldigt trevligt att slippa känna hur Anna luktar prutt!« Charlie skyndade sig mot garaget och duckade när Anna kom sättande med snö i nävarna. Han skrattade och låste armen runt nacken på henne. Hon lyftes med under några steg av bara farten.

»Sätt ner Anna! Är du tokig!« gormade Henrik. »Förresten, det ska finnas två gasolbrännare. Leta!«

Några minuter senare var det Charlies fötter som syntes utanför trumman. Mattias var långt därinne. Anna blev less och gick in. Pappa var inte så rolig att busa med.

Efter ett tag kom pappa in också. Anna gick och satte sig bredvid honom när han kommit in i köket.

»Kan inte du visa mig det där med tändstickorna igen? Hur man får flera stycken att sitta ihop och så blir det ett fyrverkeri när man tänder på.« Hon studsade upp från soffan och hämtade en tändsticksask.

Lisbeth kom in i köket med en handduk virad runt huvudet. »Var är pojkarna?«

»Om du väntat en halvtimme hade du sluppit värma smältvatten på spisen för att kunna tvätta håret.«

Lisbeth höjde ögonbrynen och tog kaffepannan till dunken med dricksvatten.

»De har hittat problemet«, fortsatte Henrik. »Ledningen är stenfrusen under vägen. Men de håller på att tina den nu.«

Henrik bet upp tändstickorna i ändarna och skarvade dem tills han fick ihop en julbock med lång svans. Han fortsatte sticka kroppen full med tändstickor i olika längder. Så fick Anna tända eld på svansen. Spektaklet flammade upp när elden nådde de första tändhuvudena, och så fortsatte det ett tag medan de olika delarna brann. Henrik fick hålla i den kolnade svansen tills fyrverkeriet ebbat ut.

Lisbeth satt med sin släta kopp kaffe och såg fundersamt på.

»Hur kan det ta så lång tid därute? Ska du inte gå och kolla pojkarna?« undrade hon när Henrik plockat ihop resterna av bocken och kastat dem.

Han la in några pinnar i den lilla luckan på vedspisen.

»Det tar sin tid. Det har nog frusit ända från öppningen. Lika bra att tina hela sträckan på en gång. Sedan får vi se till att isolera röret ordentligt där det går in i trumman. Det går inte att göra som Bo-Anders och köra snöslunga i diket och tro att man är duktig.«

»Han ville väl bara hjälpa oss. Grannar emellan.«

»Han ska inte lägga sin näsa i blöt. Det är som Charlie brukar säga, den killen blir aldrig gift. Han är ett byoriginal.«

»Han är bara några år äldre än våra grabbar. Det är inget fel på Bo-Anders.«

»Det är fel i huvet på den som tar bort snön från ett dike. Den ska ligga kvar och isolera ledningarna.«

»Men han tänkte sig väl inte för.«

»Nä. Det är det jag menar.«

Efter någon minuts tystnad, då Lisbeth suttit och tittat ut på det tilltagande snöfallet, drog hon en håglös suck.

»Jag kan inte gå ut med blött hår. Nu går du ut och hjälper till.«

»Det ryms inte mer än två fullvuxna karlar i trumman. Det är väl onödigt att stå där och leka förman.«

Lisbeth ställde sig i fönstret och försökte se, men det var omöjligt att få syn på någons fötter nere i ett meterdjupt dike femton meter bort.

»Det är så trist med det här vädret. Glåmigt och grått. Jag vet inte ens om jag känner för att åka och dansa ikväll.« Hon suckade igen. »Jag får inte lust med nånting alls.«

»Jag ska ut, det är tydligt det.« Henrik reste sig och gick ut i hallen. De hörde honom dra på sig stövlarna och klä på sig, och sedan ytterdörrens öppnande och stängande. Lisbeth skakade på huvudet.

»Pappa är envis som synden. Och vresigare än vanligt.«

Anna tyckte inte det stämde. Det var nog mamma som var på ombytligt humör igen. Pappa brukade säga det. Ombytligt humör betydde att mamma kunde bli arg två sekunder efter att hon kramat en. Eller skälla på pappa och sedan börja snyfta i armarna på honom medan han skakade på huvudet och kallade henne omöjlig. Det här var nog en sådan dag. Anna gick upp till sitt rum för att leka med barbie.

Några minuter senare brakade det till från nedervåningen. Anna flög upp från sin lek på golvet och tog sig ut till den övre hallen på nolltid.

»Ta hand om din galne, jävla son! Jag måste hämta nästa idiot som har fått delirium därinne!«

Anna gick halvvägs ned. Charlie låg nedanför trappan och viftade med armarna. Mamma ruskade på honom.

»Vad har ni gjort! Vad har hänt?«

»Nej-nej-nej …« Charlie viftade bort mamma. »Måste … spy.« Han försökte sätta sig upp. Konvulsionerna drog ihop honom till en metkrok men det kom ingen kräkning.

Anna sjönk ned i trappan. Charlie hade aldrig varit så här konstig. Han viftade med händerna hela tiden.

Då hördes pappas rop utifrån: »Öppna! Öppna dörren!«

Mamma skyndade sig. Pappa måste ha lutat sig mot dörren för när mamma öppnade rasade han in som en fallande fura med Mattias över sig. Anna kröp ihop i hörnet där trappan svängde och stirrade med stora ögon.

»Mattias! Charlie! Vad har ni gjort!« Mamma skrek för döva öron.

Pappa kom mödosamt på fötter.

»De är förgiftade. Så idiotiskt. Så jävla onödigt …« Det var som om han bad om förlåtelse. Anna tyckte det var konstigt. Det var ju pappa som hittat dem.

»Vad gör vi om de slutar andas? Vi måste ringa ambulans!« Mamma snubblade så fort över orden att det var svårt att höra vad hon sa.

Henrik började klä av sönerna jackor och skor. »Vi åker in med dem senare, om de fortsätter må illa. Nu tar vi det lugnt.«

Men mamma tog det inte lugnt. Hon andades så det pep när hon försökte få fram orden:

»De måste in på sjukhus – tänk om de inte klarar det – vad ska vi göra?«

Mattias gjorde ett ljud så snoret frustade ur näsborrarna. Mamma gallskrek:

»Jag ringer ambulans!«

Henrik tog Lisbeth i armen. »Nu lugnar du ned dig.«

Rösten var mjuk men mamma måste hört något annat. Hon slog bort hans hand och fortsatte skrika.

»Hur har du mage att säga så? Det här är ditt fel! Hur kunde du?«

Henrik hyssjade på sin fru. Han gjorde det ibland, när hon sa dumheter. Ibland fungerade det.

»Men svara då!« skrek hon.

Henrik svarade inte, utan lyfte upp Mattias överkropp så han kunde dra av honom jackan.

En timme senare satt båda sönerna vid köksbordet och lutade sig tungt mot bordsskivan. Charlie hade gnuggat ansiktet mot armen så ögonen var rödsprängda. Mattias drack en klunk vatten då och då och grimaserade som om han hade ont i huvudet. Anna satt alldeles tyst bredvid sin pappa.

»Hur känns det nu?« undrade Henrik. Han såg ut som en strykrädd hund.

»Inget vidare. Men det blir bättre.« Charlie gnuggade ansiktet igen. »Jag lever.«

»Det hade kunnat gå illa. Jag vill inte tänka på vad som kunde hänt …«

»Nej, gör inte det«, sa Charlie matt. »Jag trodde gasol var ofarligt, förresten.«

»Det använder upp syre. Och när det blir dåligt med syre så bildas det kolmonoxid vid förbränningen.« Henrik tog Annas hand som kom smygande.

»Så det var ingen bra idé.« Charlie hostade till och sträckte sig efter Mattias vattenglas.

»Nej, det var … som sagt, ingen bra idé.« Henrik såg ned på den lilla handen i sin stora labb.

Lisbeth öppnade köksdörren och kom in. Hon satte sig mittemot Henrik och knöt händerna under hakan. Att hon darrade syntes ändå.

»Du, Henrik, kan ju sånt här. Du vet ju allt om sånt här.«

»Jag tänkte inte på det. Det stod stilla i huvet.«

»Du brydde dig inte om killarna. Du visste att de kunde dö därute, och …«

»Självklart tänkte jag inte så!«

»… och så går du in och sätter dig och fikar!«

»Det var du som drack kaffe. Jag bara satt.«

»Håll tyst! Du … du är ansvarig för det här.« Lisbeth ställde sig upp. Hon viftade med handen mot sin man. »Du jobbade med gasol i så många år att du … du kan inte ha glömt! Du är ansvarig.«

»Jag inser det …«

»Du sket i killarna och nu håller du käft!«

»Lugn, mamma«, bad Mattias utan att våga se på henne. »Inget värre har hänt än att vi har ont i skallarna. Lite syrebrist. Charlie avhjälper det nog genom att åka och supa.«

Charlie skrattade till. »Ja, jävlar i mig. Det är nog bäst. Billig fylla.«

»Nu är ni alla tysta«, varnade Lisbeth och hennes röst var låg.

»Du är så farlig, mamma, när du sätter den sidan till. Kom hit.« Charlie höll ut armen. Lisbeth kunde inte låta bli att gå in i Charlies famn. Han hängde med armarna låsta runt hennes midja och lät »mmmmmm« i flera minuter. Alla lyssnade och ingen vågade säga något. När Mattias lyfte blicken mot mammas ansikte såg han tårar nedför kinderna.

Det var snart middagsdags. Mattias höjde och sänkte ögonbrynen några gånger. Jo, huvudvärken låg och lurade bakom pannbenet, men det var inte värre än så. Mamma hade hotande migrän och det var henne det var synd om. Pappa också, för han tog på sig ansvaret för det som hänt. Det var klart att han borde tänkt till, han måste ju lärt sig alla säkerhetsföreskrifter en gång. Men det var rätt länge sedan han slutade som slöjdlärare. Innan Mattias började skolan. Minst tio år sedan. Klart man kan glömma.

Hög musik trängde ut från mammas och pappas rum. Dansbandsmusik visserligen, men det fick man ta. De höll på att sluta fred i alla fall. Fast den här gången skulle nog inte mamma gå omkring och mysa och pappa vara rak i ryggen så fort.

Mattias gick ett varv till och kontrollerade att alla kranar stod och droppade lite. Charlie var fortfarande ute och jobbade med isoleringen. Mattias skulle börja med potatisgratängen till middagens tjälknöl på älg. Det gick trögt. *Man blir slö av syrebrist*, tänkte han. Anna kanske kunde hjälpa. Lilla, roliga Anna som alltid pratade som en kvarn.

När han ropade i trappen kom hon smygande runt hörnet från föräldrarnas rum till.

»Jag bara lyssnade«, sa Anna spjuveraktigt. »Vet du vad jag hörde?«

»Låt mig slippa veta. Kom och skala pärer istället.«

Anna tvekade på trappavsatsen.

»Nää, jag vill inte. Det tar så lång tid.« Mattias min fick henne att tillägga: »Jag kan göra illa mig. Potatisskalaren är vass.«

Då öppnade Charlie ytterdörren och Mattias såg sin chans.

»Anna vill inte hjälpa till med middan för hon är upptagen med att stå utanför mammas och pappas dörr och tjuvlyssna.«

Charlie krängde av sig stövlarna och drog upp snor.

»Anna!« ropade han barskt. »Kom ner! Du har inget där att göra. Snabba på!«

Anna kom nedför trappan genom att sätta hälen längst ut på första trappsteget och glida ned med en duns. Så matade hon fram foten och dunsade ned på nästa steg. Och nästa. Och nästa.

»Lennart ska tydligen gifta sig.«

Lisbeth sa det som om hon inte tänkt på det innan. Hon och Henrik höll på att plocka av bordet och ta hand om disken. Anna satt och lyssnade på småpratet och petade med sin gaffel i en blomkruka.

»Har du pratat med Lennart om giftermål?« retades Henrik.

»Nej, tok. Men det skvallras ju. Den där nya kvinnan från Bredbyn. Hon bor hos honom nu.«

»Hon menar inte allvar.«

»Varför skulle hon inte göra det? Det är väl inget fel på Lennart?«

»Han är full av fel. Varenda år har vi problem med honom under jakten. Ifjol kom han med en helt otränad hund och krävde att Bo-Anders skulle hålla sin hemma.«

»Hon lär inte vara intresserad av den biten. Han har väl andra företräden än sin hund.«

»Vilka då?«

»Nu är du fånig. Hon är väl tillsammans med Lennart för att han är man. Är det nåt konstigt med det?«

»Det har jag väl inte sagt.«

»Då så. De kanske till och med skaffar barn. Så får han en familj på ålderns höst.«

Anna förstod att det här samtalet var mer intressant än vanligt, även när det blev tyst emellanåt. De såg inte alls vad hon höll på med. Hon grävde gaffeln djupare under roten på blomman.

»Hurgammalärhon?« frågade Henrik i en utandning, som om han gav upp.

»Spelar det nån roll?« Nu var det Lisbeth som retades.

»Den kvinnan är för gammal för att skaffa barn. Men likväl för ung för Lennart. Hon kommer aldrig att gifta sig med den gammgubben.«

»Ni är lika gamla.«

»Nä. Han är ett halvår äldre.«

Lisbeth smög upp bakom Henrik och tryckte sig mot hans rygg.

»Och du är så ung och viril!«

64

Mattias kom precis in i köket. Han spärrade upp ögonen när han såg Anna och blomman som vippade upp och ned, på väg ur krukan. Men han sa inget. Anna flinade mot honom.

Lisbeth höll om sin man bakifrån och trummade som Tarzan på hans bröstkorg. Båda föräldrarna började skratta. Henrik snodde runt och blev nafsad i läppen av sin fru. Så såg Lisbeth sin man i ögonen och utmanade honom med blicken. Det gick inte så bra, han såg bara trött ut.

Trött på den här leken de lekt så många gånger förr.

Men Lisbeth gav sig inte.

»Hon har en tioårig pojke med sig. Det räknas väl det också. Eller tycker inte du det?«

Henrik lösgjorde sig från Lisbeths grepp. »Jag hoppas det ordnar sig för Lennart. Det vet du att jag gör. Livet har inte varit rättvist mot honom.«

Lisbeth såg efter hans ryggtavla när han gick in i kammaren och sjönk ned på ena knät på stenplattan framför kakelugnen. Luckorna gnisslade.

Hon gick för att göra sig i ordning. När hon kom tillbaka en halvtimme senare satt de två sönerna vid köksbordet och bläddrade i varsin tidning.

Lisbeth höjde rösten en aning eftersom Henrik inte syntes till:

»Vi kan väl bjuda Lennart och hans lilla fru på middag.«

När hon inte fick något svar fortsatte hon:

»Jag träffade henne faktiskt. I Docksta. Hon kom in i affärn.«

Henrik dök upp i dörröppningen.

»Du vet ju hur det är med det. Jag orkar knappt umgås med din syster. Jag vill inte ha hit Lennart på middag.« Han strök händerna mot byxorna och gick ut i farstun. När han kom in igen hade han ett par svarta skor i nyporna. Dem ställde han på diskbänken.

»Du har ju bjudit in honom förr«, invände Lisbeth.

Henrik rotade i skåpen under slasken.

»Men det är väl annorlunda. Det är ju för att han ska komma och betala jakten. En gång om året. Det må väl räcka.«

Han reste sig upp med en svart skoborste i ena handen och en plastlåda i den andra.

»Är du svartsjuk?«

»Inte nämnvärt.« Han tog en tub från plastlådan och klämde ut strängar på båda skospetsarna. Sedan började han smeta in krämen med en gammal trasa. Lisbeth hade positionerat sig på andra sidan köksgolvet, vid spisen, med armarna i kors.

»Du har någon gång sagt att du känner det som om jag var otrogen mot dig. Innan vi ens träffades.«

»Men herregud.« Henrik vände sig om. »Ska du prata om det nu?«

»Du önskar att jag hade väntat på dig.«

Tysta såg de på varann. Sekunderna blev långa.

Till slut suckade Henrik. »Ja, jag önskar att du hade väntat på mig.« Han tog ena skon och började borsta den. »Och samtidigt inte.«

»Hur ska det där tolkas?«

»Men det är ingen som vill tolka nåt! Du ska inte kläcka ur dig en massa saker. Det är du som har sagt att det inte gick att vänta på mig. Att du hade bråttom med livet …«

Då avbröt Lisbeth: »Nu. Pratar vi om nåt annat.«

Henrik skakade på huvudet och suckade. Högljutt.

I det ögonblicket lyfte Charlie blicken från tidningen. Ingen fick någonsin veta om han lyssnat till ett enda ord av samtalet.

»Jag följer med på dansen.«

När det blir farligt

»Härnösand har förändrats så mycket sedan vi flyttade hit för femton år sedan. Det har blivit så rasistiskt och otäckt här. Jag önskar man kunde förändra klimatet i stan.«

Det var Anna som var orsak till en av de längre utläggningarna Per-Arne någonsin kommit med till kvällsfikat. Hon förstod att det var i välmening han försökte bortförklara det hon gjort, men hon önskade att han kunde bli tyst någon gång.

Hennes tankar kretsade kring Petter och hur hon skulle komma runt det förfärliga som hänt tidigare på kvällen. Den där kyssen – den som hon nästan inte vågade tro på längre – kändes så långt borta. Anna hade sumpat alltihop. Petter, som pratade om förståelse för andra och kompisskap och annat som ungdomsledare alltid pratade om, hade hört när Anna kastat ur sig: »*På tal om negrer så skulle det vara skönt om du åkte hem, men du vet väl inte vilket jävla land du kommer ifrån.*«

Hon hade sagt det till Adrian, en kille som var adopterad från Colombia och något år äldre än Anna. Faktiskt hade hon känt sig rätt nöjd för att hon vågat fräsa ifrån. Adrian var i själva verket indian, men Anna tyckte att man måste vara riktigt dum i huvudet för att skämta om negerpojkar om man var mörkhyad själv. Man bad ju om det.

Sedan hade Anna vänt sig om och sett Petter stå alldeles bakom henne. Hon hade kunnat sjunka genom jorden. Hon rev åt sig jackan och sprang iväg, sedan drev hon omkring i centrum en timme. Bara mataffären var öppen, och pizzeriorna, och hon hade ändå inga pengar. Till slut tog hon bussen hem.

Först reagerade hon inte när hon fick frågan hur kvällens ungdomsträff varit. Hon var inte längre skräckslagen inför tanken att ljuga. Men så fick hon syn på sin mammas ansikte och då bara teg hon. Mamma visste redan.

Anna fortsatte tiga. På så vis fick hon veta att Petter ringt hem och berättat om händelsen men betonat att han inte hade hela bilden klar för sig. En av pojkarna hade tydligen skämtat något om negerpojkar till Anna, men det var ingen som kunde minnas exakt vad som sagts, eller visste varför hon reagerat så starkt. Och pojken hade slingrat sig.

»Kan du förklara dig, Anna?« undrade hennes mamma.

Anna ville förklara, men hon var inte riktigt säker på hur det hängde ihop.

»Han retades om det som hände när jag var sju.«

Anna kunde nästan känna elektricitet stråla ut från sin mamma.

»*Vad* sa han till dig?«

Anna förstod att mamma genast skulle ta hennes parti nu. Men det hjälpte inte. Petter skulle inte vara så förstående.

»Han ville veta vad som hände i min familj. Han sa att det var som tio små negerpojkar. Det blev bara jag kvar.«

Anna gick undan till köket. Kvällsfikat var redan framdukat. Orden som Petter hört malde runt i magen på henne och gjorde det svårt att ens tänka på fika. Hur skulle hon få en chans att förklara? Gick det att förklara ens om hon fick miljoner år på sig?

Anna försökte undvika att se på mamma. Olivia satt blickstilla vid sin ände, antagligen rädd att inte få vara med om det skulle diskuteras något spännande med Anna.

Det var då Per-Arne påbörjade sitt lågmälda samtal till alla och ingen och det tog ett långt tag innan Anna hörde att han pratade om *rasism* och *integration* och *tolerans*. När han kom in på vikten av ett *förlåtande förhållningssätt* till andra lyfte Anna huvudet och blängde på honom. Men Per-Arne såg på Olivia när han talade, och försökte låta som om samtalet inte alls hade med Anna att göra.

»Vi vet alla att man hellre ska vända andra kinden till.«

Anna stönade. Så tog hon en skorpa som hon tryckte ned halvvägs i sitt mjölkglas. Per-Arne började säga något om *invandring* samtidigt som han rasslade med några mynt i byxfickan.

»Jag hatar när du gör så där!« skrek Anna till. I ögonvrån såg hon Per-Arne ta upp handen ur fickan och nervöst leta efter någonstans att göra av den. Fingerkamma det tunna håret, peta upp de fula glasögonen, dölja en kraxning. Anna väntade på mammas reprimand, men den kom inte.

Hon lyfte blicken och förstod. I mammas ansikte fanns samma desperation som alltid när Anna försökt prata om det som hände när hon var sju. Men den här gången tänkte Anna passa på. Det kunde i alla fall inte bli värre. Inte efter det Petter hört.

»Den här killen sa att de hade ihjäl sig en efter en.«

I tystnaden efter sina ord satt Anna stilla och stirrade på sin mamma. Det fattades ett svar och hon ville visa det.

Mamma såg förtvivlad ut. »Det är klart att det pratas och förvanskas. Folk som vet att vi drabbades pratar ju om det någon gång, det är klart, även om ingen här i Härnösand känner till …«

»Du har sagt att det var en olycka. Och ikväll fick jag höra att de tog ihjäl sig.«

»Erika, har du inte berättat det ordentligt för Anna?« Per-Arne satt med ett höjt ögonbryn. Det var första gången Anna tyckte det lät som om han också bestämde i familjen.

»Både ja och nej«, svarade Erika tyst. »Lisbeth ville så gärna …«

»Jag vet vad min mamma gjorde! Men pappa då?«

Det blev dödstyst. Per-Arne glömde bort att han nyss provat på en ny roll och vågade bara se på sin fru från ögonvrån.

En duns.

En till.

Olivia klarade inte spänningen längre. Hon hade hela tiden suttit och gungat ljudlöst på två stolsben. Nu dunsade hon ned på alla fyra gång på gång. Erika blinkade vid varje smäll.

»Det var en jaktolycka, men …« Hon avbröt sig.

Anna såg förvånat på henne. Varför var det så svårt att berätta? Hon behövde få veta.

»Killarna försvann och pappa dog. Hur dog han?« pressade hon på.

Erika svalde några gånger. Hennes blick sökte hjälp men Per-Arne fanns inte där. Hon blev tvungen att försöka själv.

»Det jag inte velat förklara så tydligt, för det hjälper ju inte … är att …«

Sedan började hon gråta högljutt. Anna tänkte att nu springer mamma, men hon satt som fastgjuten på andra sidan bordet med blottat ansikte. Hon tänkte minsann inte överge Anna. Men hon tänkte inte berätta heller, det var tydligt.

Anna kände iskylan komma. Hade hennes far verkligen tagit livet av sig, precis som Adrian sagt? Det här var inte den historia hon trott på hittills. Som förlamad satt hon med armarna hängande vid sidorna och tänkte på sin store, starke pappa. Han som lyft henne så högt att hon kiknat. Det kunde inte vara sant!

Erika hulkade och väntade på ett förlösande ord. Men Anna kunde inte trösta idag. Hon behövde svar. Mammas snyftningar blev till slut bara sväljningar och Per-Arne var inte till någon hjälp. Han stirrade ned i bordsskivan.

Till slut reste sig Anna från det tysta bordet i protest. När hon stegade iväg till sitt rum hamrade hon hälarna i hallgolvet och lät varje steg tala. Precis när hon smällde igen dörren såg hon mamma komma farande. Ibland var en dörr man kunde låsa det enda sättet att hantera saker. När någon ville in tryckte man bara ansiktet i kudden och vrålade rätt in i den. Vrålade tills man grät.

Efter ett tag visste Anna inte varför hon grät. Kanske var det över allt som blivit så fel med Petter, för Adrians ord gjorde inte ont. De kunde inte göra ont, för hon visste ju inte vad de betydde.

Som en boll under täcket med knytnävarna hårt mot magen blev hon medveten om en intensiv önskan. Den trängde fram så häftigt ibland, mot hennes vilja och mot allt förnuft. Anna kunde aldrig förklara varför hon önskade att hon verkligen varit ensam. Att det inte funnits några släktingar och att Erika bara varit en okänd tant som fått hand om henne efter katastrofen. Känslan var ibland så intensiv att hon blev het ända ut i öronen. Skammens kännetecken, inbillade hon sig.

Under täcket var det nattsvart stunder som denna.

När knackningarna återkom någon timme senare tog Anna bort kudden från huvudet. Hon hade aldrig hört någon knacka så förut. Förvirringen fick henne att sätta sig upp.

»Får jag tala med dig, Anna?« Det var Per-Arnes röst. Av pur häpnad öppnade Anna dörren.

»Tack, Anna. Petter ringde. Han vill gärna prata med dig. Han tycker att det är hans ansvar att reda ut det här med dig. Om du vill kan jag skjutsa dig hem till honom.«

Anna nickade bara. Så hon skulle få träffa Petter mitt i alltihop. Hon hade våndats över vad hon skulle kunna säga för att få träffa honom igen. Och så var det så enkelt för honom. Han ville träffa henne så han beställde henne.

»Nej, du behöver inte hämta. Jag tar bussen.« Anna klev ur och smällde igen bildörren.

Hon var glad mer än något annat. Men hon var orolig också. Hon visste inte hur hon skulle kunna förklara sina dumma ord till den dumme Adrian.

»Jag tänkte att det är bäst att jag ringer«, förklarade Petter innan hon ens hunnit stänga dörren bakom sig. »Sätt dig.«

Anna visste inte vad hon skulle tro, men det kändes lugnande att Petter höll sig till rutinen. Han var redan ute i sitt lilla kök och plockade fram fika. Ingenting verkade förändrat. Ändå var allt osagt. Anna ville få det bortstökat snabbt.

»Jag blev arg för han sa något om tio små negerpojkar. Han menade min familj som jag förlorade.«

»Jag vet! Du behöver inte ursäkta dig.«

»Jo, jag måste.« Det var mindre farligt att prata med Petter när han var bakom väggen. »Jag vill inte att du ska tycka illa om mig …«

Så stod Petter mitt på golvet. Och blundade.

»Jag tycker inte illa om dig, det vet du. Och du vet det speciellt efter förra gången du var här. Jag måste säga det direkt.« Petter öppnade ögonen till ett kisande. »Jag vill inte såra dig, men jag kan inte ha … något slags … relation med dig. Annat än som vän.«

Annas ögon var klotrunda. Hon försökte förstå varför han inte verkade bekymrad alls över att hon sagt rasistiska saker till Adrian.

»Jag brukar inte säga sånt …«

Petter skakade på huvudet. »Bry dig inte om det. Adrian förtjänade att höra ett och annat. Han är på lite fel spår och provocerar allt och alla.«

Petter sög in luft mellan spända läppar, som för att visa hur nära det var att Adrian skulle hamna snett. Sedan satte han sig ned mittemot Anna men undvek att se henne i ögonen. Hon var förvirrad.

»Ska vi prata om något?« slängde hon ur sig. »Gud, kanske?«

Petter, som tagit första klunken cola ur sitt glas, skrattade till. Det hjälpte. Plötsligt kände Anna lukten från kolsyrebubblorna som sprakade i de två glasen. Det luktade eld från två värmeljus på hyllan också. Hon blinkade och sökte Petters blick, men han gömde sig bakom sitt glas.

Sedan sa ingen av dem något i alla fall. Den här gången blev det Petter som till slut behövde fylla tystnaden.

»De har inte varit hårda mot dig hemma, va? Jag blev nästan rädd att jag ställde till det när jag ringde och berättade om Adrian.«

Anna hörde hur konstiga hans ord lät. Han som brukade se henne i ögonen och le så groparna i kinderna syntes. Idag var munnen ett smalt streck och han irrade med blicken. Det var som om de inte kände varann längre.

»Min pappa tog livet av sig«, for det ur henne.

Petter ryckte till och nu, äntligen, kom blicken tillbaka till Anna. Ett dimmigt stråk av lugn hann nå henne innan hon återigen sjönk mot den botten där hon krälat under täcket bara någon timme tidigare.

»De har aldrig berättat det«, fortsatte hon och tyckte själv det lät som om hon inte brydde sig.

»Din pappa sköt sig. Visst var det så?«

Anna såg på Petter. Han vågade fråga precis det hon inte tordes tänka. Men han var den ende hon kunde tänka sig att prata med om just det. Så förunderligt att mitt i all panik och förtvivlan – så fanns Petter.

De satt länge mittemot varann. Anna, som förskonats från detaljerna kring katastrofen, berättade om sina mardrömmar. Hur hon efter en långfilm drömt att män från maffian plockade upp Charlie när han liftade och sedan dödade honom vid en vägren någonstans. Att också Mattias föll offer när han kom dem på spåren och höll på att avslöja vad som hänt. Hur hon ibland tänkte att Charlie liftat ända till Medelhavet och sedan börjat ett nytt liv som munk i ett avlägset kloster hon sett ett program om. Hur Mattias följt efter någon månad senare. Hur hon övergivit tankarna när hon insett att det betydde att bröderna inte ville träffa henne igen.

Sedan ställde hon frågor till Petter om hur det kunde gått till när hennes pappa gjorde det. Hur sköt man sig med gevär? Hur visste man att man inte skulle bomma? Hur såg det ut efteråt? Dog man på en gång? Petter satt med huvudet i händerna, framåtlutad mot Anna, och svarade så gott han kunde. Antagligen tog man av sig kängan och tryckte av med tån. Antagligen stoppade man gevärspipan i munnen. Antagligen var hela bakhuvudet borta eftersom en patron splittrades när den träffade något, för att döda ett djur så fort som möjligt.

Anna började efter någon timme oroa sig för att Petter skulle säga att kvällen var sen, att hon borde åka hem. Hon kände paniken lura, känslan av att inte få prata klart. Sedan, när tiden gick, tänkte hon att det skulle komma många fler tillfällen att prata. Och till slut var Anna själv tvungen att säga det. Hon borde åka hem.

Petter nickade.

Då slank det ur Anna: »Kan du inte ligga på mig först?«

Petter gapade oförstående. »*På* dig?«

»Bara ovanpå. Bara en kort stund.« Anna viskade fram orden.

»Men varför då?« Petter lät förbluffad.

»Därför att jag vill känna din tyngd … hur tung du är.«

Petter himlade med ögonen. Så brast han i skratt. Det verkade som det enda riktiga skrattet ikväll. Det fyllde ut hela rummet och trängde bort alla hemska tankar.

»Galenskaper«, sa han till taket. Sedan blev han allvarlig igen. Anna såg honom svälja, struphuvudet åkte upp och ned, och sedan lutade han sig över bordet mot henne. Ögonen var konstiga.

»Lägg dig ner.«

»Lägg dig ner«, hade Petter sagt och det var då det blivit farligt.

Han hade försiktigt lagt sig ovanpå Anna men inte lutat sig med hela sin tyngd på henne. Mycket mer än så hände inte. Petter reste sig upp efter några sekunder och drog Anna med sig.

»Du måste hem.«

För en gångs skull blev Anna inte rädd att det var ett avvisande. Det fanns ett förbund mellan dem nu. Vad det bestod av visste hon inte än, men hon log lite när hon sköt upp porten ut mot vintermörkret. Gatlyktorna lyste upp cirklar av snö och is i en lång rad ned mot centrum. Anna följde dem mot busshållplatsen och med varje steg som knarrade i snön såg hon sig själv mer och mer utifrån. Det kändes lätt att gå. Hon var viktlös och trygg. Anna såg att hon var vuxen nu, för det fanns ingen som kunde förklara det som hände.

Anna fick en udda tanke precis när hon klev på bussen. Det kändes som att hon förlorat oskulden. Hon var vuxen och allt var så kroppsligt. Det onda i bröstkorgen och magen hade gjort mindre ont med Petters tyngd. Det hade bara varat någon sekund, men det gjorde henne trygg att hon vetat att det skulle hjälpa. Att hon kunde ta hand om sig själv när mammas godnattkram inte längre tog bort tomheten.

Blickstilla på bussen kände hon en annan visshet gnaga sig in. Hon försökte tänka bort den men det gick inte. Tankarna for iväg till ögonblicket innan hon lagt sig bakåt, utsträckt på Petters säng.

Det var något som var farligt med det ögonblicket. Petter hade skrattat den ena sekunden. I nästa sekund hade han sett henne i ögonen och kommenderat:

»Lägg dig ner.«

Anna förstod det på bussen och hon förstod det samma natt. Petters blick hade varit fylld av något hon aldrig sett förr. Hon såg hans blick framför sig och rös när hon upprepade orden. Rysningen var vällustig samtidigt som den var en ljudlig varningsklocka. Anna tänkte inte lyssna på den klockan.

Hon stannade i badrummet. I fullt lampsken och stående framför handfatet rörde hon vid sin klitoris tills hon närmade sig orgasm. Det var svårt att hålla ögonen öppna. Eller – det var inte svårt att hålla dem öppna, men det var svårt att se något. Hennes blick blev simmig och spegelbilden rörig. Men visst var det så! Visst var det åtrå som gjorde ögonen så! Hon jublade så hon var tvungen att hoppa högt på badrumsmattan. Hon kom av sig med fingret men skrek inombords av lycka. Jävla, sköna galning! »*Du älskar mig*«, sa hon till sin spegelbild flera gånger. Hon var tvungen att ta tag i handfatet av ruset.

Du älskar mig.

Senare på natten, i halvvaket tillstånd, kom delar av samtalet med Petter tillbaka. Något var konstigt. Något Petter sagt.

»*Din pappa sköt sig. Visst var det så?*«

Hur visste han det? Petter, som bara pratade med Per-Arne vid kopieringsmaskinen ibland, i tio minuter.

Anna 23 år

Ömhetsbevis

Anna vaknar först. Det brukar hon göra. Ögonen blinkar ett par gånger och hon bekämpar kroppens vilja att röra sig. Det är alltid någon som kan vakna.

Sekunderna innan världen upptäckt att hon är vaken känner sig Anna helt tillräcklig. Det är bara då hon är hela sitt jag, och det är bara några ögonblick åt gången.

Ljuset kommer medan hon ligger blickstilla och tittar i taket. Gråvita skivor har innertaket klätts med. I hörnet syns rester av spindelväv. Tretton plattor hela vägen bort till bokhyllan. Anna far med blicken över dem. Skarvarna kastar skuggor som fördjupar kanterna. Plattorna står ut i relief. Det är vackert.

Anna tänker på hur orden blivit konturlösa för henne. När hon var mindre skrev hon dikter, massor av dikter. Nu kan hon inte ens formulera sig i tanken om det vackra i att ljuset kommit tillbaka efter en lugn natt.

Sedan kommer hon på att det inte är en kille som ligger bredvid henne. Det är mamma. Hon ler för sig själv. På onsdag reser Mirja till Berlin, men just nu är Anna verkligen inte ensam.

Anna lyssnar till sin mammas andetag. Ibland drar hon in luft och andas ut i dubbla stötar. Hon pustar emellanåt, precis som Olivia gör när hon sover.

Olivia har börjat andra året på högskolan i Luleå. Anna tänker på hur mycket hon ville att Olivia skulle flytta till Stockholm. Men det sa hon inte till henne. Varför inte det? Tankarna kommer lugnt, nästan drömmande. Natten är kvar fast ljuset kommit. Det är bara något litet som oroar. Anna försöker sätta fingret på vad det är. Hon bokstavligen lyfter handen och ritar i luften längs skarven mellan den sjätte och sjunde plattan, sedan mellan den sjunde och åttonde.

Varför sa hennes mamma inte ett enda ord om hur stökigt det är hos Anna och Mirja? Inte ett spår av den granskande blicken, inte minsta rynkande på pannan. Hon hade nya glasögon och satt och rättade till dem stup i kvarten, men hon sa inget. Hon pratade massor, men hon sa inte ett ord.

Anna dröjer med fingret mellan plattorna, precis mitt i taket. Mamma är vaken.

»Mamma Lisbeth skrev dagbok, har du sagt en gång. Finns den kvar?« Anna förvånar sig själv med orden och försöker andas med samma jämna och korta andetag som hon hör intill sig. Då dränker hon ljuden från mamma. Då är det nästan som om hon pratat för sig själv.

»Lilla hjärtat, ligger du och tänker på det?« lyckas hennes mamma haspla ur sig innan hon får en hostattack. Sedan stapplar hon upp ur Annas breda säng och skyndar till badrummet.

Anna smiter in till Mirja. Endast en del av Mirjas ansikte är synligt. Hon ligger på sidan, mot dörren, och har sjunkit in med ansiktet i kudden så djupt att näsan är helt blockerad. Håret ligger draperat över ögon och näsa som en ridå över sovandet. Bara munnen gapar stor och synlig. Ett icke-drag i ansiktet.

»Hej, får jag krypa ner lite?«

Mirja drar efter andan med ett väsande. »Mm ... släpp inte in kyla ... hämta ditt eget täcke.«

Snabb som en vessla kryper Anna ner under Mirjas täcke och fnittrar. »Minns du när du fick skabb? Vi fick behandla oss båda ...«

Mirja ler ett clownleende under håret. De fnissar tillsammans. »Min mobil«, mumlar Mirja, »den blev alldeles konstig av medlet ... grynig på skalet.«

»Enda gången jag fått smeta in dig med något.«

»Dumskalle.« Mirja lägger armen på Anna. »Gå innan din mamma kommer in och inbillar sig något.«

»Men erkänn att det skulle vara lättare. Mycket lättare.«

»Kanske. Men så fort det går åt skogen skulle vi förlora varann.

77

Det gör vi inte nu. Nu bara bråkar vi om din dåliga smak och min knasige tysk och så är vi bästa kompisar igen.«

»Vad ser du hos Franz egentligen?«

Mirja andas ut med ett pipande ljud. »Det har du frågat så många gånger. Och jag vet inte. Han är lite sunkig.« Hon rynkar på näsan och båda fnittrar som småungar. »Men han är en bra älskare.«

Anna försöker på allvar tänka sig Franz i sängen, i full färd med alla trick Mirja berättade om när hon nyss träffat honom. Hon trodde inte att det skulle bli långvarigt och sålde därför villigt ut honom. Bara en gång på senare tid, långt efter att hon lagt locket på, har Mirja sagt något om Franz som älskare. Hon sa att han visste precis vad hon tyckte om. Att man kunde tro att Franz varit tjej själv. Anna sa att han antagligen haft en bra lärare.

Mirja frågade ut Franz och fick veta något nytt – att han haft ett två månader långt förhållande med en trettioårig kvinna. När han var arton. »*Hon är den enda jag träffat som kunnat tala om hur hon vill ha det.*« Det tog Mirja flera veckor att förlåta honom för det.

»Han är i alla fall passionerat förälskad i dig.« Anna tittar upp i Mirjas tak. Det ser likadant ut som hennes eget. Konstigt nog får hon aldrig för sig att räkna plattorna härinne.

Båda hör badrumsdörren öppnas och Annas mamma gå in i andra sovrummet igen. Anna sätter sig upp på sängkanten. Innan hon hinner resa sig tar Mirja tag i hennes handled.

»Jag tänker fråga din mamma ett och annat.« Hon är allvarlig nu.

Anna ser ned på deras händer. »Okej«, säger hon tyst och slinker iväg. När hon sitter på toaletten kommer hon på något och torkar sig snabbt. Tyst så inte hennes mamma ska höra tassar hon tillbaka till Mirja.

»Fråga henne om hon var lik min riktiga mamma«, ber hon från dörröppningen.

Det dröjer ända tills lunchtid innan Mirja kommer till skott. Anna har väntat på det på ett, som hon tänker, perverst sätt. Hon har inte haft något annat i huvudet medan de gått in och ut ur alla affärer i en lång kedja från Hötorget till Plattan till Gallerian och över till NK. Mirja är entusiastisk och pladdrig och mamma verkar speedad. Anna, med händerna i fickorna på munkjackan, går några steg bakom och iakttar sin nya, konstiga mamma som provar massor av kläder. Hon köper visserligen bara två plagg men hon är forcerad och glättig.

Efter att de avverkat alla våningar på NK vägrar Anna hänga med på förslaget Biblioteksgatan. Det skulle bara vara ett veritabelt slöseri med tid. Istället tar de sig till den vegetariska restaurangen ovanpå saluhallen vid Östermalmstorg. På vägen dit ringer Annas mobil. Det är Olivia.

»Är mamma där?«

»Ja.«

»Kan du prata?«

»Nej. Vadå?«

»Har hon sagt det än?«

»Vadå?«

»Så hon har inte sagt det än?«

»Vadå?«

»Vad dum hon är. Jag fick lova att inte säga något för hon vill berätta själv. Så hon kan svara på frågor. Men då måste hon ju klämma fram med det.«

»Vadå?«

»Det kommer. Och det har tydligen med dig att göra. Men den ekvationen får jag inte ihop, och det får hon inte själv heller så du ska inte bry dig.«

Mirja placerar sig mittemot mor och dotter.

»Erika, kan inte du berätta om när du och din syster var små.« Hon ställer ned sin fyllda tallrik och tar plats i stolen. Programledaren Mirja.

Anna ser genast sin mammas stelnade hållning och blicken hon får, men det går inte att misstänka något när Mirja ser så förväntansfull och saklig ut. Erika mjuknar och börjar peta i maten. Mirja tar en klunk vin och sedan en till. Hon ler uppmuntrande och blinkar med stora ögon mot Erika. Det här är en balansakt som Anna aldrig bemästrat.

»Det var väl inte så märkvärdigt …«

»Vem var duktigast i skolan?« Mirja är småflicksaktig nu.

»Men det var ju ganska många år mellan oss. Lisbeth flyttade hemifrån innan jag kom i tonåren … Jag var nog bara en plåga för henne på den tiden. En gång läste jag hennes dagbok. Vilket liv det blev.« Hon tar en stor klunk vin. Anna hoppas att mamma ska berätta om dagboken, men hon är inne på andra tankebanor. »Och jag retade henne för allt. När hon började måla sig, när hon blev intresserad av killar, när hon började gå ut och dansa …«

Anna blir ivrig. »Men sedan följde du med! Jag kom på det häromdagen. Ni åkte till Strömsborg.«

Erika vänder sig mot henne. »Ja, det har du rätt i. Vi var på Strömmen. Fast då hade vi ju blivit mer jämnåriga och kunde umgås som vuxna. Vad lustigt att du kommer ihåg det, Anna. Du har aldrig berättat att du minns mig från den tiden …«

Anna vet inte hur hon plötsligt kan se Erika som moster igen. Som någon i periferin. Erika har aldrig tidigare varit i periferin, det kan Anna ta gift på. Och nu väntar hon sig en förklaring.

Anna funderar. Hon känner sig skyldig. Hon försöker verkligen komma på i vilket sammanhang det nya minnet dök upp men det är som om det inte ens vill finnas där på riktigt. Det håller redan på att glida iväg.

»Berätta om Strömsborg«, ber Mirja.

Anna är tacksam för att Mirja sköter navigerandet.

Lite senare vill Mirja höra om Per-Arne. Vid det laget har de druckit en hel flaska vitt på tre.

»Berätta hur ni blev kära.«

Erika skrattar till. Sedan blir hon allvarlig.

»Vi blev nog aldrig kära. Jag menar, inte som min storasyster.« Hon vänder sig mot Anna. »Din mor blev så himlastormande förälskad när hon träffade din far …«

Anna tror inte det är sant. Är hennes mamma full? Det här är saker hon aldrig andats om tidigare. Anna ser hastigt på Mirja. *Ta över. Hjälp.*

»Blev hon störtkär?« slänger Mirja ur sig.

»Ja, det kan man nog säga. Hon som alltid hade så många grejer för sig. Hon var på väg utomlands när Henrik dök upp … den kille hon redan hade betydde plötsligt ingenting … åh, det är längesen …«

»Och så stannade hon hemma istället. Och skaffade barn.« Mirja försöker fylla i meningarna.

»Ja. Lisbeth och Henrik ville allt på en gång. De var så kära, så svartsjuka, så omöjliga. Och så kom hon och berättade att hon väntade barn. Att hon var kärare än någonsin. Jag sa till henne att hon hade tur att Henrik var så reko …«

De båda flickornas höjda ögonbryn får henne att fortsätta:

»… ja, han hade ju kunnat ta det han ville och … lämnat henne. Hon hade nog inte överlevt det. Men Henrik var lika galen han. De ville ha varann.«

»Det låter så häftigt«, säger Mirja. »Skulle inte du vilja vara med om det, Anna? En passion som vrider om huvudet på dig …« Hon blinkar som en sagans fe.

»Det låter ont«, säger Anna.

»Hursomhelst«, säger Erika, »så ledde det till ett äktenskap och tre barn. Och de höll fast vid varann så olyckskorparna fick inte mycket för sitt kraxande.«

»Olyckskorpar? Vilka då?«

Erika skakar på huvudet lite grann.

»Inga jag kommer ihåg.« När ingen av tjejerna säger något lägger hon till, efter lite tvekan: »Det som gjorde att folk pratade var att hon lämnade sin fästman dagen efter att hon träffat Henrik.«

Anna vänder sig mot sin mamma. »Du har aldrig berättat det här.«

»Men Anna. Det är inte det första man berättar. Det är nästan skvaller att säga det. Jag vet inte hur vi kom in på det.«

Det rycker i Erikas ena ögonvrå.

»Det är mitt fel«, skyndar sig Mirja. »Det var jag som var nyfiken. Nu går vi ut på stan igen och letar present till Olivia. Skulle hon inte komma hem snart?«

Erika ler tacksamt. »Ja, hon fyller om ett par veckor. Men låt mig gå på damernas först.«

Medan hon går mot utgången ser Anna och Mirja varann oavbrutet i ögonen.

»*Okej?*« frågar Mirjas ögon.

»*Det är mer*«, svarar Annas.

»*Vadå?*«

»*Vänta.*«

Så fort hon försvunnit ur synhåll lutar sig Mirja fram.

»Vad är det?«

»Olivia ringde förut. Det är något som har hänt. Mamma ska berätta något.«

»Har du någon aning?«

»Nix. Men det är tydligen mitt fel.«

När Erika bara har några minuter kvar innan hon måste iväg på söndag kväll och de står på tu man hand i tamburen, klämmer hon fram med det:

»Anna. Jag tänkte på Per-Arne. Var det den där mobbningshistorien som gjorde att du till slut började ... på något sätt ... acceptera honom? Det blev annorlunda mellan er minns jag.«

Anna hajar till. Här kommer efterdyningarna av Mirjas fiskande. Hon har varit svuren till tystnad angående Petter, men hon frågade mamma om den där händelsen med Adrian tidigare under dagen.

»Jag minns inte. Men det hade nog inget med det att göra. Det tror jag inte.«

Så minns hon något annat. Och hon rodnar. Det känns flammigt ända ner på halsen när hon tänker på en bilresa en kväll. Per-Arne plockade upp henne med bilen. Men mamma kan väl inte veta något om det?

»Det här är viktigt, Anna. Du kanske har glömt, eller förträngt. Men jag måste få fråga. Du och Per-Arne blev ... jag menar, ni kunde aldrig prata. Men sedan började du åka hem med honom efter träningen ibland, när han jobbade över. Istället för att ta bussen ... Och du var inte arg på honom längre. Jag har tänkt på det, men det blir så rörigt alltihop. Varför blev det annorlunda?«

»Jag vet inte.« Anna vet verkligen inte.

»Var det före eller efter du låg så länge på sjukhuset?«

»Kanske ... efter.« Anna börjar tänka på sjukhusvistelsen och fler minnen dyker upp.

»När du låg på sjukhuset efter olyckan så var Per-Arne till dig flera gånger. Utan mig. Varför det?«

Anna försöker tänka efter. »Jag vet inte.«

»Vad pratade ni om?« Mamma ser ängslig ut. Är hon så rädd att bli lämnad utanför? Stör det henne att hon kanske inte var den enda som kontrollerade allt?

»Jag minns inte. Fråga Per-Arne.«

»Jag gjorde det när jag fick veta att han varit där. Han sa då att det var i förtroende du pratade med honom. Jag förstod aldrig varför du skulle gjort det ...«

Anna har svårt att minnas vad de besöken handlade om.

»Jag var ganska borta när jag var på sjukhuset.«

»Jag vet det, vännen. Det hade hänt hemska saker. Och jag fick också veta att ... läkarna undersökte ju dig, eftersom vi inte visste riktigt vad som hänt och du kom in nästan helt utan kläder, och ... då fick jag ju veta ...«

»Vadå?«

»Ja, de sa att du inte var oskuld.«

Anna spärrar upp ögonen. Mamma ser lika förfärad ut hon, men nu har hon sagt det och nu måste Anna säga något till svar.

»Jag hade ju en kille ...« börjar hon. Sedan bestämmer hon sig. »Jag vill inte prata om det.«

»Varför inte, Anna? Varför inte det?«

»Därför att … jag kan inte komma på en enda anledning att prata om det.«

»Men tror du verkligen att det var på sjukhuset du började … komma närmare Per-Arne? Det var inte innan?«

Nu kommer Anna ihåg varför deras förhållande förändrades. Det börjar klarna i minnet. Hon har bara svårt att förstå att hennes mamma ens såg det. Hon trodde aldrig det var så uppenbart.

»Det var nog före också. När jag tänker efter.« Anna hoppas mamma är nöjd snart. Var det detta samtal Olivia förvarnade om?

»Var Per-Arne inblandad i olyckan?« Mamma pratar snabbt.

Anna blir förvånad, sedan förfärad.

»Nej. Gud, nej! Hur skulle han ha kunnat vara det?«

Anna ser mammas ansikte slappna av. Mjukna. Hon blinkar långsamt och sedan kramar hon om Anna, hårt. »Tack«, viskar hon flera gånger. Anna vet inte vad hon ska göra, hon har aldrig blivit kramad av sin mamma på det här viset förr. Men Erika märker inte att Anna bara står där med hängande armar och stirrar i taket. Så, när hon släpper dottern, ger hon henne belöningen, helt oväntat.

»Du frågade om Lisbeths dagbok. Det finns en bunt med papper kvar. Och dagböcker, tror jag. Det är meningen att du ska få det.«

Annas ögon blir större. Erika suckar. *Nonsens*, betyder hennes lilla ristning på huvud och axlar.

»Det är en tjock bunt papper. Hon skrev att det var till dig, men inte förrän du fyllt tjugofem. Polisen tog hand om det. Jag fick tillbaka det, men det är förseglat.«

»Har du inte öppnat det?« Annas huvud är tät dimma redan. Den tjocknar.

Erika skakar på huvudet. »Det är inte till mig. Jag ska prata med Per-Arne, för egentligen vill jag att du får det. Jag är inte bra på att svara på dina frågor. Kanske har hon skrivit något av värde för dig. Men Lisbeth skrev när hon var deprimerad … Det gör mig ont att du tänker på allt fortfarande.«

Tänker på allt fortfarande? Anna har blixtrande ont i huvudet.

»Jag vet inte om jag vill läsa. Jag vet inte varför jag frågade.«

Sedan lindar hon armen runt Erikas hals. »Tack för att du kom, mamma.«

Den här gången är det hennes mamma som står som en saltstod. Till sist tar hon loss Annas armar.

»Anna. Jag funderar på att lämna Per-Arne. Skilja mig.«

Året innan Charlie försvann

Svartsjuka

»Jag ska till skogs. Kan ni inte flytta på er?«

Både Mattias och Charlie hörde orden men struntade i dem. Killarna stod kvar mitt i vägen. Tre toppar av de tioåriga björkarna låg kvar tvärs över. Det var roligt att Bo-Anders fick sitta där bakom ratten med rutan nedvevad och gnälla högt för att överrösta melodikrysset.

»Jamen, var lite schyst då! Maka åt er.«

Sakta släpade de den ena ruskan åt sidan. Det krävdes en kraftansträngning för att inte börja skratta när de flämtade och snubblade och fastnade i kvistarna. De hörde Bo-Anders rusa motorn på sin gamla Cheva 64:a och hastade båda tillbaka till mitten av vägen.

Så slogs tändningen av. »*... på tre bokstäver, för lodrätt fyra.*«

Bo-Anders klev ur bilen och körde ned händerna i byxfickorna.

»Det är till att jobba på helgen.«

Charlie böjde sig ner och drog i ett svep de resterande björkruskorna av vägen.

»Nu är det rensat. Autostradan är ren. Bara att köra.«

»Jaja, jag ser det. Finemang. Jag ska fara och släppa hunn på Djupamarksberget. Se vad han får opp.«

Mattias hade heller ingen lust att traggla med Bo-Anders. Han flyttade sig mot diket och gjorde en välkomnande gest med armen. Bara att köra. Men Charlie kunde inte hålla tyst.

»Gör du det, Bo-Anders. Och du. Ikväll ska jag träffa Kajsa och lära henne dansa.«

Bo-Anders, som var på väg in i sin bil, ändrade sig och rätade upp sin rundhyllta kropp.

»Du har inget med Kajsa att göra. Låt henne va ifred.«

Charlie skrockade, plockade fram en liten yxa och började kapa bort de tunnaste kvistarna från den ena stammen. Mattias suckade. Nu hjälpte ingenting. Nu satte det igång. Bo-Anders med sin keps och sina täckbyxor i hängselmodell. Han skulle ut i skogen utan jacka. Det fanns ingen annan tjej än Kajsa som kunde bry sig om en sådan idiot, hade Charlie sagt.

»Vi ska träffas nästa helg«, muttrade Bo-Anders mellan hopknipna läppar.

Charlie stirrade på honom. »Då får du fan i mig rycka opp dig. Börja med portionssnus så slipper du det där som rinner ner över tänderna. Det finns inte en tjej som tänder på snus som vandrar runt i käften. Inte ens Kajsa.«

»Du nedgör ju henne ...« Bo-Anders såg fientlig ut. Mattias vände sig bort och började slänga bitar av björkstammen på kärran de haft med sig. Bakom sig hörde han Charlie gå igång.

»Men ta en titt i spegeln! Du går omkring i träskor. Det är mars och tolv grader kallt och du ska jävlar i mig till skogen i träskor och keps. Du är kul mellan varven, Bo-Anders, men du får ta mig fan skärpa dig om du ska ha en tjej. Kajsa och du har väl inte ...« Charlie avbröt sig och Mattias kunde föreställa sig honom skaka på huvudet åt sig själv. »Nej, det är klart ni inte har. Och det blir inget av heller om du inte börjar tänka på hur du ser ut. Den där bölden på knogarna! Sluta karva i den så du blir av med skiten nån gång.«

Luften tog slut för Charlie. Det var den längsta monolog han hållit. Men ett och annat behövde sägas ibland. Nu var björkbitarna upplockade och Mattias vände sig tillbaka. Bakom Bo-Anders skymtade hans finnstövare i baksätet med nosen ut genom rutan. Det enda Bo-Anders förstod sig på var jakthundar. Han hade två fina hundar, det gick inte att komma ifrån. Men att han skulle börja ägna sig åt tjejer ... det var löjligt, precis som Charlie sagt.

Bo-Anders började riva i den döda huden på knogen. Charlie hade levererat för många sanningar på en gång. Nu skulle Bo-Anders aldrig komma iväg. Nu måste han tråckla sig ur alltihop med äran i behåll.

»Du har inget med Kajsa att göra …«

»Inte?« Charlie såg skadeglad ut. »Det var jag som tog upp henne hit. Annars hade du aldrig träffat henne. Hon kom hit med mina kompisar, har du glömt det? Och av någon anledning var hon road av att snacka med dig. Hon hade väl en dålig dag. Mens.«

»Det är inte dig hon kommer hit för att träffa till helgen!« Bo-Anders slet upp bildörren. Han kom tydligen åt knogen för han ryckte till med handen och den åkte upp till munnen.

»Hon kommer inte att orka hit. Hon ska dansa så in i helvete ikväll. Hon kommer att bli liggandes en hel vecka.«

Mattias såg den mörka blicken. Varför kunde Charlie inte låta bli att retas? Tydligen tyckte han själv att han gått för långt för han tog ett par steg fram och dunkade till Bo-Anders på överarmen.

»För helvete, Bo-Anders! Kom med och dansa istället för att gnälla och käka kallbrand.«

Bo-Anders glodde som svar och spottade iväg en bit av skinnet. Satte sig sedan bakom ratten.

När han rullade iväg, lugnt på grusvägen, funderade Charlie högt för sig själv.

»Varför i helvete kan jag inte låta bli den sorgliga jäveln? Varför kan jag inte bara låta honom vara?«

»Därför att du inte gillar att Kajsa träffar honom.« Mattias gav ett svar utan att vara ombedd. Charlie loskade i snön och började dra kärran upp mot gården.

Det fanns så många snygga tjejer som hängde efter Charlie. Kajsa hade snusdosa i bakfickan och håret i två flätor ända ned till midjan. Pannan full med finnar och inget för att dölja det. Alltid trasiga jeans. Och aldrig att hon visat minsta intresse för Charlie, mer än att de tillhörde samma gäng. Så Mattias fattade inte varför Charlie snöat in på Kajsa.

Hon var inte intresserad av Bo-Anders heller, det var Mattias säker på. Kajsa ville bara göra sin egen grej och Bo-Anders var väl rolig på sitt sätt. Men nu hade Charlie givit sig den på att lära henne dansa. Det fick Bo-Anders ta.

Det nötet hade faktiskt träskor på sig till skogs.

Under middagen satt både Mattias och Charlie tystare än vanligt. Det var nästan så Lisbeth önskade att Charlie skulle dra en historia, bara för att bryta isen lite. Fast det skulle Henrik inte uppskatta.

»Du börjar ju sista året på gymnasiet till hösten. Vad tänker du göra efter det?«

»Va?« Charlie glodde till på sin far.

»Nästa år.« Henrik pekade på honom med gaffeln så en såsdroppe flög från filébiten och landade bredvid ölglaset.

Charlie bara glodde.

Henrik suckade irriterat. »Jag vet att jag vet. Men Lennart vet inte. Du kan väl berätta.«

Charlie såg rakt på Lennart. »Pappa får för sig grejer ibland. Som att man måste *konversera* när man äter middag en vanlig lördag.«

Lennart grinade upp sig som en karikatyr. »Ingen fara. Det går väl bra att vara tyst också. Att låta maten tysta mun. Det är förbaskat gott, Lisbeth.«

»Det är Henrik som varit kock.« Lisbeth kunde inte låta bli att glida med blicken mot Ritva, kvinnan vid Lennarts sida. Och titta bort när hon blev påkommen.

»Ofta är det ju så«, kom det rappt från Ritva. »Jag menar, att mannen lagar mat på helgen, när det är speciellt. Kvinnan får laga den tråkiga vardagsmaten.«

Lisbeth såg över bordet rakt på Lennarts sambo. Hur skulle det här tacklas? Hon ville inte hamna i en feministdiskussion. Det hade hänt ibland och hon började alltid försvara sig och det blev bara värre.

Men var det verkligen en rödstrumpa Lennart träffat? Ritva satt där med sitt mörka hår i två tofsar. De svarta läderbyxorna hade inte heller undgått Lisbeth. Det kanske handlade om ålderskomplex? Men Lisbeth ville inte börja borra i det. Hon ville att det skulle vara en trevlig middag, för sin mans skull. Henrik hade gruvat sig för det här.

»Det är nog inte riktigt så i det här huset«, förklarade Henrik, »för vi har två söner som brukar få slava i köket på vardagen. Ett bra sätt att göra dem till moderna män.«

Bra, tänkte Lisbeth, *jag älskar dig, min store, starke.*

Och faktiskt började det flyta på bättre runt bordet, just tack vare Henrik. Det hjälpte säkert att Anna var på fotbollsträning också. Nu kunde Lisbeth för en gångs skull få vara bara vuxen och kvinna och inte förmanande förälder hela tiden. Kanske Ritva kände likadant. Hennes son var hos pappan över helgen.

»Hur kan man bo så här?« flög det plötsligt ur Ritva.

Lisbeth tappade hakan. Vad menade människan?

»Ja, jag menar ju inte att det är något fel på erat hem ... på hur ni har det. Jag tänkte mer på hur långt från allting det är. Vad är det som får en att bosätta sig så här avsides?«

Lisbeth förstod vad hon menade. Det här var hennes mest sårbara punkt.

»Ja, Henrik ville återuppta jordbruket som hans föräldrar haft och först blev det ju några år med mjölkkor, precis som gammalt tillbaks, men sen måste man ju anpassa sig och då har det blivit nötdjur och grisar ...«

Hon avbröt sig i babblandet. Ritva såg skeptisk ut och det var det som drivit på Lisbeth. Nu såg hon hur munnen snörptes på Lennarts fästmö och hur blicken for runt köket.

»Men det var ju Henriks drömmar! Dina då? Hade inte du drömmar? Eller var det bara att komma hit upp, till obygden? Jag hade fått för mig att du var annorlunda jämfört med vanligt folk. Lennart har ju berättat att ...«

Lisbeth bara satt där. Det tvingade åtminstone den andra att fullfölja meningen.

»... ja, att ni gick ut med varann ett tag, och ... du hade andra ambitioner än att bli bondmora.«

»Men det kanske beror på vem man är med! När jag träffade Henrik betydde inte det andra så mycket längre. Visst hade jag velat resa mer och kanske jobba utomlands, men … det var viktigare att vara tillsammans …«

Det som var hennes livlina mellan varven lät så ihåligt att klä i ord inför en främling. Här satt hon nästan naken och blev skärskådad.

»Men Henrik hade ju också kunnat följa dig till världens ände. Om han varit tillräckligt betuttad … Det är ju inte bara kvinnan som ska följa mannen.«

Lisbeth var stum. Här satt en okänd kvinna med pipig flickröst och ifrågasatte hennes livsval. Och Henriks. Lisbeth såg hastigt på sin man. Hon behövde hjälp, men visste att han var oförmögen att reda ut det här. Mitt i allt kaos spred sig i alla fall en tanke med lugnets visshet: Hon skulle inte komma att hålla Henrik ansvarig för att han inte gick emellan.

Hjälpen kom istället från annat håll.

»Man kan väl resa och göra sånt så länge man är ung och fågelfri«, sa Charlie med en axelryckning. »Men när man väntar barn måste man ju ta ansvar. Då får man nog ha lekt rommen av sig. Annars är det stor risk att ungen får växa upp utan sin farsa.«

Lisbeths blick blev varm och hjärtat större. Om den tioårige sonen hade varit med skulle Ritva inte kunnat undgå att ta åt sig. Som det var nu kunde Charlie lika väl tala i egen sak. Men Lisbeth brydde sig inte längre om Lennarts kvinna. Hon såg på sin man och visste hur han tänkte och kände i den stunden.

De fick båda sina mest sårbara ställen punkterade idag.

När de två middagsgästerna stängde ytterdörren efter sig var det tyst flera minuter i köket. Var och en svepte de förbi fönstret för att se det lite udda paret gå över gårdsplanen. Lennart med händerna i fickorna och den yngre kvinnan som hängde på hans arm och tramsade, medveten om att vara iakttagen. Först när bilen startade därute började de tala igen.

»Vilken kärring!« sa Charlie. »Hon var bara ute efter att sätta igång nåt.«

»Ja, inte blir det där lätt för Lennart«, var Henriks kommentar.

Alla sneglade på Lisbeth.

Mattias försökte styra runt härden. »Såg ni vad hon hade på sig?«

»Du menar de rosa och lila snoddarna?« skrattade Charlie. »Lite likt Anna.«

»Hon får väl vara klädd som en femåring om hon tycker det är snyggt«, bet Lisbeth av. »Men hon ska banne mig inte komma hit och kritisera hur vi har det. Hon kommer hit som gäst och så har hon mage att sitta och kommentera oss.«

»Hon är osäker, Lisbeth.« Men det syntes att Henrik också var brydd. Det var många strängar som slagits an på kort tid idag.

Så slogs Lisbeth av en tanke och gick igång.

»Och hon själv då! Detsamma gäller väl henne! Hon pratar om drömmar. Vilka är hennes egna drömmar? Varför klämde jag inte åt henne om det? Hon kommer hit från Bredbyn och det är banne mig ingen större håla det heller, och så undrar hon vad jag gör här! Jag som har familj och ett helt liv här! Hon flyttar runt med sitt barn i bagage som ett slags turist och tvingar honom att byta skola för att hon ska byta bondhåla! Varför sa jag inte det?«

»Därför att du är civiliserad. Du har ingen anledning att såra henne. Du har allt, och hon har knappt fotfäste i tillvaron.«

»Hon ska inte komma hit och ifrågasätta mitt liv ...« Lisbeth lät så harmsen att Henrik började titta efter tårar.

»Hon funderar redan på att lämna Lennart«, sa han lugnt. »Sanna mina ord. Innan hösten är han ensam igen. Det där var hennes egna funderingar.«

»Sånt vet väl du inget om ...«

»Jag såg dem i stan i onsdags. Hon gick två meter före.«

Charlie reste sig upp. »Nu åker jag och hämtar Anna så vi får in lite normalt slamsande här. Kom igen, Mattias, du ser ut att behöva lite luft. Blev du också tagen av tanten? Visst var hon snygg?«

I dörröppningen vände han sig om med ett flin.

»Förlåt, mamma. Jag bara skämtade. Hon var ful som ett as.«

Anna var vaken med Mattias till långt in på småtimmarna. Ingen hade något emot det en lördagskväll när mamma körde och Charlie och pappa satt i baksätet fulla som ägg och drog tölpiga skämt hela vägen hem. När de drack fanns aldrig någon missämja dem emellan. Den rörde sig på andra plan.

Mamma skrattade med från framsätet. Hon bjussade på sig själv. Hon hade fått träffa sin syster på dansbanan, och det var den bästa sortens träffar. Då kunde de stå och prata utan sina män – Lisbeth därför att hennes satt och drack öl eller dansade med samma gamla ansikten som alltid och Erika därför att hennes varken drack eller dansade eller pratade.

Så fort ljuset från framlyktorna föll in genom fönstret ställde sig Anna på soffan och spanade ut. Det kunde bara vara en bil som kom körande klockan kvart i två på natten. Det var i alla fall bara en som hade en chaufför som körde som om hon var full – mamma vallade snökanterna hela vägen uppför åkern.

»Hej«, sa Anna nästan blygt när trion tumlade in i hallen. Den som skrattade högst var mamma, som druckit minst. Anna gick rakt in i famnen på henne. Lisbeth kramade sin dotter och vaggade henne fram och åter tills de båda förlorade balansen. När de stapplade till och satte sig mot väggen såg hon Anna rakt i ögonen.

»Du är den sötaste ungen i världen. Du är så fin. Och det säger mamma fast hon inte druckit ett endaste litet glas!«

Anna log skyggt. Mamma pratade alltid en massa trams när hon varit och dansat. Hon älskade att dansa. Anna älskade att lukta på mamma när hon dansat. Hon ville vara nära och sitta i hennes knä och fika.

»Nu sätter vi på kaffe och tar en skorpa! Jag är dödstrött och hungrig som en varg!« Hon pussade Anna vid örat flera gånger. Det smackade högt. Hon vände sig mot Henrik också, och spelade med ögonen fram och tillbaka i hans ansikte.

»Kom hit«, sa han och drog henne till sig. De klämde sig genom köksdörren sida vid sida och Anna såg pappa sätta munnen vid mammas öra.

»Vad sa du till mamma nu?« frågade hon, ivrig att få vara med.

»Ingenting för bebisars öron«, sa hennes far och gick till kylskåpet. Grejer langades fram, från pappa till Charlie till Mattias som satt vid bordet och radade upp dem: leverpastej, smör, ost, mjölk, gurka, paprika, sylt, kokt skinka, kaviar. Mattias räckte tillbaka syltburken men kylskåpet var redan stängt och Charlie knäppte på radion. Han fick fram en dansant station och skruvade upp volymen en aning.

»Kom, Anna«, sa han och räckte fram handen.

De dansade runt köksgolvet, smidigt och långsamt. Anna var säker i stegen. Nätter som denna brukade Charlie bedyra att Anna dansade bättre än alla tjejer han kände. Hon nådde honom till strax ovanför naveln. Han förde bestämt runt, runt i köket och vände både åt höger och vänster. Inte en enda gång klev Anna fel.

»Du ska säga att jag dansar bra«, påminde hon när första låten var slut och Charlie bara stod där och gungade i väntan på nästa. Han skrattade.

»Du ääääär bra. Jättebra. Du har känsla för det här.«

»Det skulle Mattias ha också, om han bara försökte.« Lisbeth drog i den yngre sonen. Men Mattias vägrade. Då satte hon sig ned bredvid honom. »Innan Charlie åkte med till Strömmen vågade han knappt ta i en tjej. Nu jagar de honom bara han visar sig där.« Lisbeth skrattade. »Fast ikväll fick alla långnäsa.«

»Var Charlie på Kajsa hela kvällen?«

Lisbeth missförstod glatt. »Ja, är man envis så går det. Det var så jag lärde pappa. Han var en riktig träbock innan jag fick tag i honom. Nu är han en *he-man*!«

Anna vände sig ivrigt mot mamma.

»Och pappa kan också grejer! Kan du inte säga det där om att pappa borde hjälpa moster Erika … därför att hon är det där ni sa?«

»Snälla Anna, kan du inte glömma bort det?« Mamma fick med ens en oroad min. Blicken jagade iväg.

»Men det var så roligt. Pappa! Mamma har sagt att du ska hjälpa moster Erika! Hon är det där ni sa!«

Både mamma och pappa låtsades inte höra. Anna tittade på Charlie. Han flinade och väntade också på ett svar.

»Vad hette det, Charlie?« gnällde hon.

»Frigid«, sa Charlie högt. Mammas läppar uttalade en tyst svordom av grövre slag. Pappa såg åt ett annat håll.

»Ja!« ropade Anna. »Kan inte du hjälpa henne, pappa! Du som är så bra!«

Ingen av föräldrarna vågade se på den andre.

Det var inte kul när pappa inte ville svara. Anna kom på något annat: »Var moster Erika där ikväll?«

Pappa lyste upp.

»Ja, det var hon. Hon hälsade till dig. Hon var jätteglad att höra att du lärt dig simma!«

»Var Per-Arne med?« frågade Mattias.

»Tok heller«, smattrade Henrik. »Han om nån kan inte dansa. Det är väl syndigt, förresten. Nej, han kan gott sitta hemma med lillkusin eran. Så får Erika komma ut i alla fall.«

Han vände sig mot Lisbeth med nästa fundering:

»Hon är ju rolig när hon inte har honom med. Hur kunde hon fastna för en sån stel figur? Han är ju rena petimetern.«

»Hon ville göra tvärtom.«

Charlie blev nyfiken. »Tvärtom mot vadå?«

»Mot mig. Jag levde ett vildare ungdomsliv än Erika gjorde. När hon kom i tonåren var chansen för henne att göra ungdomsrevolt obefintlig. Så hon gick åt andra hållet istället och blev religiös. Hon blev nunna därför att jag var … glädjeflicka!«

»Nu blev det väl fel i alla fall. Glädje kanske var rätt, men …« Henrik lät nyktrare än sin fru vid det här laget.

»Jamen, du vet ju hur upprörd hon blev när jag flyttade hem till dig. Av alla människor som tisslade och tasslade var hon hårdast i sina omdömen.«

»Varför skulle hon haft nån åsikt alls?« undrade Mattias.

»Hon var tonåring. Allt var svart eller vitt, precis som för dig och Charlie. Ni har så tvärsäkra åsikter om allting. Vet precis hur allt ska vara.«

»Kanske det.« Mattias försökte föreställa sig hur det var när mamma och pappa träffades. Vad som gjort att mamma lämnat sin fästman för träbocken Henrik.

»Fast Charlie bryr sig inte om svart och vitt. Han rör sig bara i gråzonerna«, sa Henrik då.

Mattias förstod att pappa ville byta samtalsämne. »Menar du Kajsa?«

»Ja, hon är väl egentligen upptagen«, funderade Henrik. »Eller jag kanske har fel?«

»Så där gjorde du också.« Mattias hade hört historien om Lennart så många gånger. Det var först nu han sett baksidan av myntet.

»Vad pratar du för smörja?« muttrade Henrik till.

»När du träffade mamma. Då klämde du dig mellan henne och Lennart. Det var väl därför folk var upprörda.«

På de foton mamma sparat från den gamla tiden såg Lennart ut som vilken trettioåring som helst. Ganska snygg, faktiskt. Idag var han en oborstad karl där ansiktet börjat hänga lite här och var, och han var grå som satan. Det var ganska kul att tänka sig mamma naken med gubben Lennart. Lite som att straffa henne utan att hon fick veta det.

»Du ska inte prata om det du inte har med att göra«, konstaterade Henrik.

Men mamma satte sig bredvid sonen. Hon tog hans hand. Mattias försökte dra den tillbaka.

»Jag och pappa kunde inte låta bli varann. Så enkelt är det. Och det passade inte folk. Särskilt inte en nyfrälst lillasyster. En dag kanske du också får uppleva den sortens passion, men det är inte alla förunnat.«

Vad löjlig mamma var! Mattias blick vandrade till lillasystern. Anna satt som alltid och lyssnade i stum förundran. Den här historien var bättre än prinsar och prinsessor. Mattias såg på henne och kände avund. Han hade också tagit till sig tidigt att föräldrarnas kärlek var speciell. Och för några år sedan skulle han känt harm gentemot moster Erika för hennes oförmåga att förstå sig på äkta kärlek. Nu satt han och undrade om det kunde ha varit föräldrarna som var blinda för allt de ställde till med.

Och han kom inte längre förbi tankarna på Lennarts grå skäggstubb och grova händer mot mammas hud.

»Du ser«, avslutade mamma innan hon släppte hans hand. »Du kan inte ta till dig det jag säger för du är tonåring. Du tror du vet vad som är rätt och fel här i livet. Om du tänker på att moster Erika var tonåring när jag träffade pappa så kanske du förstår henne lite bättre.«

Mattias tänkte att han inte alls hade svårt att förstå moster Erika.

Anna 13 år

Skuld

»Men nu kommer jag tillbaka och vill veta varför du ljuger.«

»Jag har inte ljugit.«

»Det har du visst, det. Du ska följa med hennes familj på skidresa. Och det har du inte sagt till mig. Jag är inte din bästis om du håller på så ...«

»Det är du som ljuger.« Olivia såg ned på Anna. »Du får inte hitta på åt mig har jag sagt.«

Anna suckade ljudligt. Hon låg på sidan på Olivias randiga matta. »Då vill jag inte leka med dig. Jag måste också få hitta på, annars blir det inget. Har ju *jag* sagt.«

Olivia tvekade.

Anna satte sig upp.

»Okej, okej.« Olivia bestämde sig. »Vi säger så här: *'Jag ska på skidresa, men jag trodde att jag hade sagt det.'*«

Anna sjönk ned till liggande igen. Hon vred och vände barbie-dockan. Det långa, ljusa håret följde stelt med i ryckningarna.

»Jag går hem. Jag tycker du är skit.«

»*Men jag trodde att jag hade sagt det.*« Olivias barbie var mörkhårig och brukade prata med mörkare röst. Nu lät hon bara förtvivlad, med Olivias vanliga röst.

»Okej, då«, sa Annas barbie. »*Vi går hem till dig. Och tittar i dina föräldrars spritskåp.*«

»De har inget spritskåp.«

»Det har de visst, det. Jag har sett det.«

Olivia bytte ställning. Hennes barbie började dala raklång mot mattan.

»Det är inte kul när du gör så här.«

Anna satte sig upp igen.

Olivia rätade snabbt upp dockan. »*Okej, då. De har ett spritskåp. Men det brukar bara finnas godis där.*«

Anna la ned sin barbie. »Ska vi gå och leta godis?«

Olivia reste sig direkt. »Ja, det gör vi! Innan mamma kommer hem.«

Anna låg kvar på golvet. »Kom tillbaka«, kommenderade hon. Olivia stannade upp vid dörren.

Anna knackade i golvet. »Kom hit.«

Olivia gick tillbaka några steg.

»Kom ihåg vad jag har sagt, Olivia. Om du så mycket som knystar om att jag är med och leker med barbie så är det sista gången. Jag gör det bara därför att du tycker det är kul och för att vi ska leka det du gillar ibland också. Men om du säger något så är det slut. Då blir jag skitarg på dig!«

»Det vet jag redan. Jag säger inget.«

»Och det gäller även när Sara kommer.«

»Men Sara var ju med och lekte förut …«

»Men inte nu. Hon har flyttat till Sundsvall och där finns det ingen som leker med barbie. Och hon är bara här några dagar så vi har inte tid med dig. Jag vill inte ens att du pratar om barbie när hon är här. Gör du det kommer jag aldrig att leka med dig mer. Någonsin. Fattar du?«

»Okej«, sa Olivia surt.

Anna log och studsade upp. »Kom!« Hon marscherade före sin lillasyster ut till köket.

Anna hade längtat hela hösten. I början mest av ensamhet men på sistone därför att hon så gärna ville berätta om Petter. Det fanns ingen på hela jorden som visste, men Sara kunde man berätta värsta hemligheten för. Flera gånger hade Anna varit på vippen att säga det men hon hade aldrig gjort det. Från den dagen Anna flyttat till Bondsjöhöjden och upptäckt att det fanns en klasskompis i huset intill hade de varit tillsammans jämt. Nu hade nästan hela höstterminen gått och

Sara hade blivit någon hon bara pratade med på telefon. Det var konstigt. Men snart skulle allt bli som vanligt i en hel vecka.

Anna hade börjat simträna igen i mitten av november. Först hade Petter blivit sjuk i influensa, och sedan åkt iväg på ungdomsläger med ett gäng femtonåringar. Anna behövde någonstans att ta vägen. Det var skönt att simma igen, hon hade till och med tyckt att simhallslukten kändes trygg. Men det var så långtråkigt. Och hon märkte hur mycket hon tappat. Kroppen kändes stel och håglös när hon avverkade längd efter längd och tittade på klockan varje gång hon vände. *De tråkigaste veckorna på hela hösten.*

En kväll gick Anna fram till tränaren när hon klivit ur vattnet.

»Jag kan inte träna nästa vecka, jag får besök av en kompis. Och veckan därpå har jag tre prov. Jag måste vara hemma och plugga ... och resten av terminen är det samma sak.« Anna fokuserade blicken på Susannes hjässa. Folk trodde en lättare om man hade stadig blick.

»Självklart. Det har jag gjort klart för er alla. Skolan går först. Iväg med dig och duscha nu.« Så började hon samla ihop benvikter i en metallkorg på hjul.

Anna småsprang in i duschrummet, men det var med studs i stegen. Susanne misstänkte ingenting alls. Det var första gången det riktigt gick upp för Anna att hon var bra på att manipulera människor. Nu kunde hon träffa Petter igen, ända fram till jul!

I bastun satt hon med benen uppdragna och petade ned nagelbanden på tårna. *Det är nog nödvändigt att ljuga när man är vuxen. Lika bra att börja nu.* Hon kom på sig med att sitta med ett brett leende i ansiktet.

Anna hade nog saknat bastun mer än simningen. Lukten av stelnad koda och att nästan svedja skinnet medan hon fortfarande var kall inuti. Hon förknippade känslan med att vara liten och ändå betydelsefull. Bastun var det slutna rum där hon inte var rädd alls för att minnas Ringarkläppen, men minnet blev aldrig mer detaljerat än så.

Hon blev snart dåsig i värmen men det var bättre att sitta här än att frysa på stan, resonerade hon. Det var just bastun hon skyllt på när mamma undrat varför simträningen tog längre tid nuförtiden. Att det var så skönt att bli riktigt varm innan man skulle ut i kylan. Vad skulle hon säga när våren kom? Skulle hon fortfarande vara hos Petter på kvällarna? Hon fantiserade ett slag om att vara Petters tjej, att helt öppet kunna gå på stan och hålla honom i handen. Att kunna sova över hos honom. Hon blev alldeles varm i hjärtat.

Saras nya kompisar i Sundsvall var bara namn för Anna. Namn som Sara slängde sig med och som Anna började bygga upp en hel låtsasvärld kring. De var coola, vackra, grymma och packade. Sara gjorde en ny min med uppspärrade ögon varje gång hon pratade om dem. Efter ett par timmar på rummet på kvällen (med Olivia utestängd) fick Anna anstränga sig för att inte börja ta efter. Egentligen ville hon inte lyssna alls på Sara, hon ville prata själv. Hon ville berätta om allt som hänt här hemma i Härnösand och hon ville inte att Sara skulle ha den här nya stilen.

Hade alla Saras kompisar så där fula kläder? För det här var inte Sara. Hon kunde inte ha ändrat stil så totalt sedan hon flyttade. Trasiga tennisskor på vintern. Och palestinasjal. Hon hade klippt håret också och gjort det mörkare. Det var jättekort. En klarröd pärla satt i näsvingen.

Anna ville inte riktigt säga att det var ascoolt. Okej, det var coolt, men det här var inte den Sara hon ville ha.

Efter dubbellektionen nästa morgon visste Anna. Det var inte bara hon som retade sig på Saras förändring. Hela klassen såg det. Men ingen tyckte hon var cool och ingen pratade med henne. Sara försökte morsa på några av tjejerna men de vände sig demonstrativt om. De hade snackat ihop sig redan när Anna och Sara kom gående längs korridoren. Ett par av killarna snackade lite med Sara men redan vid andra rasten hade hon fått nog.

»Anna. Vi sticker. Jag ger fan i den här skitklassen. Jag stannar inte en minut till.«

Anna ville egentligen inte få telefonsamtal hem om frånvaro, men Sara var viktigare. Hon hade redan tagit sin jacka och stod borta vid utgången.

Tjejerna gick med arga steg nedåt stan.

»Jag blir så jävla förbannad. Vilka tror de att de är egentligen? Är de schysta mot dig då? Nu när jag är borta?«

»Jag bryr mig inte.«

Vid stationen köpte Sara cigarretter. Ett litet paket.

»Har du börjat röka?« frågade Anna.

»Nej, men vi kan väl prova. Nåt ska man väl göra när världen ser ut som den gör.« Hon fnissade till och Anna kände plötsligt igen henne. Saras sätt att prata. Hur hon kunde vända blad, snabbt som blixten.

Det var inte så kallt ute, kanske nollgradigt. De gick mot småbåtshamnen nere vid Nybron. Anna var lite orolig för att hennes mamma skulle råka komma förbi av någon anledning, eller att någon annan som kände henne skulle se vad hon höll på med. De gick dolda så gott de kunde på baksidan av den manshöga häcken.

Sara hade en tändare i fickan. Anna frågade inte om det utan tog bara emot en cigarrett. Det kändes som förr.

»Jag har en kille«, började Anna innan Sara fick en chans att börja prata om sina nya kompisar igen, »men han är för gammal för mig.«

»Det här har du inte sagt! Vem är det?«

»Petter. Han är ungdomsledare i kyrkan. Tjugofyra år!« Anna gjorde vad hon kunde för att själv låta förfärad, för att inte Sara skulle köra den stilen mot henne.

»Men det är väl inte så farligt …! Jag är kär i en tjugosexåring.« Hon blåste rök över huvudet på Anna. Sara hade alltid lekt vuxen mellan varven och det var många gånger Anna blivit sur för att hon spelat äldre och förmanat. Anna trodde inte på att Sara ens kände någon som var tjugosex. Men det gjorde ingenting. Nu kunde hon berätta i alla fall. Hon hade längtat efter att få dela det här!

»Det är det bästa som hänt mig. Han är mörk och skitsnygg. Gropar i kinderna. Du vet. Och han är jättebra på att prata. Det är det som är det viktigaste. Mycket viktigare än det andra …«

»Vad har ni gjort då?« avbröt Sara. Hon lyckades inte dölja att det var en tävling. Anna visste att Sara ville vara den av de två tjejerna som först hade sex med en kille. Nu hörde hon rädslan i Saras röst och fick plötsligt för sig att hon kunde få henne att ljuga om det.

»Vi har inte kommit längre än att kyssas och hångla«, sa Anna och drog ett bloss medan hon sneglade på Sara, »men nästa gång ska vi ligga med varann … så nu kommer jag att göra det!«

Sara vände sig tvärt mot Anna.

»Jag har redan gjort det«, rabblade hon, »för några veckor sedan. Det var inget märkvärdigt alls. Du ska inte oroa dig för det.«

Anna log för sig själv. »Vem var det då?« frågade hon med rösten pyrande av ointresse.

Sara hann inte svara. Hon knuffade Anna i sidan. »Vem är det där?«

Anna lyfte blicken. Längst bort, där häcken tog slut, körde en vit bil förbi mycket sakta och föraren hade huvudet vänt mot tjejerna. Anna anade vem det kunde vara.

»Titta! Han kör sakta och kollar in oss hela vägen«, sa Sara. »Kan det vara din kille?«

»Jag vet inte.«

Anna visste att Petter hade en gammal bil som var vit. Då hade han redan kommit hem från sin resa! Det fantastiska var att han verkade känna igen henne på det här avståndet. Fast just nu ville hon inte prata med honom.

Sakta rullade bilen ur syne. Sara spanade efter den så länge det gick.

Tjejerna korsade Nybrogatan. Svart snömos låg i drivor längs vägkanten. På andra sidan fanns det en servering. De gick längs väggen runt byggnaden. Huvudsaken var att de fick fortsätta gömma sig lite. Men det gick bara några minuter innan Sara väste till igen.

»Där kommer han igen! Det är samma bil!«

Anna såg också att det var samma bil. Den parkerade på andra sidan serveringen.

När Petter steg ur bilen släppte Anna cigarretten på marken och klev på den. Det räckte med att han lagt sig i det där med Adrian. Men Sara böjde sig ned och plockade upp den krokiga cigarretten. Sedan gick hon och höll paketet helt synligt i handen.

Petter stannade ett tiotal meter bort. Han drog fingrarna genom de mörka lockarna och nickade åt Anna att komma. Hon var tvungen att gå dit.

»Vänta här!« kommenderade hon Sara. Så gick hon fram till Petter.

»Hej«, sa han och drog ned dragkedjan i jackan till hälften. »Jag har en julklapp till dig.«

Samtidigt som han halade fram en glansig liten påse hördes Saras steg bakom Anna. Petter räckte fram påsen.

»God jul på dig. Vi ses efter nyår.«

Vad skulle hon svara? Hon tumlade runt bland olika världar. Den med Sara, den med Petter, den med någon av föräldrarna som kunde komma körande förbi.

»Tack«, sa hon bara.

Så vände sig Petter om och gick, innan Sara hunnit upp jämsides.

De var tysta tills han försvunnit över bron, Sara säkert av avundsjuka men Anna av osäkerhet. Ville han inte träffa henne mer innan jul? Var de ihop eller inte?

Så kom Sara ihåg paketet och försökte tvinga henne att öppna det på plats. Anna ville helst vara ifred med alltihop men det gick inte.

»Jag vill se!« Sara ryckte påsen ur handen på Anna. »Du ska väl i alla fall inte öppna när dina föräldrar är med. Tänk om det är kondomer!« Hon snodde runt för att komma undan Anna, och drog upp ett rött, buckligt paket ur påsen. »Det är nog en negligé!«

»Lägg av! Låt mig öppna! Jag ska! Jag ska.«

Anna tog av papprct. Så stod hon där vid kajen i Härnösand med sin bästis hängande över sig och hade plötsligt en liten flodhäst i mörkblå plysch i händerna. Och Anna hade inte en chans att dölja den för världen.

Hennes bästa kompis i hela livet skrattade hånfullt.

»Skitläckert!« gapade Sara och klappade händerna.

Anna tänkte först dänga flodhästen i en papperskorg intill. Det kanske kunde rädda henne lite grann. Men de svarta pepparkornsögonen tittade på henne och hon blev konstigt varm i magen. Petter hade hållit i den här flodhästen. Han hade valt den. Åt henne.

Den enda person i hennes egen ålder som hon någonsin brytt sig om stod bredvid och väntade. *Vad tänker du göra nu då?* sa Saras skadeglada blick. Anna bestämde sig. Hon stoppade flodhästen innanför jackan på precis samma sätt som Petter haft den och började gå hemåt. Hon brydde sig inte om ifall Sara kom med eller inte. Hon skulle inte ångra sig ens om Sara åkte hem till Sundsvall redan idag. Vilken bitch.

Lite respekt vann hon i alla fall genom att låta Sara småspringa och flåsa hela vägen hem. Anna promenerade jättesnabbt. Lite kondition fanns tydligen kvar från träningen.

»Lägg av nu, Anna. Vänta ... Vi kan väl ta bussen i alla fall ... Gå inte den där vägen, det går inga bussar där ... stanna då ... det här är inte kul, Anna ...«

Anna bet ihop käkarna och vägrade svara. Och hon blev mer och mer road. Hon hade ett övertag för första gången på ett dygn. Och hon tänkte behålla det. Inför Sara kunde hon vara stenhård om det krävdes. Hon hade klarat sig utan henne hela hösten så en vecka till var väl inga problem. Egentligen hade Anna blivit mer mogen än Sara på den här tiden. Sara med sina fåniga kläder. Som hennes kompisar valt. Det skulle Anna tala om för henne. Hon skulle förresten tala om att hon lekte med Olivia också. Låta Olivia vara med på rummet. Och behövdes det kunde hon ljuga ihop något om Petter, för sanningen tänkte hon inte längre berätta för Sara.

Kvällen efter att Sara åkt hem till Sundsvall stod Anna utanför Petters dörr igen. Hon var ordentligt nervös. Det kändes som evigheter sedan de pratats vid. Det hade gått drygt två veckor. Om man inte räknade mötet nere vid Nybron då Sara var med, då Petter sagt att de skulle ses efter nyår igen. Men han måste väl ha sagt fel?

Petter vinkade in henne med en huvudrörelse och försvann. Anna tog av sig ytterkläderna. Petter var redan inne i det lilla köket. Hon var en del av hans vanor nu. Var det så när man levde ihop också?

Men Petter hade inte gått för att plocka fram fika. Rätt som det var stod han i öppningen till köket, utan något i händerna.

»Det här är helt otroligt«, sa han nästan för sig själv. »Jag har precis kommit innanför dörren och du är redan här.«

Anna frös till is. »Ska-ska jag gå?«

»Ja. Egentligen. Jag har ingen möjlighet att sitta ned med dig i två timmar. Eller vad det nu brukar bli.«

Han var jätteirriterad, det var hur tydligt som helst. Men det var ju inte Anna som var orsak till det, det kunde det väl inte vara? Det måste ha hänt något.

Det var som om Petter kunde läsa hennes tankar: »Jag fick punktering idag, ute vid Nickebo. Det tog tre timmar att fixa, för någon hade lånat mina verktyg från bilen. Tre *satans* timmar. Sedan kom jag inte ens hem innan hela *jävla* växellådan packade ihop. Jag behöver bilen i jobbet så jag fick lämna in den direkt. Du kan ju räkna ut vad i *helvete* det kommer att kosta.«

Anna kunde inte räkna ut någonting. Hon bara stod kvar på stället, strax innanför dörren, och stirrade på Petter som viskade varje svordom. Som om det inte skulle räknas då. Petter vankade av och an mitt på golvet och stannade med ryggen mot Anna och tog sig för pannan.

»Sätt dig ner när du ändå är här«, väste han. »Och ta av dig.«

Anna tassade in och satte sig på sängkanten. Det här kändes helt fel. Petter såg ingenting idag. Ytterkläderna hängde ju redan på en krok och skorna stod precis vid dörren. Han sneglade på henne. Så lyfte han ut en köksstol och ställde den mitt på golvet. Satte sig ned grensle med armarna i kors över ryggstödet. När han hängde huvudet framåt åkte luggen ned i ögonen. Håret såg otvättat ut.

»När du är så ivrig att komma hit får du ta av dig. Kläderna.«

Anna satt tyst. Vad menade han? Bakom testarna som hängde ned i ögonen såg han inte riktigt ut som vanligt. Ansiktet var stelt.

»Kan vi inte prata?«

»Jag orkar inte.« Petter satt två meter bort. »Jag är skittrött rent ut sagt. Jag har inte haft tid att vila ens fem sekunder idag, än mindre tänka på dig ... Men nu när du är här får vi väl umgås lite ...« Han lyfte ögonbrynen, som för att fråga om det var okej att säga så. Anna log lite osäkert tillbaka. *Raljera*, var ett ord som for genom Annas huvud. Petter raljerade. Hennes mamma brukade säga så om en av cheferna på jobbet. »... och jag vill verkligen att du tar av dig. Annars kan du lika gärna gå.«

Nu såg Petter ut som om det var en lek alltihop. Han såg nästan lika mjuk och snäll ut som vanligt. Och Anna ville inte gå. Hon ville ju det här. Hade hon inte velat det hela tiden?

Medan hon drog armarna ur tröjan och fick den över huvudet tänkte hon på Sara. Det här måste hon komma ihåg alla detaljer av, för det var nu det skulle ske. Nu skulle hon ligga med Petter. Hon fumlade med jeansknappen och reste sig bara så pass mycket att hon fick ned dem. Hon vågade knappt snegla på Petter utan bet sig oavbrutet i läpparna när hon böjde sig fram för att få fötterna ur byxbenen.

Sedan, när inget annat hände och Petter inte sa något, tog hon av sig sockorna. Så satt hon där i sin vita behå och sina mörkblå string-trosor.

»Behöver du musik?« Petters röst lät inte som vanligt. Drev han med henne? Anna kände sig skamsen. Gjorde hon på fel sätt? Han kunde väl inte mena att hon skulle ställa sig upp och strippa som en ... vad hette det? Det kunde hon ju inte! Det förstod han väl. Hon hade ju aldrig legat med någon. Hon kunde väl inte ha lärt sig det? Det visste han väl?

Petter flyttade sig till stereon. Två sekunder senare hade han satt på den där musiken igen. Men han letade efter något annat bland skivorna och Anna skyndade sig att dra behån över huvudet utan att knäppa upp den. Lika hastigt drog hon av sig trosorna och lät dem ligga på golvet.

När Petter vände sig om satt Anna på sängkanten med nävarna knutna framför munnen. Armarna dolde brösten helt och bara en liten rand av svart syntes under hennes platta mage. Något hände. Petter reste sig till hälften och såg förskräckt ut. Så försvann han in i köket. Hans röst därinifrån var nästan inte hörbar.

»Åk hem, Anna. Klä på dig och åk hem.«

Anna hade hört. Hon fick på sig underkläderna i en väldig fart. Ljudlöst klädde hon på sig allt. När hon redan höll på med jackan och skorna hörde hon Petter säga med högre röst, som om hon inte redan var på väg:

»Det här blir bara mer och mer fel. Åk hem. Jag vill inte ha dig här.«

Anna såg inte bilen när hon kom ut genom porten. Först när han signalerat flera gånger vred hon på huvudet. Det var Per-Arnes Saab. Han hade sett varifrån hon kom.

Anna 23 år

Resor bort

De sista dagarnas huvudvärk har släppt. Med Mirja försvann den, men nu är hon ensam. Det brukar inte gå bra. *Jävla piss.*

Snart är det kväll. Och det är bara första kvällen ensam. Anna går från rum till rum. Om hon åkte in till city och gick till den där irländska puben skulle problemet vara löst. Men hon har lovat Mirja att plugga varje kväll och hon har tänkt hålla löftet.

Om inte tomheten driver henne ut.

Mirja har kallat det verklighetsflykt. Det känns som raka motsatsen. Det är när avsaknaden av verklighet blir för stor som hon måste göra något.

Anna plockar fram böcker och sätter sig vid köksbordet. Öppnar ingen av dem. Varför läser hon litteraturvetenskap när hon inte är intresserad av böcker på det viset? Ska det bli ännu ett ämne hon måste överge? Resttentorna i religionshistoria förföljde henne ett helt år.

Anna tar anteckningsblocket och försöker skriva en dikt. Det går inte. Vart har orden tagit vägen? Visst skrev hon mängder av dikter i sina dagböcker när hon var yngre? Hon måste ha en talang gömd någonstans. Hennes mamma skrev ju också. Dagbok i alla fall.

Anna blir obehaglig till mods vid tanken på vad som kan finnas i den där bunten med papper hon ska få när hon blir tjugofem. Tankar hos en mamma hon knappt kommer ihåg. *Hon övergav mig*, kommer det för Anna. *Alla övergav mig*, tänker hon sedan, så nyktert hon kan. Även pappa. Kanske speciellt pappa. Övergav han mamma också? Var han ansvarig för att killarna försvann?

Tankarna kommer så snabbt att Anna nästan tappar andan. Det var länge sedan hon lärde sig att bara fokusera på nuet, att tränga bort alla frågor som inte kan få några svar. Hon skulle bli tokig annars. Det finns inga svar. *Det finns inga svar.*

I garderoben står en flyttlåda under en massa skor. Lådan som aldrig blir uppackad. Grejerna hon aldrig vill se igen. Bland minnessaker från studenten och annat strunt hittar Anna en dagbok från när hon var tretton. När hon kände Petter. Hon letar och får bläddra ända till slutet innan det står ett enda ord om honom. Endast en kort anteckning finns från hela den tiden: »*Han sa'min Anna' flera gånger. Jag är så kär så jag kan dö. Och världens lyckligaste för att han vill ha mig. Han vill verkligen ha mig. Jag kan ärligt säga att vi är ihop nu.*«

Var hon och Petter någonsin tjej och kille? Tyckte hon verkligen det? Anna blir medveten om att allt som existerade i hennes huvud på den tiden var så precist avgränsat. En egen värld.

Det fanns en anledning till att hon slutade skriva dagbok. Någon gång strax efter Petter var det ingen idé längre. Alla sanningar var bara flimmer i medvetandet. Och då blev skrivandet bara spekulationer. Hon längtar efter det precisa igen.

Att veta exakt hur det känns när det känns.

Nästa eftermiddag, efter en utdragen fika med några kurskompisar som hon håller på att somna med, hoppar Anna på en buss. Den vänder ute på Djurgården så Anna kliver av där. Efter en långpromenad vet hon inte vart hon ska ta vägen. Längs Strandvägen ligger stora båtar som ännu inte tagits upp för vintern. Eller också ligger de där året runt. De ser ut som bostäder när hon kikar närmare. Vilket ruggigt liv. Rått och kallt.

Hon sätter ned rumpan på Dramatens stentrappa. Varför har Mirja stuckit? Varför var det så viktigt att åka till Berlin med kurskompisar hon knappt lärt känna och springa runt och titta på byggnader och museer? Anna hittar inga rimliga svar.

När det inte går att förneka att det börjar mörkna lyfter hon sin nedkylda rumpa för att leta upp en pub. Kanske en man också. Inte en kille i alla fall. Fast i planerna finns ännu bara puben. Mannen

brukar vara en stundens ingivelse, en dumhet i fyllan, en olycks-
händelse som bara blir. Inte så målmedvetet som Mirja försöker få
det till. Fast det kanske borde vara det.

Mannen på vernissagen. Målmedveten. Eller inte. Anna vet inte
säkert för det är okänd mark. Hon har aldrig blivit förförd på det
viset. Det finns inget lockande i det okända. Ändå tänker hon på de
där håriga armarna. Starka.

Anna sticker ned handen i bakfickan. Jo, det är samma jeans.
Hon plockar upp kortet och slår siffrorna på mobilen så fort att hon
inte ska hinna känna vad det är hon gör. Han svarar efter en signal.
Anna uppfattar inte vad han säger men hon känner igen rösten och
stannar upp på trottoaren.

»Jag heter Anna. Vi träffades på vernissagen. Du sa att jag
kunde ringa om jag var ensam någon gång.« Anna hör hur mörk
hennes röst blir. *Beslöjad*, kallades det i en familj hon bodde i för
länge sedan. I ett annat liv.

Är hennes mörka röst en signal? Hon brukar skratta och flamsa
i vanliga fall.

»Ja, jag minns. Och du har tur. Jag har vernissage ikväll. Kom
hit. Åk mot Hässelby strand och ring igen så talar jag om var du ska
gå av. Jag hämtar dig.«

»När är vernissagen?« Hennes röst är som vanligt igen. Det här
är lite roligt.

»Nu. Vi har redan börjat. Det droppar in folk här. Slå en signal
när du är en bit på väg.«

Anna ler för sig själv. Varför tycker han att han behöver låtsas?

En halvtimme senare ringer Anna upp numret igen. Hon har
promenerat till T-centralen och på vägen gått förbi ett apotek och
köpt kondomer. Han kanske verkligen har vernissage. I så fall måste
hon vänta hela kvällen på att folk ska gå. Och då vill hon inte ha
väntat i onödan. Av någon anledning tror hon inte att han har kon-
domer. Men det enda hon tänker är att hon aldrig gjort det här förr.
Planerat det.

Han svarar omedelbart.

»Åk till Vällingby. Grön linje. Är du ensam? Inga kompisar med?«

»Nej, jag är ensam ikväll. Jag har lite tråkigt. Hur har du det?« Anna talar med tydlig ironi.

»Jag har massor av folk här. Vi har jättetrevligt. Kom bara. Jag har en stor villa. Massor av folk.«

Är han knäpp? tänker hon när hon åker rulltrappan ned i urberget. Det hördes inte en käft i rummet.

Vid Kristineberg pallrar sig Anna av tåget. Hon går en sväng och sätter sig på en bänk. Resan går för fort. Hon måste tänka. Det här har aldrig hänt förut. Hon tyckte de talade samma språk i våningen på Östermalm. Han tog henne i midjan. Han bad henne ringa. *Han hade håriga armar, för satan.*

Anna kliver på nästa tåg.

Varför låtsas han ha vernissage? När tåget stannar igen kliver hon av en gång till. Hon vet inte varför hon riskerar att förstöra allt. Det är riktigt mörkt nu. Och ganska kallt. Anna stannar framför en bänk på perrongen.

»Hej, jag har inte kommit iväg ännu, jag måste till apoteket först.« Lögnen känns knölig i munnen men den fungerar. »Hur går det?«

»Du kommer att trivas. Det är jättebra stämning här.«

»Men det hörs ingenting. Du har ingen där.« Anna sparkar med foten mot bänken.

»Jag är i mitt arbetsrum.«

Anna skrattar till. Hon önskar att hon verkligen gått till puben först, bara för att få en öl i kroppen. »Kan du inte säga som det är? Har du eller har du inte vernissage? Jag kommer i vilket fall.«

Det ligger en avriven tidningssida på bänken. Hon ser en halv rubrik: »... SLOG SIN BABY.«

»Jag har ju sagt att jag har vernissage. Det är massor av folk här.« Efter någon sekund lägger han till: »Inte samma dönickar som hos bjällerklang. Det här är kultiverade människor. Du får inte skvallra för hon är inte bjuden.«

Anna skrattar. Lättad. »Okej. Jag kommer strax. Jag ringer igen.«

Nästa tåg rullar redan in. Vagnen hon kliver på är i det närmaste full. Tankarna snurrar runt. Nu känns det nästan som vanligt. När han möter henne kommer hon att skämta om det. Ironisera och pika. Han kommer att dra in henne i bilen och hålla fast henne hårt som straff. Viska att han vill ha henne. Hon kommer att säga »*bara du lovar att det känns*«. Och sedan kommer allt att falla på plats. Hon längtar efter känslan.

Hon tittar upp på t-banekartan. Två stationer kvar. Så känner hon hjärtat börja bulta hårt. Det här går för fort. Hon kliver av igen, på stationen innan. Nu börjar hon känna sig riktigt dum. Man måste bestämma sig ibland, brukar Mirja säga. »*Ska du med eller inte?*« »*Nu får du bestämma dig, Anna.*« »*Vad ska du ha att dricka?*« »*Men köp den då!*«

Varför låtsas han ha vernissage? Om han inte fattar koden, om han inte förstår att hon kommer med det han vill ha, då är något fel. Då kommer han inte att säga »*jag vill ha dig*«. Då kommer han att … vadå?

Håller hon på att råka illa ut nu?

Är du ensam? Inga kompisar med? Du får inte skvallra för bjäller- klang …

Mirja har varnat henne många gånger.

Anna tänker på hur han kavlade upp ärmarna för att stöta på henne. Hans tyngd i linningen. Han vet visst vad hon vill ha.

Tankarna snurrar runt. Hon borde åka hem igen. Till en tom lägenhet, och plötsligt får hon ont i magen. Det är inget alternativ.

Sedan tänker hon igen på att det var dödstyst bakom honom. Han svarade på första signalen varje gång. *Arbetsrum, din jävel.* Hon är på väg till en okänd man som ljuger om att huset är fullt av folk. Ingen vet att hon är på väg dit. Han har inte sagt var han bor. Inte ens om hon ville skulle hon kunna berätta för någon vem hon ska träffa. Och han har försäkrat sig om att hon inte berättar något för den enda gemensamma bekant de har.

Framför sig ser hon sådant hon och Olivia brukade mardrömma om efter rysare när de var mindre. Ett kvinnolik på en soptipp.

Spruckna, grå läppar som inte blöder. Märken efter strypsnaran runt halsen. En råtta som kilar över ansiktet.

Anna tar tåget som kommer in på andra sidan perrongen. Hon har bestämt sig men hon litar inte på sig själv. Hon vet att hon kan bli övertalad av den där rösten att komma ändå. Så hon åker hela vägen tillbaka till T-centralen innan hon ringer. Hon skakar så hon måste prata mellan sammanbitna tänder.

När hon sagt att hon inte hinner, att hon sprungit på en gammal killkompis och ska ta en fika, klipper han snabbt av samtalet.

»Det är okej. Vi säger så.«

Sedan är han borta.

Hon river kortet i små, små bitar och trampar ned dem i en pöl med smet under en papperskorg. Hennes händer skakar. Det är kallt ute.

Året innan Charlie försvann

Annas sista sommar

Anna spionerade.

Hon satt på huk bakom den branta trätrappen vid högolvet. Genom springorna i brädorna kunde hon se Kajsa inne i ladugården. Båsen var tomma, djuren ute på bete.

»Jag försöker öppna den här kopplingen. Om du ska ha dit nya vattenhoar måste man väl öppna där det finns en skarv?« Kajsa stod precis vid dörren. Hennes näve svängde skiftnyckeln fram och tillbaka. Anna kunde inte minnas någon annan tjej som följt med Charlie in i ladugården.

»Tjena. Läget?« Det var Bo-Anders som klev in genom porten. Han blinkade och spärrade upp ögonen flera gånger. Anna visste varför. Inga lysrör i världen kunde kompensera för det bländande solljuset som sprakade i allt det gröna ute. Det kändes som att få en påk i huvudet när man kom in någonstans.

Anna lutade huvudet mot knäna och väntade. Det var inte roligt att spionera när Bo-Anders var med. Problemet nu var att Anna kunde bli fast på sitt gömställe i evigheter.

Kajsa räckte fram skiftnyckeln.

»Du kanske vill ge oss ett handtag här, Bo-Anders. Och ta loss de gamla rören.«

»Gör det själv«, skrattade Bo-Anders. Det lät nästan hånfullt. »Charlie, menar jag. *Du* behöver väl inte jobba *här*. Kom med och titta på bastun istället. Borta vid bäcken.«

»Är den klar? Låter jättehärligt! Ska vi basta ikväll, då? Tvaga oss och ta ett dopp i bäcken? Har du dämt också, så det blir lite baddjup?«

»Nä. Inte än.« Bo-Anders tvekade lite. »Och jag vill inte ha dit hela Charlies familj. För många som springer och fläktar i dörren.«

Kajsa skrattade högt och blinkade till Bo-Anders. »Klart Anna ska basta med oss. Det är ju för Anna jag i princip bor här i byn. Och Mattias har snygg kropp, jag har längtat efter att se Mattias naken.«

Anna satt alldeles tyst och självförtroendet växte. Kajsa skulle ha Anna med på det mesta. Kajsa hade också hotat att ge henne spö ett par gånger. Det var raka rör och snabba kramar med Kajsa. En snus innanför överläppen och sedan full rulle. Kajsa ljög inte, Kajsa lurades inte, Kajsa höll vad hon lovade och Kajsa lovade mycket roligt som skulle hända. Anna var fascinerad över sin första tjejkompis någonsin. Anna ville inte längre ha klänning på sig eller måla naglarna som mamma. Bara tånaglarna, som Kajsa. Och Anna ville spara ut sitt hår.

Mattias kom in genom porten och räddade henne.

»Vi har en huggorm under släpkärran.«

Inom ett par sekunder var ladugården öde. Anna smet efter de andra. Men ormen hade hunnit flytta på sig. De tre övriga gick tillbaka mot ladugården medan Mattias haffade Anna.

»Nu räddade jag dig, va?«

Anna spärrade upp ögonen. »Såg du mig?«

»Japp. Din lilla råtta. Du är inte så osynlig som du tror.«

Tillsammans gick de mot huset. När de kom in stannade Anna vid köksdörren och tittade på golvet.

»Ligger han här idag också? Varför det?« Den gamle jämthunden hade aldrig haft för vana att hålla till i köket. Alla var tacksamma för det eftersom han börjat lukta illa på gamla dagar. Men nu var han här, som en påminnelse om att allt har ett slut.

»Han är sjuk.« Mattias kliade honom under halsen med sin bara fot när han gick förbi.

»Kommer han att dö?« Anna satte sig på huk och pussade hunden under örat.

»Ja.«

Precis när Mattias sagt det kom mamma in i köket i de nya sandalerna med remmar som gick kors och tvärs halvvägs upp på benen. Anna tyckte det var fint, men allra helst ville hon ha sandaler som var gjorda av gamla bildäck.

Mamma såg inte glad ut. Mattias upptäckte det också.

»Vad är det, mamma? Är du arg på pappa?«

Mamma plockade fram en assiett med kalvsylta från kylen, sedan en burk inlagda rödbetor.

»Äh, han är så dum. Han vill att jag ska åka till Paris en helg. Med Erika. För att komma bort från allt här hemma. Som om jag vill komma bort från mina egna barn! Jag har väl aldrig sagt det.«

Som för att bevisa sin omtanke gjorde hon i ordning varsin tallrik med skivade rödbetor och kalvsylta åt barnen också, utan att fråga.

»Men åk, för sjutton. Vi klarar oss en helg. Passa på om pappa vill lätta på plånboken.«

»Men jag vill väl inte åka med min syster! Det är ju en sån resa man ska göra med sin man. Och inte nu. Till Paris åker man ju på våren.«

»Du får aldrig med pappa på en sån grej. Åk själv. Annars får du dö utan att ha sett Eiffeltornet.«

Mamma svarade inte på det. Hon stoppade i sig mellanmålet med ryckiga rörelser. Mattias förstod vad grälet han hört mellan föräldrarna kvällen innan hade handlat om. Pappa hade fått nog av att höra att han aldrig pratade och inte tog henne på allvar. Nu försökte han köpa sig andrum igen. Och hon ville som vanligt något annat.

Som om Lisbeth förstod vad han tänkte, nickade hon mot den utsträckta hundkroppen. »Det är inte bara det. Den här familjemedlemmen har varit med oss sen vi flyttade hit. Han var valp då. Jag får nästan panik när jag tänker på att han är döende …«

»Vi är alla döende.« Mattias kunde inte låta bli att konstatera det uppenbara.

Mattias såg Kajsa och de två grabbarna som båda beundrade henne komma gående från ladugården. Charlie som gillade att snacka skit med folk och fä, och Bo-Anders som visste hur valarna fortplantade sig i södra Atlanten.

Det var lustigt. Mattias hade alltid haft svårt för Bo-Anders och hans stil. Med Kajsas intåg hade de fått börja umgås med honom. Och han var faktiskt underhållande med sina intellektuella resonemang. Kajsa hade rätt i det.

Vad Kajsa inte förstått var att hon blivit manipulerad på gammalt manér. Kajsa skulle bli så förbannad om hon insåg att Charlie vunnit henne genom att utnyttja uråldriga mansideal och fördomar om kvinnor. Mattias flinade inombords varje gång han tänkte på det.

När Kajsa börjat jobba åt parkförvaltningen i kommunen hade hon snart ordnat så hon körde den servicebil som gick från Docksta över Vibyggeråfjället för att hålla de allmänna badplatserna vid sjöarna rena. Kajsa hade valt att tömma utedass för att kunna stanna till hos Bo-Anders varje dag.

Charlie hade bidat sin tid. Sett till att vara ute varje gång hon passerat. Stått vid traktorn med bar överkropp och tänt sin morfars gamla pipa. Flyttat stenbumlingar med spett och låtsats förbereda grunden för ett nytt uthus. Suttit uppflugen på taknocken och fixat med parabolen. Ibland sparkat boll med Anna. Mattias hade skrattat varje gång Charlie tittat på klockan och fått bråttom att komma utomhus för att börja sin föreställning.

Vad hade Bo-Anders haft att bjuda emot? Han försökte stå på huvudet under motorhuven på sin Cheva men sedan kom han väl inte på något mer. Och Kajsa började allt oftare komma för att byta några ord med Charlie också. Då var han fåordig. Vänlig men svåråtkomlig. En brutalt stark man med stort hjärta. Glimten i ögat satt där när det behövdes.

Och Kajsa mjuknade. I tre veckor stod hon pall, sedan såg Mattias henne kyssa Charlie i dörröppningen till mjölkrummet. En vecka senare hade hon bytt arbetsuppgift och följde istället med den grupp som planterade tall i närheten. Då fick hon en naturlig anledning att sova över. Och Bo-Anders fick finna sig i att tillhöra ungdomsgänget som vän, att stå och stampa på samma ställe och aldrig komma närmare den han åtrådde.

Mattias undrade om Bo-Anders egentligen förstått att kampen var förlorad. Han hade fortfarande hennes ring på fingret, en dödskalle i silver. Det retade Charlie, men Kajsa bara skrattade åt svartsjuka. Och Charlie fick inte peta på Kajsa när andra var med, för det var exkluderande, som hon uttryckte det vid varje försök han gjorde att ens nudda hennes midja.

Om Bo-Anders hoppades att Kajsas markeringar betydde att hon inte riktigt bestämt sig, så bedrog han sig. Det syntes på Kajsa varje morgon när hon kom ner till frukost. Hon var aldrig så loj och mjuk som då. Det var där, i hennes tystnad när hon åt marmeladmackor och såg på Charlie med inåtvänd blick, som Mattias blev viss om att hon åkt dit ordentligt utan att riktigt fatta det själv.

Mattias satt på golvet vid Annas säng. Han hade huvudet i höjd med hennes och försökte berätta en spökhistoria. Anna gick inte på det han totade ihop, det såg han på hennes blick. Själv var han bara engagerad till hälften i sagan. Den andra delen av honom försökte komma på varför han hade en känsla av att falla. Hela tiden föll han, tumlade runt, runt och aldrig att han slog i kanterna någonstans, aldrig att han landade. Bara känslan av att falla. Den var obestämbar. Obehaglig.

När han hastigt avrundade berättelsen lyfte Anna handen och knöt sin näve. Mattias gjorde likadant. Det här var deras ritual. Hon satte knytnäven mot hans haka och han lät huvudet falla bakåt. Sedan låtsades han rikta ett slag mot hennes kind och hon vred undan ansiktet på kudden. Mattias viskade:

»Anna-gullunge.«

Anna skrattade till och upprepade skuggboxningsritualen. Mattias kände sig lättad. Anna fanns och Anna höll. Hon var inte lika skör som föräldrarna. Inte lika labil som han själv. Med Anna kunde Mattias dra djupa andetag av liv. Med henne i närheten glömde han bort att undra om han egentligen var galen.

När Anna blev nöjd blundade hon. Då var det Mattias uppgift att smyga ut så hon kunde låtsas att han trollat sig osynlig och fortfarande satt där på golvet. Den här gången blev han sittande så länge att Anna slog upp ögonen igen och rynkade ögonbrynen.

De fick börja om igen med de knutna nävarna.

Lisbeth satt vid köksbordet och såg ut mot skogsranden och kvällssolen som skulle vara ett sällskap ännu en stund. Inifrån kammaren hördes Kajsas röst vina som ett hopprep mot sanden. Ungdomarna spelade kort, utsträckta på golvet. Det visste Lisbeth, för hon hade precis gått in med ett fat röda vinbär som försenad efterrätt.

»... och hon säger precis vad hon tycker. Det gillar jag. Eran lillasyster är den ärligaste unge jag träffat. Det var kul att ha med henne till Sundsvall i förrgår. Fast hon tänker sig inte för ...«

Kajsas skratt steg mot taket och studsade ner över rummet. Rullade mot väggarna och kom krypande till Lisbeth genom nyckelhålet och underifrån dörrspringan. Lisbeth kunde inte låta bli att tänka att det var livsglädjens stämband som hördes från kammaren.

»... 'men jag sa inte byfåne särskilt högt', säger Anna då, och hon ser inte att precis bakom henne står det kutryggiga fanskapet kvar ...«

Rungande pojkskratt.

Lisbeth ville le, men det var inte hennes dotters röst som hördes. Den enda röst som hade klang och färg i huset tillhörde en främling. Huden knottrades på Lisbeth. När Henrik kom in med byxorna fulla av gröna stänk och luktade gräsklippare slog hon klorna i honom. Desperat, som någon som ramlat i bråddjupt vatten.

»Snart flyttar Charlie hemifrån och vem vet om han inte lockar Mattias med sig. De är snart förlorade för oss.« Som en drunknande talade hon.

Henrik kastade en enda blick på henne och visste. Det var inte bara mensen den här gången. Hans fru hade känt kylan i kvällsluften. Den första höstvinden hade kommit tidigt i år. Hans ögon smalnade och hjärtat knep.

»Inte förlorade, Lisbeth. De får egna liv. Och vi också. Men det är ett år kvar. Och sen har vi Anna kvar i tio år till.«

»Vi förlorar henne också ...« Som en drunknande som inte rår för att den drar någon med sig ned i djupet.

»Nu ska du inte vara domedagsprofet.«

»Jag ser henne springa genom hagen och klättra över stängslet vid hönsen. Hon kommer aldrig att bli så här liten igen. Det känns som om jag inte hinner uppleva det ...« Lisbeths röst var nästan bedövad, det var svårt att höra allt hon sa. »... och jag vet inte vad jag ska göra åt det ...«

»Du blir alltid så här när sommaren snart är slut«, försökte Henrik igen.

Men Lisbeth hade aldrig kunnat simma i de här vattnen.

»Det blir värre och värre för varje år ...« Hon viskade orden.

Han klämde sig tyst ned bredvid henne. Hösten var onekligen på väg. Förändringens vindar blåste från norra Ryssland, drog ned över mellersta Finland och kom svepande tvärs över Bottenhavet.

Snart var sommaren över.

Anna 13 år

Oskuld

Anna tjuvlyssnade.

Hon satt utanför matsalen med örat mot skjutdörrarna. Ibland kikade hon under dörren för att försäkra sig om att deras fötter var kvar borta vid bordet. Bredvid sig hade hon en uppslagsbok för barn. Om hon hade riktig otur och inte hann undan skulle hon låtsas som om hon bara kommit upp för att hämta den i hyllan.

»*Jag känner mer ansvar för Anna än du kan göra. Det var till mig min syster överlät ansvaret och det är till mig Anna vänder sig.*«

Anna hade misstänkt något redan när Per-Arne kom ner i gillestugan för att se vad flickorna tittade på. Han hade aldrig brytt sig om vilka program de såg. När Anna gått upp på toaletten för att rekognoscera hade Per-Arne stått i köket med tidningen uppslagen.

»Det slutar om fyrtiofem minuter. Vi sätter oss genast.«

Anna hade sprungit ner igen. Per-Arne hade sett henne komma ut från Petters hus, men hon hade nästan inbillat sig att hon lyckats svamla sig ur det. Att Per-Arne trott på att hon bara behövde någon att prata med. Skulle inte mardrömmen ta slut någon gång? Anna plågades tillräckligt över hur fel det blivit hos Petter.

Efter några minuter vid teven kunde hon inte hålla sig. Hon förmanade Olivia och smög upp. Hon var tvungen att få veta vad Per-Arne skulle säga om Petter.

Typiskt Per-Arne att ordna ett *möte* med mamma i matsalen. De kunde aldrig samtala som andra föräldrar verkade göra överallt och då och då. Saras föräldrar bråkade varje morgon, hade hon berättat. De kunde aldrig äta frukost utan att hennes mamma for runt och gnällde och stressade tills hennes pappa blev tokig. Och i affären kunde Anna höra föräldrar bråka om barnuppfostran eller hur sent ungarna skulle få vara ute. Bara i hennes hem var det sakral tystnad som rådde.

Mammas röst hördes igen.

»Det är inte lätt att få ett sånt ansvar. Om du visste hur mycket jag avundades Lisbeth när Anna föddes. Jag har haft dåligt samvete för det ända sedan katastrofen.«

Anna kände magen dra ihop sig. Skulle det handla om att de inte ville ha henne?

»Du har aldrig sagt något om det.« Per-Arnes röst var mycket svårare att urskilja än mammas. Han lät orolig.

»Men snälla du. Vi hade försökt få barn i sex år och så gick hon och fick ett tredje. Och en flicka dessutom! Hon fick allt och jag inget. Hon hade burit sig åt som bara den i tonåren och när hon träffade dröm-prinsen så fick hon honom också, trots att hon faktiskt redan bundit sig. Och du vet inte allt hon lyckades med ...«

Anna var förbryllad. Varför pratade de om hennes mamma? Borde det inte handla om Petter?

»Varför berättade du aldrig hur du kände?« Per-Arne lät skamsen.

»Därför att jag skämdes! Jag var rädd att jag skulle bli straffad och att vi aldrig skulle få barn!«

»Sådan är inte Gud. Han är förlåtande. Och han vet allt ändå, även det som bara finns i dina tankar. Nog vet du det, Erika ...« Per-Arne lät som Westberg när han predikade. Anna visste hur det lät för hon var tvungen att följa med till kyrkan de flesta sönda-gar.

»Om du kunde ana hur hett jag önskade att Anna var mitt barn istället.«

»Och så blev hon det ...«

»Men det är ju det som är så förfärligt! Vi fick vårt barn till slut, men så fick vi Anna också. Precis som jag önskat! Jag har verkligen fått veta hur det känns att bli lycklig på någon annans bekostnad.«

Anna hörde sin mamma uttala det sista med eftertryck på vart-enda ord.

»*Jag tycker du överdriver. Du hade inget med den familjens kata-strof att göra. Vi var inte inblandade. Du hade knappt kontakt med din syster under den tiden.*«

»*Jag vet! Jag har ingen aning om vad som rörde sig i Lisbeths huvud på slutet. Eller hur Anna hade det under de veckorna. Och så begär du att jag ska* öppna *mig* ...«

Anna ryckte plötsligt till så hon höll på att banka till dörren med huvudet. Olivia hade helt obemärkt satt sig intill henne. De stirrade på varann. *Gå,* mimade Anna. Olivia såg bara uppstudsigt tillbaka. Anna gjorde ansiktet strängt och försökte än en gång mana henne att gå, sedan fick hon ge med sig. Olivia tänkte inte gå.

Anna lutade örat mot dörren igen. Olivia gjorde samma sak mot den andra halvan.

»*Du har ju sagt att hon pratar i ungdomsgruppen. Räcker inte det?*«

Oj, här kom det! Nu handlade det om Petter.

»*Vi kanske borde ge Anna en chans att prata hemma också. Inte utlämna henne till en enda person. Vi vet inte vad Petter säger. Och Anna kanske får för sig att hon är förälskad i honom* ...«

Anna blev het om kinderna. Hjärtat gick upp i varv. Per-Arne hade sett det på henne!

»*Men han är utbildad ungdomsledare! Och jag vill inte att hon går till Westberg. Jag litar faktiskt inte på honom* ...« Mamma lät riktigt förargad. Vad var det om Westberg som inte Anna fått höra?

»*Men vi borde tala om katastrofen hemma också. Det lilla vi vet i alla fall, så Anna får en chans att ställa frågor. Som att gården skrevs över på henne. Någon gång måste Anna få veta varför. Du var ju hos juristen och såg hur illa ställt det var* ...«

»*Nej!*« Anna kunde se den bestämda minen framför sig. »*Den där katastrofen var något folk talade om i flera år. Människor som inte hade med saken att göra ens! Anna skulle aldrig sluta grubbla. Jag vägrar att utsätta henne för det. Vi har ett ansvar* ... *Anna kan få för sig att hon kommer från en familj som är dömd att gå under!*«

Det var tyst några sekunder. Anna och Olivia flyttade sig instinktivt bakåt, beredda att försvinna illa kvickt från dörren. Men så hördes Per-Arnes röst igen, högre, som om han rest sig upp:

»*Det ligger något i det. Anna är så ung och påverkbar.*«

Nu vågade Anna inte sitta kvar längre. Hon hasade sig någon meter bort och kom försiktigt på fötter. Olivia smög in sin hand i Annas och de svävade som spöken tillbaka ner till teven.

Det dröjde några minuter innan Anna och Olivia hörde de vuxna öppna dörrarna till matsalen. När mamma kom nedför trappan höll båda andan. Var de avslöjade?

Men mamma vände sig till Anna och såg riktigt vänlig ut.

»Vi ska bjuda hem några från kyrkan på middag. Kyrkoherde Westberg med fru, och så Petter …«

Anna gjorde en min. »Va?«

»… och det blir ett annat par också. Hon som har tjänsten som diakonissa. Mannen är begravningsentreprenör. De har tvilling-pojkar. Efter jul- och nyårshelgen.«

Anna tyckte det lät hur sjukt som helst. Skulle Petter på vuxen-middag hem till hennes föräldrar? Hon såg på Olivia. De var bunds-förvanter i det här nu. Olivia kände tydligen detsamma.

»Mamma, vad gör en begravningsentreprenör?«

Mamma gav Olivia ett tröttsamt ögonkast. *Vilken dum fråga!*

Lite senare på kvällen ringde Petter. Och i samma stund som Anna hörde hans röst kom skamkänslorna tillbaka. Samma skam ända upp i öronen som hon känt i bilen medan hon ljugit i panik för Per-Arne. Anna hade haft miljoner tankar om varför hon inte kunnat klä av sig på rätt sätt. Innan hade hon trott att det skulle vara som en berusning i hela kroppen att vara naken inför Petter. Det var det som var så sjukt, för när det hände så hade hon bara varit rädd att göra fel. Och hon hade gjort så fel att han kört iväg henne.

Men Petter började med att be om förlåtelse.

»Snälla Anna, säg inget till någon. Jag är så trött att jag inte vet vad jag gör eller säger. Jag fick kortslutning i hjärnan. Förlåt.«

Då skulle hon få en chans till. Och kanske han inte skulle begära det hon inte visste hur man gjorde. Anna önskade att Petter skulle säga rent ut att hon fick komma tillbaka. Och det gjorde han:

»Jag vet mer om din mamma än jag sagt tidigare. Din riktiga mamma. Jag kan berätta om du vill. Men du får inte säga något till dina föräldrar om att du kommer hit.«

»Jag säger aldrig något«, viskade Anna från sängkanten och stack handen under kudden. »Och jag vill att du berättar.« Hon drog fram den lilla flodhästen och klämde hårt på den.

När de lagt på satt hon länge och funderade. Alla vuxna låtsades. Hon förstod att det var Per-Arne som berättat saker för Petter. Per-Arne gick bakom ryggen på mamma för att hjälpa sin styvdotter. Ändå kunde Anna inte känna närhet till honom, knappt tacksamhet en gång.

Petter ville att det skulle vara en hemlighet att hon gick till honom. Men Anna hade redan varit där många gånger med tränings-väskan bland skorna i hans hall. Vad var det som skulle bli mer hemligt framöver?

Musiken var annorlunda. Lite mer jazzig. Det brann små värmeljus på bordet, flera stycken, och Petter hade hällt smågodis i ett glas.

»Blir det för mörkt om jag släcker?« frågade Petter mjukt och stod nära henne och kupade händerna runt hennes huvud. Såg henne i ögonen och viskade förlåt för det som hände sist. Anna log. Det var precis så här hon längtat efter att Petter skulle vara mot henne. Han la ett pekfinger på var sida om hennes mun och tryckte lite. Hon fick plutmun. Han log varmt och pussade den. Smakade på henne. Anna blundade och kände hans läppar och tungspets som ibland nuddade hennes. Hon stack ut sin tunga lite men kunde inte fånga mer av honom. Han retades. Hon skrattade inombords.

»Vill du älska med mig?« frågade han allvarligt, men hans blick var varm och snäll. »Eller vill du bara ligga i sängen och kramas? Du håller på att göra mig tokig och jag har gett upp. Jag vill bara inte bli av med jobbet därför att vi ligger med varann.«

Anna blev generad. Det kom så hastigt på. *Det kom så hastigt på?* Det hade ju varit på gång hela hösten! Hon hade trott att de skulle ligga med varann flera gånger. Hur kunde hon bli generad och tycka att det kom plötsligt? Men hon hade svårt att se Petter i ögonen och säga något. Hon gömde sig nära hans ansikte och försökte fortsätta kyssas.

Han skrattade och höll upp ett finger.

»Du vet att jag vill ha dig nu. Du kan utnyttja det om du vill, men det här är vansinne. Du är farlig för mig.«

»Jag är inte farlig«, sa Anna sakta.

»Du är livsfarlig.«

»Jag skulle aldrig säga något.«

»Det är i alla fall upp till dig nu. Ditt ansvar.«

När de druckit cola och ätit lite godis och småpratat, faktiskt småpratat för första gången, om ditt och datt, så sa Petter rakt ut:

»Vi kryper ner, Anna. Bara tar av oss och kryper ner. Kom.« Och han klev runt bordet och drog av sig tröja och jeans och sockor. Anna bara lutade sig bakåt och såg halvliggande på. Petter kröp över henne och stod på alla fyra och log henne rakt i ansiktet. Hans hår lockade sig och hängde ned mot henne och gjorde att han såg flickaktig ut. Anna petade på lockarna.

»Jag lägger mig här så får du krypa ner om du vill.« Han kröp under kanten på täcket. Sedan småpratade de vidare. Efter säkert en halvtimme tog hon av sig jeansen och kröp ner med tröjan kvar. Petter gjorde plats för henne och hon låg länge och bara luktade med näsan vid hans hals och bröstkorg. Han strök henne över ben och rygg och axlar och drog upp tröjan så hon kände hans mage mot sin och så strök han henne under tröjan, men bara på ryggen. Hela tiden småpratade han med henne och kysste henne försiktigt. Ett par gånger strök hans fingrar innanför kanten på hennes trosor och under behåbandet, men han gjorde inte mer än så.

Anna kunde inte undgå att tänka på hur upphetsad han var. Hon kände det mot sina ben och mage när de ålade sig tillsammans och kysstes, och hon hade lust men vågade inte känna efter med handen.

»Är det det här som kallas petting?« frågade Petter vid ett tillfälle.

»Jag vet inte. Det vet väl du«, svarade Anna och kände hur hon hettade till ännu mer. Han satte ord på det de gjorde.

»Ska du åka hem nu?« retades han lite senare.

»Jag vill inte.«

»Vad vill du då?«

»Kanske ... älska med dig.« Och hon höll andan. Petter också. Så såg han på henne och skrattade lyckligt.

»Min Anna, min lilla, lilla Anna«, sa han och kramade henne hårt.

Ordet *samlag* kom för Anna när hon skulle somna. Det var konstigt, för hon tyckte att det var ett ord som talade om vad man gjorde men inte vad man kände. Ett ord för vuxna.

Sara hade en farmor som pratade med henne om allt. Påstod Sara i alla fall. Anna hade svårt att tänka sig att ens den tanten med sina leopardblusar och sitt superblonderade hår kunde prata om sex. Men hon kanske sa *samlag*. Anna hade bara mormor kvar av den äldre generationen. Mormor hade haft två döttrar och när hon förlorade Lisbeth hade hon slutit sig i sitt skal. Så brukade mamma säga. När Anna försökte tänka sig mormor använda ordet *samlag* så gick det inte. Att någon enda vuxen skulle legat med någon var fullständigt omöjligt. *Samlag* var nog ett uppslagsord som ingen använde på riktigt. Men det var irriterande att det hela tiden kom tillbaka i skallen på henne.

Det hon och Petter gjort var allt annat än ett uppslagsord. Det hade varit nästan explosion i Anna innan Petter äntligen kommit så långt att de verkligen gjort det. Först hade de bara legat nakna och hållit i varann. Helt nakna. Ålat och kramats och pussat varann överallt i ansiktet. Annas läppar var fortfarande ömma och kändes tjocka. Sedan hade Petter gått upp och hämtat en kondom. Anna tittade inte, så han inte skulle bli generad, och hon vågade inte ta i honom när kondomen var på heller. Han försökte föra hennes hand nedåt men hon drog undan den. Lite senare vek han ned sitt stånd och gled mellan hennes ben, och det var så han till slut tryckte sig in i henne mer och mer. Han fick lägga sig på henne för att komma in ordentligt, men trots att Anna koncentrerade sig på hur det kändes gjorde det inte ont. Inte just då.

Det kom lite senare, när de låg och höll om varann och hela kroppen sakta slutade bulta. Till sist kändes det bara som en puls just i slidan och området runt omkring, och även på munnen.

Hon kunde inte ens känna efter på kvällen om det var annorlunda på något vis, för det var så ömt. Men hon hade lite blod i trosorna när hon bytte om till pyjamas.

Varför skulle ordet *samlag* förstöra upplevelsen?

»Jag tror mamma och Per-Arne skulle använda det ordet«, sa hon till Petter efter att de hade legat med varann nästa gång och hon inte kunde låta bli att nämna det kliniska ordet. Petter sa ingenting.

»De ska vara glada att jag kom till dem«, fortsatte Anna efter ett tag. Hon och Petter låg och tittade upp i taket. Anna önskade att han hållit kvar armen under och runt henne men det var nog för varmt. Hans kropp ångade och Anna smög en blick mot hans bröstkorg ibland. De hade gjort det två gånger ikväll och hållit på längre den andra gången. Han hade vänt och vridit på henne i olika ställningar. Hon var öm. Det var som om kroppen inte hann komma ikapp mellan gångerna. Det hade gjort ont redan när de började, men hon tänkte bara på det precis då. När de väl höll på var det ganska skönt.

Petter verkade inte fundera över Annas kryptiska kommentar, så hon var tvungen att fortsätta:

»Då slapp de ju göra det igen. Nu räckte det med den gången Olivia kom.«

Petter vred huvudet en aning mot Anna.

»Du tror väl ändå inte att de bara legat med varann en gång?«

Anna fnittrade till. »När skulle de göra det annars? Per-Arne går ju och lägger sig före mamma. Vid tio.«

»Men de delar väl säng? Eller sovrum i alla fall?«

»De har en dubbelsäng, men det har väl alla?«

»Du har aldrig tänkt på att det finns en anledning till det?« Petters röst var lite sarkastisk. Anna började känna sig dum, men den här gången var det faktiskt Petter som borde känna sig fånig.

»Jamen, du fattar väl. Du har ju träffat Per-Arne. Han ligger inte ... med mamma.« Anna fnittrade till igen. »Du är inte klok om du tänker dig det.«

Hon trodde att Petter skulle säga »*vad du är söt, Anna, med dina idéer*«, men det gjorde han inte. Han satte sig upp med benen över kanten.

»Jag tänker mig inte hur det ser ut när andra människor har sex, men det kan du väl räkna ut att de har. Varenda en«, sa han medan han försvann in i badrummet.

Inget mer blev sagt i det ämnet. Anna låg kvar och tänkte på att det var ett tag sedan Petter sa att hon var söt när hon sa lustiga saker.

Adrian stod allt oftare i korridoren precis där Annas klass hade skåpen. Han hade sina polare med sig. De psykade folk som gick förbi genom att stirra ut dem och sedan skratta rått. Ibland låtsasfightades de.

Anna hatade dem. Men hon trodde att Adrian egentligen var tänd på henne. Hon misstänkte att det var därför han försökt tracka henne i ungdomsgruppen också. Han var ofta i närheten av henne och sökte kontakt på ett patetiskt vis.

En kväll i ungdomsgruppen gick Anna efter Petter till förrådet. Han skulle hämta några musikinstrument och hade bett Adrian och ett par andra som spelade att hjälpa till. Anna kände sig utanför och följde efter med släpiga steg.

»Vad gör du här?« Adrian missade inte ett enda tillfälle. Men hon hade genomskådat honom nu. Hon visste vad han gick för.

»Jag ville hjälpa dig«, sa hon med spelad vänlighet.

Adrian rodnade och vände sig snabbt bort. Petter gav Anna ett förmanande ögonkast medan han lyfte fram förstärkare och högtalare. Hon log tillbaka och försökte lägga till en förförisk blick dessutom. Det var lite roligt att stressa Petter, nu när de var tillsammans.

Anna väntade till sist och så tog hon en av högtalarna och gick så långsamt att Petter hann upp henne i dörröppningen. Hon stannade. Han väntade bakom henne. Hon ville att han skulle trycka sig mot henne eller kyssa henne i nacken eller så. Det var ju ingen som såg.

»Gå nu«, sa han. Anna kastade en blick över axeln. Petter stod en halvmeter bakom henne. »Gå«, upprepade han.

Hon pressade samman läpparna och gick.

Efter att ha plågat sig igenom tre kvarts spelande som i Annas öron lät förfärligt, bar de tillbaka allt igen. Petter var på bra humör. Han levde upp när han fick Adrian och de andra att jamma sig igenom låt efter låt, med ideliga avbrott för att testa andra ackord och melodislingor, och nu skrattade han tillsammans med dem.

Flera av de andra verkade också bara sitta av tiden när instrumenten åkte fram, men Anna var nog den enda som verkligen led. Hon ville vara nära Petter, hon ville att han skulle prata och skratta med henne. Hon ville att han skulle ta av henne kläderna.

Anna såg till att vara bland de sista igen, och när de andra försvunnit från förrådet gick hon resolut fram till Petter och tog hans hand. Han drog åt sig den och såg förvånad ut. Hon tog ett steg närmare och lutade ansiktet mot hans arm. Han tog ett stort kliv över en låda och smet mot dörren. När Anna vände sig om såg hon Adrian stå och vänta. På henne eller Petter. *Jävla skit.* Som det såg ut för honom hade Anna *kladdat* på Petter. Hon förbannade Adrian tyst för sig själv och tvingade sig att låtsas som om ingenting hänt.

Hon hade ingen att prata med de kvällar hon inte kunde vara hos Petter. Och när hon var hos Petter sa han ibland saker som fick ett tomrum att breda ut sig. Han berättade om Lisbeth, hennes riktiga mamma, och hur hon varit. Annas minnesbilder stämde inte med det Petter sa. En mamma som varit utåtriktad och ofta kramat barnen, men som också varit nyckfull och obehärskad mellan varven. Anna kände att hon famlade. Sanningen verkade ogreppbar.

Kanske borde hon göra allt för att glömma istället? Hennes riktiga mamma var borta men hon älskade sin mamma Erika och sin lillasyster Olivia. Speciellt i somras, när hon varit på en tvåveckors språkresa till södra England, hade dagboken blivit full med hemlängtan.

Det hjälpte att ha sex med Petter. När han stötte i henne så hon inte kunde urskilja olika kroppsdelar, eller ens vad som var Petter och vad som var Anna i svetten de gled runt i, så kände hon att hon längtade mindre. Vad hon egentligen längtade efter visste hon inte, men när han låg bredvid henne efteråt tyckte hon att livet var helt.

Och när Petter började prata om hennes riktiga mamma igen och Anna kände att hon tappade fotfästet, så sa hon till slut det hon tänkte. Att det bara var som Per-Arne hittade på.

Men Petter skakade på huvudet.

»Per-Arne är inte så negativ. Det är inte alls som du tror.«

Resor hem

»Vad har du haft för dig de här dagarna?« frågar Mirja från sin sida av soffan. Hon håller Annas fot med hälen vilande i handflatan. Den andra handen stryker längs vaden och hittar under jeansen ojämn, ärrig hud. Mirja har inte brytt sig alls om att berätta om sitt studiebesök i Berlin.

Anna blåser ut luft från ballongkinder. Gång på gång fyller hon kinderna och pressar ut luften med ett pustande ljud.

»Ingenting. Jag håller på att bli sjuk.«

»Har du varit tillsammans med någon sedan jag åkte?«

»Nej.« Anna andas ännu ljudligare.

Mirja trycker med tummen i hålfoten. »Du ljuger väl inte för mig?«

Satans helvete. Måste hon veta precis allt?

»Jag åkte tunnelbana.«

Mirja rynkar ögonbrynen. Så når hennes fingertoppar nästa grop i vaden.

»Berätta hur du fick de här ärren. De är inte från en moped-olycka. De har med Petter att göra, va?«

Anna provar med att stöna högt.

Mirja ger sig inte. »Jag bara ifrågasätter att en tjugofyraåring fick fri tillgång till en trettonåring och ingen såg eller gjorde något …«

»Per-Arne visste att jag träffade Petter. Och att han var bra för mig.«

»Jaså. Han var bra för dig.« Mirja talar långsamt. »Jag har en annan teori. Du var ensam i världen och Petter utnyttjade det.«

»Han var också ensam.«

»Vad var det som hände, Anna? Vad gjorde han?«

Plötsligt blir Anna medveten om Mirjas fingertoppar. De trummar mot det största ärret.

»Ingenting! Det tog sluuut. Får jag inte ha det för mig själv? Du är så hetsig så man kunde tro att du får ut något av det. Att du är pervers.«

Mirja flyttar tummen till en punkt på vristen som brukar ömma och vara skön samtidigt. Hon trycker till så hårt att Anna reser sig på armbågarna.

»Du behöver vila«, säger Mirja och släpper långsamt trycket.

Anna dunsar bakåt mot soffkanten. »Jag sa ju att jag håller på att bli sjuk.«

Morgonen därpå har Anna nästan fyrtio graders feber.

»Jag får ingen läkartid åt dig. Du måste nog till vårdcentralen och sätta dig.«

Anna svarar inte.

»Jag vet inte vad jag ska göra med henne«, fortsätter Mirja.

Någon annan är tydligen också i rummet, längre bort, men Mirja sitter i vägen. »Kan inte du fixa medicin åt henne?«

Då vet Anna. »Inte Franz«, får hon ur sig.

»Om Franz får titta på dig kanske han kan be någon skriva ut ett recept.«

»Inte Franz.« Anna vill inte ens att Mirja ska ta på henne.

»Håll klaffen, annars får du klara dig själv.« Nu har Franz kommit så nära att hon kan se hans ben.

»Mirja … ta bort honom.«

»Jag ska hämta något kallt. Men Franz måste titta i halsen på dig.«

Motvilligt öppnar Anna munnen. Hon stönar när Franz trycker ned tungan med något. Han sitter inte på sängkanten som Mirja gjorde, utan på huk bredvid. Båda vill undvika kroppskontakt. När han nyper tag i hennes långfinger och det sticker till skriker Anna. Länge.

»Vad är det?« Mirja är tillbaka. Hon låter förskräckt. Anna känner sig aningen nöjd mitt i feberhavet där hon ligger med ögonen hopknipna.

»Anna är rubbad«, säger Franz som förklaring. »Minns du när hon hade ett stort bitmärke på ryggen, som blivit infekterat? Hon reagerade inte när jag drog bort den där gasväven någon idiot tryckt dit.«

Anna hör deras röster som om de var i andra rummet. Hon ligger djupt under havsytan och ljuden sköljer som vatten i hennes öron.

»Den hade vuxit fast. Det var synd om Anna. Men det var väl inget bitmärke?«

»Det var märken efter tänder. Och när jag sydde gjorde jag det utan bedövning.«

»Det gjorde du inte alls!« Anna hör Mirjas förfärade tonfall. »Säg att du inte gjorde det.«

»Jo. Bara för att testa. Och nu gnäller hon för ett blodprov.«

Anna orkar inte protestera. Mirja gör det åt henne.

»Om det är sant är det bäst du blir patolog. Du ska inte ha med levande människor att göra. Flytta på dig!«

Franz låter Mirja komma åt med en blöt frottéhandduk.

»Kirurgi skulle funka fint också. Vad som helst så man slipper höra gnäll …«

Mirja skakar sakta på huvudet.

»Du blir så skruttig när du får feber.«

De sitter uppflugna i soffan igen. Det är evigheter sedan. Mirja har tillbringat flera kvällar i någons ateljé för att bli färdig med ett grupparbete. Hon har upprymt beskrivit det som »en studie i tredimensionell psykologi«. Anna misstänker att det handlat om vinet och diskussionerna mer än experiment med emaljfärg.

»Jag är lite risig bara.«

Hon får en ny huvudskakning till svar.

»Du måste bli bra så du kan åka hem till Olivias födelsedag. Jag har bokat biljett åt dig, minns du att jag sa det?«

Anna minns inte men blir lugn och glad. Sekunden efter kommer rekylen.

»Jag tror jag stannar här och är sjuk istället. Jag vill inte sitta på ett tåg norrut till ett par människor som ligger i skilsmässa.«

»Det är dina föräldrar du talar om.«

»Jag stannar här och ligger och tänker på Petter istället.«

»Varför dyker Petter upp helt plötsligt?«

»Jag tycker det är mysigt att tänka på honom. Lite sexigt.«

Det är medvetet hon provocerar Mirja. Anna börjar bli frisk så Mirja förväntar sig det. Och mycket riktigt, nu går hon igång.

»Han var lika gammal som du och jag är nu. Och han låg med en trettonåring. Fatta det!«

Anna är tyst en sekund. »Men det var ju med mig.«

»Du var bara tretton. Och otroligt utsatt. Som man är i den åldern. Du hade dessutom förlorat dina föräldrar och sökte någon att prata med.«

»Ja. Och Petter var den ende som ställde upp.«

»Ställde upp! Du behövde en vuxenperson som brydde sig. Inte någon som knullade med dig. Du hade mått bättre om han bara pratat med dig.«

»Vi blev förälskade. Jag hade för mig att kärlek inte känner några gränser.«

»Hur tog den gränslösa kärleken slut, då?«

»Han övergav mig.«

»Hur fick du ärren på benen?«

»Lägg av.«

»Han gav dig de där ärren. Hur gick det till?«

»Jag vet inte.«

»Va?«

»*Jag vet inte!*« Anna störtar upp och stormar in på sitt rum.

Det regnar när de tar sig till centralen. Anna känner sig bättre och sparkar småsten. Hon hoppar mellan trottoarplattorna. Inte på de trasiga, men det märker varken Mirja eller Franz för de går ett par meter före. Franz har hängt armen om Mirja och bär sin stora väska över andra axeln. Han ska av någon anledning upp till Umeå på ett seminarium och Mirja har sett till att boka in honom på samma tåg som Anna. *Omtänksamhet man kan spy åt*, men det vågar Anna knappt uttala ens i tanken.

På tåget hinner Mirja dela ut frukt och komma med påpassliga tips innan hon vinkar av dem från perrongen.

Det hade varit bättre att sitta ensam hela vägen istället för att få sällskap med läbbige Franz. Som tur är gömmer han sig genast bakom en gratistidning.

Anna har svårt att slappna av i hans närhet. Efter ett tag sjunker hon längre ned på sätet, tills hennes ben nuddar hans. Franz makar upp sig för att komma undan beröringen. Anna flyttar efter med benen. Franz låtsas läsa vidare men bläddrar aldrig. Anna märker hur hans humör dalar i takt med att hennes blir bättre.

Så fort Franz kastar en snabb blick på henne sticker hon upp pekfingret i näsan. Franz fastnar i stirrandet. Det var det hon visste. Han kan inte ta undan blicken nu, då har han förlorat. Trots att det vickande fingret är instucket så långt att hela nageln är försvunnen, är han tvungen att fortsätta titta.

»Du ser sjuk ut. Anorektisk«, säger han till slut.

»Vilken önskedröm.« Anna drar ut fingret.

»Det funkar inte att förnedra dig själv. Jag tycker ändå inte synd om dig. Du missköter dig. Du har svarta fält under ögonen. Och stripigt hår. Mirja har perfekt kropp och fantastiskt hår.«

»Synd för henne att du inte är lika fräsch. Den där grå tröjan tvättar du väl aldrig?«

Franz lyfter den stickade tröjan mot näsan och drar ljudligt in doften.

»Vad gör du egentligen i Sverige?« fortsätter Anna. »Kom du inte in på läkarutbildningen i Tyskland? Det var lättare att lära dig *hjälplig* svenska och komma in på utlänningskvoten hos oss, va?«

»*Jevla* idiot.«

Anna kan inte låta bli att dra på munnen när han svär. Men egentligen är hans svenska nästan perfekt så hon måste hitta på något annat.

»Jag hoppas Mirja hade det bra i Berlin. Att hon träffade lite schysta killar.«

Franz fnyser. »Du har sån *jevla* tur att en sån som Mirja vill umgås med dig. För du kan inte jämföra dig med henne. Ni existerar inte i samma värld, det går inte ens att nämna er i samma mening.«

»MirjaochAnna,MirjaochAnna,MirjaochAnna…«Annaskrattar. Franz kan inte vinna det här.

»Din *jevla* … du är barnsligare än jag trodde var möjligt. Jag måste spy.«

Franz reser sig upp och försvinner bort mot änden av vagnen.

När han återvänder börjar han på ett nytt spår.

»Det är inte konstigt att du får spö av killar som gör misstaget att ta med dig hem.«

Det här är känsligare. Hon måste komma ihåg att aldrig låta Doktor Franz titta på ett enda litet sår igen. Hon tvingar sig att le så han inte ska få övertaget.

»Du är så vriden, Anna. Du flinar åt det jag säger. Men jag ska göra dig en tjänst. Följ med till Hamburg så ska jag lämna av dig hos några jag känner. De kan ta hand om dig så du får nog. Sedan får du åka hem. Hela vägen till Norrland, i svart plastsäck med dragkedja.«

Anna har tittat Franz rätt i ögonen. Nu försvinner hennes leende. Hon blundar en sekund, två sekunder, sedan rusar hon upp. Utan värdighet är hon tvungen att störta till toaletten. Där lyckas hon låsa dörren först efter ett antal försök. Hon skakar om händerna så hon är tvungen att sätta sig på golvet vid wc-stolen och hålla dem framför sig. Hon vänder handflatorna mot sig och stirrar på linjerna i händerna. Det här är hon. Det här är Anna. *Det här är jag.* Hon måste luta sig över toaletten när kväljningarna blir häftigare. Hon andas med öppen mun och försöker tänka på frisk luft och öppet hav.

Det tar flera minuter innan hon bemästrar kräkanfallet. Sedan sitter hon länge kvar på golvet. *Vad hände?* Varför skulle hon bry sig om det Franz säger nu? Hon har aldrig lyssnat på hans pikar och dumma kommentarer tidigare.

Det här är samma känsla som kom till Anna på perrongen på väg till en okänd man i Vällingby. Det här är inte att vara obeslutsam och lättstressad. Det här är något helt annat.

Det här är något hon definitivt inte känt sedan hon slog en kille i skolan på käften när hon var tretton. Hans tänder gick igenom läppen. Efter den dagen tänkte hon att hon kunde göra vad som helst utan att bry sig om följderna. Hon kunde inte bli skadad längre.

Men nu är det tillbaka.

När Anna sätter sig på sin plats fortsätter Franz psykandet.

»Stackars liten. Välkommen till verkligheten. Du kanske ska leta fram ditt gosedjur?«

Anna känner sig nästan som vanligt igen. Hon är förbannad på Franz.

Så får hon syn på sin bruna läderväska på sätet bredvid. Den står upp och ned.

Så fort Anna öppnat väskan vet hon. Franz har rotat runt. Den idioten fattar tydligen inte att allt måste ha sin plats. Framför allt måste flodhästen ligga i innerfickan med huvudet upp genom öppningen. Nu finns den ingenstans. Franz skrattar rått.

När Anna flyger på honom håller han henne på en armlängds avstånd.

»Ska jag be konduktören kasta av dig? Sätt dig ned ska jag säga var den är.«

Anna kastar sig ned. Hon slänger sig mot fönstret och stirrar ned på marken som rusar förbi. Det här är förfärligt.

»Var-är-den?« Det är ett enda väsande som kommer ur strupen.

»Den var väl med till Gävle någonstans. Sedan …« Franz ögon följer en vid båge som går ut genom fönstret.

Anna sväljer och stirrar. Tåget rör sig enformigt. Det är bara landskapet som växlar. De är på väg in i ett regngrått Hudiksvall. Annas flodhäst har blivit ofredat villebråd.

Regn. Hämnd. Slakt. Svart plastsäck. Dumpad.

Anna drar häftigt efter andan. Och nu kan hon inte hjälpa det längre. Tankarna gör lovar kring den pappa som lämnade henne vid sju års ålder. Den far hon hade behövt. Som skulle gjort att hon inte varit rädd för att hamna på en soptipp. Många av de tjejer som är nedgångna, utnyttjade, misshandlade … har en pappa. Som skulle göra vad som helst för att hjälpa dem. När Anna vacklar finns där ingen pappa.

Varför tog han livet av sig?

När Anna var i tonåren hittade hon och Olivia tidningsurklipp från veckorna efter katastrofen. Mamma hade gömt dem i några veckotidningar med framsidorna fulla av stickbeskrivningar och matrecept. Anna och Olivia satt andlösa och läste igenom det tiotalet artiklar de hittade.

Det verkade som om det stora mysteriet var vad som hänt Charlie och Mattias. Först försvann Charlie och det skrevs om honom flera gånger. I början hade man inga misstankar om brott, men sedan började polisen undersöka saken. En man togs till förhör men det ledde ingenstans. Man gick skallgång, utan resultat. Sedan försvann Mattias. Då blev det fler förhör, men ingen ny information kom fram. Och historien om Mattias fick en ganska snabb avrundning i tidningarna då man konstaterade att en familjetragedi sannolikt gjorde att han höll sig undan. Det fanns ingen notis om vad som hänt honom, mer än det där kryptiska, *familjetragedi*. Vilka jävla idioter.

Tidningar skriver aldrig om självmord, har Anna lärt sig.

Anna och Olivia hade fått höra det av mamma också: »Killarna försvann. Man fick aldrig riktigt veta vad som hände dem. Men man måste lämna det och gå vidare. Man ska inte spekulera.«

Anna försökte att inte spekulera över Charlie och Mattias. Det hade hänt, alldeles i början hos moster Erika och Per-Arne, att hon låtsats att Mattias var hos henne fast han var osynlig. Efter ett tag hade hon glömt bort varför han, och ingen av de andra, skulle vara osynlig. Hon hade slutat att låtsas och slutat att vara lillasyster.

Men det var en annan fråga som alltid svävat som en skugga över tillvaron. Pappa. Vad hade hänt med pappa? I tidningarnas skriverier hade Anna kunnat läsa mellan raderna och förstått en sak: den man som tagits till upprepade förhör hade varit hennes far.

»Vad tänker du på?« Franz låter likgiltig.

»Min pappa.« Anna kastar ur sig orden. Hon bryr sig inte om vad Franz tänker längre.

»Mina föräldrar är också döda. Jag blev glad när pappa dog.« Anna stelnar till.

»Vi har det gemensamt, du och jag«, fortsätter Franz. »Döda farsor.«

Det kryper närmare och närmare. Det har gjort det i flera veckor nu. En tanke om att det finns en sanning någonstans. En ovisshet som besvärar. Och motsatsen – en visshet hon känner igen från den sista sommaren med pappa, mamma, Charlie och Mattias.

Föraningen om att något ska hända.

Anna värjer sig för att formulera tanken, som om Franz skulle kunna höra hennes funderingar medan de dunkar norrut i kvällningen. *Dumheter*, tänker hon om sig själv. Och sedan tvingar hon fram det, ända till spetsen av medvetandet: *Jag har vetat sedan jag var tretton år att pappa tog livet av sig. Petter berättade det. Men jag har aldrig fått veta varför.*

När hon ska av tåget envisas Franz med att följa henne till utgången. Där, inför hennes mamma som väntar nedanför på perrongen, kramar han om henne hårt och stoppar sedan snabbt ena handen innanför hennes halvöppna jacka. När Anna försöker skjuta undan honom vrider han om jackan under hakan på henne. Med munnen mot hennes öra viskar han: »*Trevlig helg, ditt helvete.*«

Så sticker han tungan i Annas öra och skyndar sig undan hennes spark.

När Anna kliver ned från tåget känner hon något innanför jackan och leendet hon inte kan hålla tillbaka gäller lika mycket återseendet med mamma som att flodhästen återigen ligger där resan en gång började.

Anna 7 år

De grå dagarna

Det var ett dämpat gäng som styckade. Sex dagar hade gått sedan Lennart sköt älgkon. Sex dagar sedan Charlie lämnade hemmet efter ett sjuhelvetes gräl i farstun.

Bo-Anders och hans pappa hade precis gått för att äta middag. Det var fjärde gången de gjorde sig ärende hem idag med en fåordig ursäkt. Gubben från Käxed kom inte alls. Sängliggande, sa han när han ringde på morgonen. Vissa sorters händelser smittar som sot. Men älgkon hade hängt färdigt och måste styckas om det inte skulle börja växa mögel på köttet.

Pappa sa inte mycket heller. När de hade gått upp till logen innan de andra kommit hade Mattias sett tårar gnistra i pappas ögon i morgonljuset. Men ingen av dem sa något om Charlie när de hjälptes åt att grovstycka och lyfta fram köttet till styckbänken. Och det kunde lika väl vara bråket med mamma som han tänkte på. Det förfärliga hon vräkt ur sig, både till pappa och Anna.

I hörnet innanför porten låg älghuden utlagd och saltad. Det blev ingen krona den här gången. Skamsen höll sig Lennart i utkanten. Mattias sneglade på honom ibland och undrade om han slog i nitar när han fällde olovliga älgar också. Den där gevärskolven började se ut som en prickig korv efter alla år av jakt. Det var mest det som retat Charlie. En skjutgalen dåre, hade han sagt många gånger.

Charlie var alltjämt borta. Det var det sista Mattias tänkte innan han somnade på kvällen. Och när ännu en tungsam natt var till ända var det som att vakna med huvudet i nedförsbacke men det saknades ändå syre till skallen. Allt började flyta ihop till en grå, trög massa: dagar, nätter, måltider, samtal.

Mattias hade ringt Kajsa dagen efter att Charlie försvunnit. Han hade varnat henne: *Ljug inte om du vet var Charlie är för vi ringer polisen imorgon.*

Inget napp. Mer än att Kajsa dök upp nästa dag. Hon såg inte heller ut att ha sovit på natten. Hon gick till Bo-Anders och talade länge med honom. Mattias såg dem stå ute på glasverandan. Längre in kom inte Kajsa, eller också ville hon inte. De stod mittemot varann, lutade mot varsin dörr. Kajsa med handen på handtaget hela tiden, Bo-Anders med händerna i fickorna. Vänskapen var som bortblåst, men alldeles innan hon gick sträckte hon fram handen.

Hon kom tillbaka med sammanbiten min.

»Han har inget med det här att göra«, sa hon till Mattias.

»Vad var det ni tog i hand på?« kunde han inte låta bli att fråga.

»Vi tog inte i hand på något!« fräste Kajsa. Mattias måste sett ut som ett fån men Kajsa förklarade sig inte. Kanske gjorde hon det för poliserna som kom frampå dagen, men det visste ingen något om.

Alla hade fått svara på frågor och alla hade säkert haft sina funderingar. Så ock grannarna. Mattias skulle gärna velat höra vad Bo-Anders haft att säga. Kunde han ha sagt ett enda ord utan att låta svartsjukan lysa igenom? Var han så smart att han dolde vad han kände för att slippa bli misstänkt, om än aldrig så lite?

Lennart hade varit lättad efteråt. »De frågade inget om vad det var för djur vi skjutit. Jag hade tur«, grinade han med sned mun.

Mamma hade varit ovanligt tyst men ifrågasatt att de inte hade spårhund med sig. Hon ville fortfarande att någon skulle gå till Charlies pass och försöka spåra honom därifrån.

»Om han ens varit där«, sa pappa och fick ett stirrande till svar.

»Vad vet du egentligen?« undrade mamma tonlöst efter en lång stund.

»Jag vet ingenting. Jag säger bara att vi antar att han var på passet. Men vi vet inte. Han kanske aldrig var i skogen. Jag hade hoppats att han var hos Kajsa.«

»Men det var han inte. Och det var inte du som ringde och kollade.«

»Nä. Det var Mattias som ringde Kajsa.«

Till slut var de färdiga med styckningen. De delade upp allt i sex högar och lottade som vanligt. När Lennart bar sin balja till bilen stod Mattias och hoppades att gubben gick och sköt sig. Att han slapp se honom igen. Han hade aldrig retat sig på Lennart förut, inte som Charlie gjort. Men nu var det som om han såg honom med Charlies ögon. Och han såg all sniken iver samlad i en ensam karl som lyfte sitt byte in i bagageutrymmet och rundade bakdelen av bilen med hjulbenta steg. Klev in bakom ratten och rullade ljudlöst iväg. Lät motorn tvingas igång längst ner i backen.

Ivrig att jaga. Snål som djävulen, både mot sig själv och de sina. För ett par veckor sedan hade ryktet gått; hon hade lämnat honom. Mattias tänkte skadeglada tankar när han såg den mörkblå bilen försvinna in i skogen, långt därnere på slätten.

Lev ditt ensamma, futtiga liv. Lagomt åt dig att kärringen stack.

Mattias kunde inte låta bli att tänka fler illvilliga tankar. Den dagen de sköt älgen hade alla övergivit dem. Bara att få ut det stora djuret ur skogen hade tagit drygt halva dagen. Det var vanligtvis Charlie som körde traktor när det var riktigt eländigt, men nu hade pappa fått göra en insats. Det tog sin tid och svordomarna osade.

Bo-Anders hade utvecklat en astmaattack redan innan de fått ned älgkon från Timmerberget. När han börjat gå hemåt med väsande lungor hade hans far ursäktat sig med att frun jobbade och någon måste se till så inte pojken låg och fick andnöd därhemma.

Sedan hade Lennart mumlat något om att hinna få ordning på släpkärran till besiktningen nästa morgon, så han måste avvika någorlunda tidigt. Det gjorde han så snart de var tillbaka i Ringarkläppen. Käxedsgubben skyllde på kärlkramp och satte sig i bilen strax därpå.

Bo-Anders pappa hade i alla fall hjälpt till med att flå. Det var tur, för någon som var skickligare på det området fick man leta efter. Mattias kunde också flå, men det blev inte lika snyggt. En gång, när han var mindre och hade fått följa med när de hämtade älgen, hade han envisats med att också få stå med kniven i hand. Pappa var arg men Mattias var envisare. När de öppnat älgen och börjat ta ur den tog Mattias ett steg fram och satte knivspetsen på den stora blåsan. Den pös till och sjönk ihop. I detsamma hördes pappas »*neeej*« och de andras »*åhhh*« och en vämjelig lukt steg upp mot Mattias ansikte när maginnehållet fick fritt spelrum. Han kräktes på stället.

Det hade tagit tid för honom att komma över händelsen, men pappas jakthistorier var så levande och spännande att Mattias intresse vuxit på nytt. Båda bröderna hade tagit jägarexamen tidigt. Det som var jobbigt var att Mattias inte hade åldern inne för att gå på egen hand med vapen, medan Charlie som bara var måttligt intresserad redan var med om sin andra jakt med egen älgstudsare. Mattias hade kunnat låna en bössa och gå i följe med någon av de andra, men han ville inte. De fick gärna tycka att han var tjurig, men han föredrog att sitta ensam.

Fast Charlie hade inte skjutit någon älg ännu. Kanske skulle Mattias få bli först med det? Det knöt sig i magen när tanken högg genom kroppen igen: *Tänk om Charlie inte kom tillbaka?*

Polisen hade kommit fram till att det troligaste ändå var att Charlie stuckit hemifrån, med tanke på bråket med Henrik på morgonen. För att lugna Lisbeth hade de sagt att man kunde be lokaltidningen skriva om det och uppmana den som givit honom lift till Docksta att höra av sig. Det var tydligt att man förutsatte att det här var en historia som skulle lösa sig själv.

Det fanns ingen anledning att blanda in tidningen. Mattias visste att Charlie aldrig skulle liftat om han velat ge sig av. Han skulle gått de två milen till E4:an och de skulle inte ha en chans att hitta honom förrän han ville återvända själv.

Det som bekymrade Mattias var att Kajsa var lämnad utanför.

Om Charlie rymt var hon uppenbarligen inte insatt. Skulle Charlie verkligen ha gjort så, efter allt sjå han haft med att få henne?

När dagarna gick funderade Mattias över hur mycket pengar Charlie kunde haft med sig. Han hade inte tagit plånboken. Och han hade inte tagit några andra kläder heller. Inga alls. Mamma hade gått igenom hans lådor och kunde inte ens säga vad han haft på sig på morgonen förutom goretexbyxorna.

Ett par dagar senare hade Mattias tvingat sig att tänka det otänkbara. Bilden som lurade som en vålnad bakom hornhinnan och som han hela tiden motat bort. Tanken som kanske gick att bli av med om man vågade tänka den.

Charlie var död. Genom egen försorg eller dödad av någon. Om det inte fanns någon rimlig förklaring måste man väl tänka på alla möjligheter?

Inga skott hade hörts förutom de tre som avfyrats för att ta död på älgkon. Och det var långt upp på Timmerberget. Så med mindre än en ljuddämpare hade inget skjutvapen varit inblandat. Det sista var befängt, men Mattias var tvungen att komma till varje tankes sista nerv.

Därför tänkte han också på möjligheten att Charlie blivit knivskuren. Det var ett tyst sätt att bli av med någon. Då hade antagligen någon av dem stått där den dagen och satt en redan blodig kniv i älgen. Mattias tänkte tanken och grimaserade åt sig själv. Det fanns ingen anledning för någon att önska livet ur Charlie. Han hade alltid haft en förmåga att bli älskad eller hatad, men det var inte ett sådant hat han framkallade. Inte hat som dödade.

Och Charlie skulle aldrig komma på tanken att göra av med sig själv. Det var i alla fall lugnande att vara säker på det.

Olycksfall hade nämnts. Men om Charlie hade stuckit för att skrämma pappa, och sedan förolyckats, kunde han finnas i princip var som helst. Han kanske hade skadat sig i skogen på idiotmarsch till Docksta. Eller stött på en björn. Men det kunde man ju inte säga. Mamma skulle bli tokig.

Fem dagar efter att Charlie försvunnit hittades geväret.

Mattias hade följt med poliserna i bilen den dagen de varit på besök och pekat ut passet från vägen. Det var blött i markerna och ingen hade sett någon anledning att stega de trettio metrarna fram till jakttornet. Det skulle inte gå att se några spår i det halvhöga gräset, resonerade man. Inte efter allt regnande det senaste dygnet. Att det inte fanns någon kvar i tornet var lätt att se genom de glesa brädorna. Dessutom hade poliserna redan sin teori klar.

Men Mattias fick för sig att börja från början. Vara Charlie. Tänka som Charlie. Bli förbannad som Charlie varit den morgonen. Om ingen annan verkade gå till botten med varje tanke var Mattias tvungen att göra det, för sin storebrors skull.

De hade gått hårt åt varann den morgonen. Charlie och pappa hade skällt så flisorna yrde. Vid varje återblick efter varje gräl verkade det ofattbart att det gick att bli så arg. Mattias hade tänkt det många gånger och det var lika svårbegripligt nu. Men om han skulle kunna räkna ut hur Charlie agerat var han tvungen att förstå hur han känt och tänkt. Och pappa hade retat upp honom genom att försvara Lennart.

»När han kommer hit upp för att jaga vill jag inte att du har den där attityden av hån! Du håller käft!«

»När det för en gångs skull går att ge honom en jävel ska man väl utnyttja tillfället!« Charlie hade varit lika högljudd tillbaka.

De hade stått i farstun och vrålat till varann. Charlie hade haft jaktbyxorna på men överkroppen var fortfarande bar. Mamma hade åkt till jobbet och tagit Anna med sig. Hon tyckte att lilla Anna lämnades vind för våg när det var älgjakt. Ingen såg till att hon blev klar innan skolbussen kom. Så nu fick Anna hjälpa mamma i affären en stund och sedan promenera över fotbollsplanen till skolan.

Det var tur på sitt sätt. Anna hade sluppit uppträdet mellan sin morgonvresige far och sin ännu ilsknare bror.

»Det är jävlar i mig inte sant! Vilket ruttet beslut! Vi är alltså sex stycken som ska schabbla bort en hel dag för att den jäveln ska få roa sig!«

»Lennart måste få testa sin hund nån gång också. Det är bara så.«

»Det kan han göra när vi skjutit klart. Då kan de som vill få gå med honom till skogs och leka!«

»Du ska inte snacka om att *leka*. Sitt med på jaktmötena nån gång så kan du säga vad du tycker där. Istället för att sätta iväg och busa med Anna så fort du får en chans och sen gapa efteråt!«

»Värdelös som jaktledare, det är vad du är!«

Pappa teg. Det hjälpte inte.

»Och kommer han hit utan matsäck en gång till så håller då inte jag tyst. Han ska inte käka hos oss varenda dag! Jag står ut med honom i skogen och en gång om året på middag, men du såg väl själv vad som hände i våras när mamma envisades med att bjuda hit fanskapet och den där jävla kärringen han satte på!«

»Nu håller du käften!«

»Inte för dig, din sate!«

Pappa gick närmare Charlie och slängde iväg en näve som träffade sonen hårt på den nakna överarmen. Charlie flög runt och grep tag i sin far och försökte skalla honom. Henrik parerade med huvudet och blottade tänderna.

»Du håller käften när han kommer. Så länge du bor hemma gör du som jag säger. Och sen lär du inte vara med i nåt jaktlag. Det går inte att ha bindgalna idioter med!« Han hade sänkt rösten men det lät inte mindre farligt för det.

Mattias försökte skjuta emellan. »Lägg av. Bägge två.«

»Galning kan du vara själv. Som försöker skydda en imbecill. Vad fan tror du hans kärring stack för? Han är en snåljävel utan ryggrad och det saknas nåt i huvet på'n …«

Henrik tryckte undan sonen. Charlie vägde mindre och kunde inte hindra att han baxades en meter bakåt i hallen. Adrenalinet rann till än mer.

Mattias försökte igen. »Ni har sånt pisshumör båda två att det är sorgligt. Ska jag berätta för mamma när hon kommer hem?«

På den typen av hot brukade han få något slags reaktion, åtminstone från pappa. Idag ingenting.

»Du säger ingenting om hans sambo!«

»Jag säger vad i helvete jag vill! Jag tänker fråga om hon inte stod ut med att äta knäckebröd till middag och vänta på inbjudningar från oss!«

Då knäade pappa Charlie. Det träffade honom i magen och Charlie vek sig dubbel när han tappade andan. I tystnaden som följde fick pappa syn på en hammare i röran på hallbordet. Han sträckte sig efter den och lyfte långsamt armen. Måttade och väntade.

Mattias stod inne i köket och såg på. Han sa ingenting, för det fanns inget att säga. Inget mer skulle hända nu. Ett–noll till pappa efter första omgången. Men Charlie lyfte blicken och var tydligen inte helt utan luft.

»Slå mig då«, utmanade han väsande. »Slå ihjäl mig bara! Gör dig olycklig på mig!« Och Charlie knöt näven och hötte mot pappa från sitt underläge.

Henrik såg faktiskt ut som om han skulle bli uppretad igen. Det tog några sekunder innan han sänkte armen.

»Nej. För om jag så sloge dig i tusen bitar så skulle varenda bit skrika och fortsätta jävlas.«

Äntligen blev det riktigt slut på bråket. Charlie reste sig, spottade sin far rakt i synen och väntade. Men Henrik gick bara in i badrummet och tvättade ljudligt av sig. Charlie öppnade farstudörren med orden:

»Du har spöat och hotat mig för sista gången, fattar du det!«

Så tog han stövlarna i handen, rev åt sig jackan, och gick. Smällde igen dörren så spegeln i hallen ramlade ner. Den höll, för den landade på Charlies ryggsäck.

Inifrån köket och det relativa lugnet i knäppandet från elden i vedspisen kände sig Mattias utanför. Den sortens känslosvall hade han aldrig lyckats skapa hos sin far.

Innebörden av Charlies sista ord kom inte tillbaka till Mattias förrän poliserna både varit och farit ett par dagar senare. Han berättade det för mamma den kvällen, men hon höll med om att det inte var viktigt. Det var bara något Charlie sagt. Mamma ville absolut inte att man skulle betrakta Charlie som frivilligt borta. Hon ville att man skulle leta.

Hon behövde få veta.

Mattias behövde också veta. Det var därför han i minnet gick igenom den morgonen igen. Med de orden Charlie stegat iväg kunde han mycket väl ha tagit sig till Docksta direkt, och sedan liftat vidare söderut, eller upp längs Ångermanälven till Kajsa. Men om Charlie planerat att sticka redan då, skulle han tagit sin plånbok med sig. Det var Mattias övertygad om. Så han tänkte som Charlie. Stövlarna på. Jackan i näven för det var varmt den dagen. Nej, Charlie var bar på överkroppen så jackan var nog på.

Ja, Charlie var klädd för skogen och hade säkert gått till skogs. Varit mån om att komma iväg innan Lennart dök upp så han slapp fortsätta käfta. Gjort pappa till lags utan att ge sig.

Så Mattias tog på sig och gick mot Charlies pass. Gick ända fram och stod några sekunder och såg sig omkring. Skogen var susande tyst. Inget jaktlag var ute i de här markerna längre. På logen därhemma hängde en tjuvjagad älgko, men inte i den här stunden. Han var Charlie och det var en vanlig morgon någon timme innan jakten började.

Hade Charlie haft bössan med sig? När polisen frågade hade givetvis alla vapen förvarats i låst vapenskåp under natten och ingen annan kunde haft tillgång till Charlies gevär. Alltså hade det saknade geväret varit med Charlie. Ingen hade velat upplysa om att de oftast ställde vapnen i skrubben i farstun under jakten. Vem som helst kunde ta ett gevär.

Men Charlie hade givetvis greppat bössan på väg ut.

Så Mattias stod vid passet och låtsades vara Charlie. Han var utan ryggsäck, men hade definitivt en bössa med sig. Och jacka hade han, men inget inunder.

Det här var inte riktigt rationellt, märkte han att han tänkte. Och han kände sig dum som stod där.

När han klättrat de fyra pinnarna upp till jakttornet visste han. Det var inte dumt.

Charlies mörkgröna jacka låg på brädgolvet, blöt och övergiven. Vid kragen stack en gevärsmynning fram.

Den eftermiddagen hade mamma åkt berg-och-dal-bana när hon kom från jobbet och såg det öppna vapenskåpet. Mattias hade precis kommit tillbaka från Charlies pass, och Lisbeth trodde ett slag att den äldste sonen återkommit när det fanns två bössor hemma. Det tog ett par timmar innan hon slutade gråta och skrika och anklaga Mattias för att försöka göra henne sinnessjuk.

Och så den här morgonen. Den värsta hittills.

Mamma hade förstått att pappa ljugit om gevären för polisen tidigare i veckan.

Hon stod i köksdörren med händerna för munnen. Ett effektivt sätt att visa att man tappat talförmågan. Pappa undvek att se på henne.

»Vad är det mer du inte berättat?« frågade hon till slut.

»Inget mer.« Pappa såg rakt på henne men klev inte upp från soffan.

»Hur ska jag kunna veta att det är sant?« Mammas röst var en viskning, inte mer.

Den här gången såg pappa inte ens upp.

»Jag kan inte säga annat än som det är.« Så stoppade han en sockerbit mellan läpparna och fortsatte sörpla kaffe från fatet.

Han var tjurig. Men det kanske var precis som han sagt, att det var onödigt att berätta varenda detalj. Att det inte var viktigt att han och Charlie ibland bytte gevär.

För det var Henriks gevär som legat på Charlies pass. Men när de ringt och berättat om fyndet och polisen kommit för att hämta upp vapnet, hade de fått ta Charlies gevär, det som följt med pappa hela den ödesdigra jaktdagen och stått i vapenskåpet sedan dess. Och det hade mamma förstått först nu på morgonen, när pappa tog isär och rengjorde och fettade in sin egen bössa efter de där dygnen den legat ute i regn och rusk. *Jo, det var att ljuga,* hade mamma hävdat. Att inte berätta allt var att ljuga.

Den blick hon då fått av pappa hade inte gått att uttyda.

»Tänk om det är lögn alltihop?« Mammas händer for ut i en viftning.

»Vad skulle vara lögn?«

»Se på mig när jag talar till dig! Du kanske ljuger om alltihop. Du bråkade med Charlie på morgonen. Ni slogs. Du lyfte hammaren och måttade mot hans huvud …« Mamma höll en knuten näve i luften som illustration.

Pappa vred huvudet mot Mattias och såg länge på honom. Mattias vädjade ordlöst: *Jag var tvungen att berätta det jag såg.*

Så spillde pappa mer kaffe på fatet och lyfte upp det till munnen igen. Mödosamt. Men han sa inget.

Mamma genomskådade honom. »Du är så satans feg. Din ynkrygg, du är ett sånt kräk att jag tror jag *spyr.* Du kan väl åtminstone försvara dig så jag slipper tro att du högg ihjäl honom …«

Henrik lyfte blicken från fatet och det där outgrundliga var borta. Han såg på sin fru.

»Jaså, det är det du tror. Att jag haft ihjäl pojken din.«

Mattias väntade sig ytterligare en kaskad av ovett från mammas mun, men den uteblev. Hon bara svalde och förblev tyst. Tills Anna visade sig igen och ställde sig nära mamma.

»Kom och lek med mig, mamma.«

Lisbeth tog ett steg åt sidan, för att slippa flickans tyngande mot sin kropp. Anna slog armarna kring henne. Lisbeth plockade bort dem. Anna vände upp huvudet och lutade hakan mot henne. Rörde på käken mot revbenen på mamma.

»Kom och hjälp mig med barbieklänningen.«

Mattias borde tagit Anna med sig därifrån. Han borde sett vad som komma skulle. Men han kunde inte lyfta sina blyfötter och han hann inte ta sig dit.

»Jag vill inte!« skrek mamma till slut. »Ta dina dockor och sluta tjata! Jag går sönder!«

Anna hann med ett sista försök.

»Men jag *vill* att du leker med mig! Jag vill ha dig!«

»MEN JAG VILL INTE HA DIG! Far åt helvete, unge! Jag vill inte se dig mer! Jag vill inte ha dig, jag vill ha CHARLIE ...«

Annas stumma blick och pappas skyndsamma bot, att bara lyfta ut Anna ur rummet. Det gjorde ont i Mattias att ingen sagt emot mamma, inte ens han själv. För Annas skull borde någon sagt emot.

Mattias betraktade Anna när hon lekte med barbiedockorna. Det kunde varit en vanlig dag. Anna lekte. Anna fanns.

Om man inte lyssnat på det som hände i morse.

Mattias ville stryka håret bakom örat på henne, han ville ta henne i famn och hålla henne hårt, men han gjorde inget av det.

Det hade hänt då och då ända sedan Anna var jätteliten. Mamma blev vansinnig och motade bort henne. En gång sa mamma att hon skulle slå till Anna om hon inte släppte hennes huvud. Anna var tre år och hade stått på mammas stol, bakom henne, och rufsat om i håret gång på gång. Skrattat när mamma sagt att hon fick sluta. När de hårda orden föll hade Mattias suttit mittemot och sett Annas ansikte. Den busiga minen tappade form och ögonen slocknade. Hon började gråta och Mattias hämtade henne. Ändå ville hon inte sitta i hans knä. Hon ville tillbaka till mamma. Och mamma tog upp henne i famnen och gömde ansiktet i flickans hår. Mammas tårar stannade längst i ögonen och Mattias visste att hon älskade sitt yngsta barn. Hon hade bara så svårt att hålla ihop ibland.

Och mamma hade aldrig sagt att hon inte ville ha Anna. Förrän idag.

»Var är Charlie?«

Annas fråga kom från ingenstans, uttalad som om någon av barbiedockorna funderade med sig själv. Mattias öppnade genast munnen för att säga något, vad som helst, för att Anna inte skulle mötas med tystnad.

»Det vet ... vi väntar. Vi får se.«

Anna blev blickstilla i någon sekund, sedan fortsatte hon gå med dockan. Bara det. Bara att alla små rörelser avstannade i något ögonblick gjorde att Mattias förstod att Anna hört hans svar.

Återigen fick han stor lust att ta tag i sin lillasyster och krama så hårt att luften gick ur henne. Men Anna behövde få leka ifred, utan att han poängterade allvaret och visade sin förtvivlan. För det var för sin egen skull han ville hålla henne. Anna-gullunge var hans lillasyster och den som betydde mest för honom i världen. Han blev medveten om att det förhöll sig så medan han satt där och såg på henne.

När han nattade Anna satte hon knytnäven mot hans haka. Han gjorde detsamma på henne. Mattias klamrade sig fast vid detta enda – Anna och han var intakta. Oskiljaktiga.

När Mattias kom ned satt pappa ensam i köket. Han var annorlunda. Hans ögon – de såg döda ut. Hjärtat flög upp i halsgropen på Mattias. Han vågade inte fråga. Sedan öppnade han munnen i alla fall:

»Har det hänt nåt?«

Sekunderna var tunga. Väggklockan tickade bort tiden. Mattias kände benen bli mer och mer som gelé. Han ville inte att pappa skulle säga att de hittat Charlie.

Det gjorde han inte. När pappa till slut öppnade munnen sa han:

»Jag ska in på förhör imorgon. Om vapnen. Mamma har ringt polisen.«

Förvarning

Anna kom inte in i sitt skåp efter matten. Hon hade bråttom, alla hade bråttom efter sista lektionen. Men nyckeln gick inte in. Det satt tändsticksbitar i låset. Anna stönade. Det var inte första gången. Nu skulle hon få hämta vaktmästaren igen och det skulle ta minst en halvtimme innan hon kom härifrån.

Tio meter bort hovrade Adrian och tre andra. *Jävla ungjävlar.* För att de inte skulle få nöjet att skratta åt henne när hon gick efter hjälp tog hon en sväng in på toaletten först.

När hon kom ut insåg hon misstaget. Killarna hade samlats alldeles utanför. Alla i hennes klass hade gått. Hon skulle vara tvungen att gå rakt genom gruppen.

Anna satte näsan i vädret och låtsades inte känna Adrian.

»*Hora*«, viskade en av killarna.

Anna stannade upp. Hon vände sig om men visste inte riktigt vem som sagt det. Istället tittade hon rakt på Adrian. Det här måste ta slut och hon var helt lugn.

»Behöver du hjälp, Adrian?« var det enda hon kom på att säga.

Han skrattade till. »Va fan menar du?«

Hon var tyst en sekund. »Du är så satans patetisk och har så svårt att hitta kompisar.«

De hånskrattade allihop. En av de andra slängde ur sig: »Är det du som knullar gubbar?«

Anna tänkte snabbt. Det här kom från Adrian. Han hade sett henne med Petter i förrådet. Hon tog ett kliv fram till killen och satte upp knytnäven framför hans ansikte. Han drog ofrivilligt åt sig huvudet. Hon flinade. *Vilken liten skit.*

Så samlade sig killen och skrattade igen.

»Gamla gubbar. Får du betalt också?«

Anna tänkte först bara gå. Näven sjönk en bit. Så ändrade hon sig. Det här skulle inte självdö. Ilskan kom över henne på en halv sekund. Och hon snärtade till med den knutna handen så hårt hon förmådde. Näven blev en kula och handleden ett nav. Katapultslaget tog precis på överläppen och Anna kände killens tänder hacka sig in i knogen. Hon fick hålla andan för att inte visa smärtan. Men det var överkurs. Killen hade redan händerna för ansiktet och hade backat en meter.

Anna vände sig mot Adrian och spottade ut orden. »Om någon ringer hem till mina föräldrar så lovar jag att din mamma också får ett samtal. Från kyrkoherde Westberg.«

Korridoren låg öde framför henne när hon stegade därifrån för att leta upp vaktmästaren. Bakom sig hörde hon killens jämranden och hans kompisars chockade svordomar.

När hon träffade Petter på kvällen ljög hon om handen. Han hade inte med det att göra. Och hon var säker på att händelsen aldrig skulle komma i dagen igen. Hon hade koll nu.

»Jag kommer aldrig mer att ligga med någon som är så ung som du.« Petter talade till taket. »Som har en kropp som är så outvecklad.«

Där rök känslan av koll.

Petter sa alltid konstiga saker efter att de legat med varann, men det här var nästan det värsta. Vad menade han? Hon var inte outvecklad. Hon hade fått mens. Och hon hade bröst, även om hon hoppades att de skulle bli större.

Anna ville inte gräva i varför han sa så om hennes kropp. Men det var en annan grej som hon behövde få veta.

»Ska du ligga med många fler?«

Tystnad.

»Vad tror du själv?« frågade Petter efter ett tag och såg henne utmanande rakt i ögonen. »Kommer inte du att ligga med fler tror du?«

Alltså tror han det. Att han kommer att göra det. Anna undrade varför han redan nu planerade för det.

»Jag tänker inte på andra«, sa hon.

»Det gör väl inte jag heller. Det var du som frågade.«

Sedan var det som om Anna öppnat upp för elaka funderingar. »Ibland är jag rädd att du inbillar dig att jag är *Den Rätte*. Har du tänkt att vi ska gifta oss och få barn också? Har du planerat ett helt liv med mig?«

»Nej.« Det hade hon ju inte. Inte det där med barn i alla fall.

Efter en tyst minut vågade hon vända tillbaka till det som gnagde: »Kan du inte berätta om din senaste tjej?«

»Det är inget att berätta. Det var i Uppsala, innan jag kom upp hit. Här träffar jag bara hycklande präster och så fjortisar som du. Jag har banne mig inte haft en tjej sedan jag kom hit.«

»Förutom mig.«

»Förutom dig, ja. Men det beror på vad man menar med *haft*.«

Anna väntade. Sedan var hon tvungen att fråga: »Vad menar du med *haft*?«

»Ja, om *haft* betyder *legat med*, så är det väl så. Men om det betyder att ha ett *förhållande* med någon, så kanske det är annorlunda.«

»Vad hade du i Uppsala?«

»Jag hade ett förhållande i Uppsala. En flickvän. Sedan gjorde vi slut.«

»Var det för att du skulle hit upp?«

»På sätt och vis.«

Anna ville fråga mer om varför det tagit slut, men hon gjorde inte det. Det var något annat som var viktigare:

»Men blir inte det samma sak? Att ha flickvän och ligga med, menar jag? Då blir ju *haft* samma sak.«

»Ja.«

»Vad är det då som är annorlunda med mig?«

»Men helsicke vad du frågar och rör till det! Vad vill du att jag ska säga? Att du och jag inte har ett förhållande? Okej, *du-och-jag-har-inte-ett-förhållande*. Vi ligger bara med varann. Nöjd nu?«

Petter flög upp ur sängen och tog tre kliv bort till badrummet. Anna såg efter honom, men det var hans mörka hår från magen och ned till pungen som hon fastnade med blicken på. Han verkade strunta i att alltihop dinglade synligt.

»Nej«, viskade hon med gråten i halsen. *Jag ville att du skulle säga att vi har ett förhållande.*

Och hon reste sig och började klä på sig. Hon visste när det var dags att dra.

Anna tvekade om vilka kläder hon skulle sätta på sig. Hon var livrädd att mamma skulle lägga sig i, så hon var tvungen att välja något som skulle bli godkänt. Något annat än jeans och tröja. Något som inte var det minsta utmanande. *Vulgära*, kallade mamma en del av hennes kläder. Men Anna fick i alla fall köpa vad hon ville. Hon kunde bara inte ha på sig vad som helst på en lördag.

Olivia kom svassande i kjol och blus. Tänk att hon fortfarande kunde gå med på att ta på sig sådant. Anna svalde. Det gjorde saken värre att Olivia var så uppklädd.

Så stod mamma plötsligt i dörröppningen.

»Ska jag hjälpa dig att hitta något passande? Det är ju inte lätt för er tjejer, vi har ju inte pappas kolleger här så ofta. Jag ska se här …«

»Nej, jag gör det! Jag hittar något.« Anna försökte tränga sig in framför mamma vid garderoben.

»Absolut inte! Du får inte ha på dig vad som helst. Och det måste matcha Olivias kläder lite också. Absolut inte jeans. Få se här …«

»Men mamma«, gnällde Anna olyckligt, »jag *vill* inte att du bestämmer åt mig …«

»Nej, jag ska inte. Här. Du får välja mellan de här kläderna.«

Och på hennes säng hamnade två blusar och en tröja hon *hatade.*

»Du har inget att välja på vad gäller kjolar. Det får bli den här.«

Så var hon borta igen. Anna skrek åt Olivia att ge sig iväg. Hon grät av harm när hon packade undan den hemska tröjan och en av blusarna. Det gjorde fortfarande ont i knogen men det hjälpte åtminstone mot ilskan. Innan hon klädde sig funderade hon på att råka smeta brun ansiktskräm på kragen, men hon kunde inte gärna göra det på två blusar. Det var bara att bita ihop.

Även om Petter inte ville erkänna det så var de i alla fall ihop nu. Mamma kunde inte göra något åt det. Och han skulle väl inte tycka mindre om henne bara för att hon såg ut som en söndagsskoleflicka? Hela middagen skulle förresten vara pinsam i alla fall. Vad tänkte de prata om? Skulle hon också prata med de vuxna? Om vadå? Bara inte Petter fick för sig att försöka prata med henne om något.

När alla kommit och hälsat och höll på att sätta sig till bords undrade Anna om alla redan visste. Hon måste vara blodröd om kinderna. Hennes bröst såg toppiga och stora ut under den här blusen och alla tittade säkert bara på det. Hon fuktade läpparna gång på gång och knep ihop dem. Sedan kom hon på att hon kunde sätta armarna i kors över brösten.

»Fryser du?« undrade mamma genast. »Du håller väl inte på att bli sjuk? Du ser så varm ut …«

»Lägg av«, väste Anna och mamma drog undan handen. Man hade i alla fall ett övertag när det var gäster hemma. Mamma ville inte låta arg inför andra.

Anna satt snett emot Petter, där barnänden av bordet började. Det var svårt att veta vilken halva hon tillhörde. Bredvid henne satt mamma, men på den andra sidan hade hon två *väluppfostrade* tvillingpojkar. De var lika gamla som Olivia. Blyga.

»Vad synd att det inte finns någon i din ålder också, Anna«, sa mamma halvhögt innan konversationen kommit igång riktigt.

»Det gör inget«, svarade Anna, för det var det enda hon kunde svara. Anna undrade om mamma bjudit in Petter för att förhöra honom om ungdomsgruppen. *Om hon bara visste!* Anna hade bestämt sig för att prata så mycket hon kunde, så inte mamma fick en chans. Men nu när de satt här var det svårt att komma på en enda grej att säga.

Det var tur att Petter kände Per-Arne genom jobbet, annars hade Anna dött av pinsamhet när hennes styvfar satte igång att prata jobb med Westberg. Nu satt de där vid änden av bordet och diakonissan mittemot Westberg var också med i diskussionen. Begravningsentreprenören brydde sig inte om sin frus samtal utan lutade sig fram över bordet mot Petter.

»Hur är det att komma upp till Härnösand när man är van vid gamla anrika Uppsala?« frågade han artigt.

»Jag trivs jättebra med jobbet.«

»Ja, det är viktigt med ungdomsverksamhet. Det är bra att kyrkan satsar på den.«

»Jag vet inte om man satsar så helhjärtat. Jag tycker man skulle ha mer verksamhet knuten till skolorna, till exempel. Kyrkan håller på att bli mer och mer isolerad. Det är bara en klubb för redan initierade. Vi behöver sprida tentaklerna lite bättre.«

»Det kan nog vara sant.«

Samtalet dog ut. Anna försökte låta bli att titta på Petter och koncentrerade sig på Olivia istället. Olivia i sin tur verkade ha fastnat med blicken på begravningsentreprenören. Anna kunde nästan lista ut vilka morbida tankar hon hade om hans jobb.

Så började mamma ett samtal.

»Det kanske är så att du har släkt eller familj här uppe, Petter?«

»Nej, jag kände ingen när jag flyttade upp.«

»Och ingen tog du med dig?«

Anna kände kylan komma krypande. Hon menade väl inte …?

»Nej, inga hundar eller katter för min del.« Petter log vänligt.

»Jag tänkte närmast på en fru.«

Anna blundade av skam. Hur löjlig tänkte mamma bli?

»Nejdå«, sa Petter raskt. »Det får vänta. Jag får väl jobba några år och pröva på att vara vuxen, med allt vad det innebär, innan jag bestämmer mig för något som ska vara livet ut.«

»Det är klart«, sa mamma. Hon lät lite osäker och Anna hoppades att någon kunde prata om något annat. »Och man vet aldrig när man flyttar på sig så där. Du kanske träffar någon här uppe och blir kvar resten av livet.«

Anna hade glömt att äta på ett tag. Nu stack hon gaffeln i en bit morot och stoppade i munnen. Vad som helst för att inte vara med i mammas samtal eller låtsas höra vad hon sa.

»Det finns väl alltid risk för att sånt händer. Men jag tror det är större risk att jag flyttar tillbaka, just av det skälet.« Petter log och nickade, som för att markera sin avslutningsreplik.

Annas hjärta nästan stannade. Hade Petter kvar sin tjej i Uppsala? Hade de träffats under julen? Hon stirrade ner i tallriken och spetsade en morotsbit till som hon doppade i lite brunsås. Sedan fick hon inte in den i munnen. Hon var nästan illamående.

»Vi är i alla fall väldigt glada så länge du finns här uppe och kan hjälpa våra ungdomar. Jag tror de flesta av dem uppskattar att ha en ung kille att vända sig till med sina funderingar om livet.«

Det susade i Annas huvud. *Tänkte hon aldrig sluta?*

Efter ett tag märkte Anna att de pratade om andra saker. Ofarliga saker. Petter och Westbergs fru pratade om vårblommor och hur tidigt de dök upp längre söderut. Mamma hade släppt det brännande ämnet. När Anna tänkte efter kanske hon bara hade velat förhöra sig lite för att sedan kunna acceptera att Anna hälsade på hos Petter ibland. Fast så bra kunde det inte vara. Om det var något Anna var säker på, så var det att mamma inte visste att hon besökte Petter. Det var det bara Per-Arne som hade koll på.

Annas blick vandrade runt och stannade vid Olivia. De hade nästan ätit färdigt men hennes lillasyster hade knappt rört sin mat. Anna var tvungen att försöka se vad som var så speciellt med begravningsentreprenören eftersom Olivia stirrade på honom hela tiden. Mamma var vänd mot de övriga vuxna så Anna kunde luta sig bakåt och se mannen i profil bakom mammas rygg.

Så blev hon full i skratt. Hon hade helt glömt bort det! När hon och Olivia dukade hade de hittat den stora gaffeln med böjd tand bland silverbesticken. Anna hade en gång försökt få isär en talande clown med den. Gaffeln blev förstörd. Den yttersta tanden spretade två centimeter ovanför de andra. Skamset hade hon gömt undan den bland udda skedar och annat silver längre bak i lådan.

Olivia och hon hade dukat med gaffeln och hoppats att någon av besökarna skulle sitta på den platsen. Nu såg Anna hur begravningsentreprenörens läpp åkte upp varje gång han drog gaffeln ur munnen.

Hon tappade andan ett ögonblick. Han hade suttit hela tiden och inte låtsats om det! Han hade ätit hela middagen med den gaffeln!

Hon vände huvudet mot Olivia och de såg på varann.

Sedan sprutade mat över bordet från Annas mun. Sekunden efter frustade även Olivia av skratt och båda gömde ansiktet i händerna.

Mamma reste sig till hälften bredvid Anna.

»Men vad håller ni flickor på med? Vad är det här för sätt? Anna! Olivia! Gå genast från bordet båda två! Så här får ni inte uppföra er! Fy, vad jag skäms … Jag som trodde ni var stora flickor …«

Anna och Olivia sprang därifrån. De tumlade ut i hallen och bort till Olivias rum som var närmast. De kastade sig på sängen och skrattade rakt ner i överkastet.

»Jag väntade jättelänge på att du skulle titta på gubben!« fick Olivia ur sig till slut och så satte de igång att tjuta av skratt igen. Anna kände sig nästan hysterisk, som om det aldrig skulle gå att stoppa skrattet.

Mamma kom in med efterrätt lite senare. Hon ställde ned två skålar med glass och bär så det smällde i skrivbordet. Så gick hon igen, utan ett ord. Flickorna såg på varann och började skratta på nytt. Det brukade inte vara kul när mamma var arg, men ikväll var allting roligt.

När de fnissat i sig glassen kunde Anna inte vara ifrån Petter längre.

»Jag ska gå in och läsa en bok i biblioteket.«

Det lilla allrummet intill matsalen hade efter trägen kamp från Per-Arne blivit »biblioteket«. Anna tog ut en atlas och sjönk ned på golvet för att kunna kika över kanten på boken. Skjutdörrarna mellan rummen var helt öppna. Hon bläddrade någon gång då och då. Från sitt underifrånperspektiv såg Anna sin kille sitta med benen korsade nere vid anklarna och knäna brett isär. Hon smakade på orden: *Min kille*. Det var laddat att tänka så, här bland hennes föräldrar och deras bekanta. Men Petter tittade aldrig tillbaka. Han kanske inte ens hade sett henne smyga in i rummet.

Per-Arne gick från bordet. Antagligen till toaletten. Anna studerade vad de andra hade på sig och hur de höll benen. Mamma hade dem korsade ovanför knät och vaderna tätt ihop, precis som hon berättat för Anna och Olivia att man lärde ut på hushållsskolorna förr. Men det var något konstigt med diakonissan för hon hade bara ett ben synligt. Där det andra skulle vara stod bara en ensam sko. Precis som om hon amputerat benet och ställt skon där. Anna blinkade och flyttade sig lite i sidled. Så såg hon.

Diakonissans ben var upplagt på stolen mittemot. Där satt Westberg med benen som en klyka. Anna svalde när hon förstod vad som var på gång. Diakonissans fot nådde ända fram till Westbergs gren och den var inte stilla där. Den bearbetade honom med tårna och fotsulan så kraftigt att Anna var tvungen att titta hur Westberg såg ut ovanför bordet, för att se om han gungade fram och tillbaka. Det såg inte ut så, och han rodnade inte heller. Han samtalade med mamma och diakonissans man, och såg helt oberörd ut. Bordet var som en skiljelinje mellan sansat och skamligt. Ovanför bordet höll han masken. Nedanför tillät han sig köttets njutning.

Anna rodnade häftigt. Hon såg ned i boken ett tag men när hon lyfte blicken höll foten fortfarande på. Kanske med lite långsammare rörelser. Så öppnades en dörr och diakonissan lyfte diskret ned foten och placerade den i skon precis när Per-Arne kom tillbaka och satte sig ned igen.

Den enda tanke Anna fick fram i sitt huvud var udda: *Jag är glad att det inte var Per-Arne som satt med benen isär.* Hon såg nacken på sin mamma och kände hur mycket hon älskade henne. Trots hennes dumma prat med Petter.

Petter trodde henne nästan inte.

»Men hur sjutton skulle hon kunna ha gjort det? Din pappa … jag menar Per-Arne satt ju vid kortändan. Hans ben måste ju ha varit i vägen!«

»Men inte när han gick på toa! Jag ljuger inte. Hon hade foten på Westbergs kuk, jag svär!«

163

»Är du säker på att det inte var Westbergs egen fru?« Men vid det laget såg Anna att Petter börjat ta in sanningen.

»Satt hans fru mittemot honom kanske?«

»Nej.« Petter svalde och såg bister ut. »Den saten. Den förbannade saten. Han pratar alltid om ungdomens fördärv och hur lössläppta ungdomar är idag. Vet du varför min tjej inte följde med mig hit upp?«

Anna skakade på huvudet, men Petter såg inte på henne. Han satt med fingrarna mot pannan.

»Därför att Westberg hade ett allvarligt samtal med mig efter anställningsintervjun. Om jag ville ha jobbet fick jag gifta mig. Han tänkte inte acceptera att en av hans anställda var sambo. Jag skulle inte vara ett bra föredöme för ungdomarna i församlingen då.«

Anna såg hur paff Petter verkade. Hon kände sig förvirrad själv.

»Varför gifte ni er inte då?« undrade hon försiktigt.

Petter kastade en snabb blick på henne.

»Vad tror du?« Sedan fick han något annat i ögonen. »Vet du – det där ska du få igen!«

Och så började han klä av Anna. Inte lirkande och romantiskt utan brådskande och lite våldsamt. Han tryckte ned henne på sängen och satte sig grensle över hennes mage. Öppnade knappen i sina jeans och drog ned gylfen. Lutade sig fram över henne och sa:

»Ta fram den.«

Anna ruskade på huvudet och vred sig för att komma loss. Hon hade gylfen nästan i ansiktet.

Petter suckade högt och klev bort. Drog upp blixtlåset och knäppte knappen igen.

»Nej«, bad Anna. »Kom hit och ligg med mig. Under täcket.«

»Glöm det.«

Men han kom och la sig på rygg bredvid henne. Med kläderna på. Och när hon vände sig mot honom och tryckte kroppen mot hans tog han tag i henne. Kysste henne hårt och blött. Och länge. Och han släppte bara för att kunna fråga:

»Kan du inte ta den i munnen?«

Anna tvekade. »Om du inte tittar.«

Petter skrattade till och tog ett grabbatag om hennes hår. Han höll henne ifrån sig så han kunde se henne i ögonen. Han log och talade mjukt.

»Jag ska se och jag ska känna, din lilla fitta.«

»Säg inte så«, bad Anna.

»Det är vad du är för mig. Och det är väl inget fel med det. Jag älskar din fitta.«

»Jag är inte bara det.«

»Nej, det är du inte. Jag är inte bara min kuk heller.« Han såg på henne igen, men nu var ögonen elaka. »Men det är bara den du vill ha. Något annat är du inte ute efter. Så vi passar jättebra för varann.«

»Jag vill ha någon jag kan älska.« Anna förvånade sig själv med att våga säga det.

»Kan du inte älska din älskare då?«

Anna svarade inte. Han drev med henne. Visst gjorde han det? Och han frågade aldrig hur det var för henne. Visst brukade man göra det? Han som var mer erfaren borde väl prata om det?

Anna låg i sin säng på kvällen och hade en knut i magen.

Han kanske var kär i någon annan. Hon hade börjat tänka så ibland, efter det han sagt under middagen om att kanske flytta tillbaka till Uppsala. Och så det där med att han fått välja mellan att gifta sig eller flytta från sin förra flickvän. Tänk om det var så att han friat men hon sagt nej! Då älskade han henne fortfarande.

Så slog hon bort det.

Men ändå, det kändes inte som om Petter brydde sig om henne. Fast han ville ju ha henne. Även när hon hade mens i förra veckan. Han bara la en dubbelvikt handduk under henne. Men det var inte samma sak som i början. Hon saknade kyssarna, som han kysst henne de första gångerna. Var det för att hon inte kunde mer? För att hon inte ville göra alla grejer han ville? Tyckte Petter att hon var för barnslig? Men om han ville ligga med henne när hon hade mens måste han väl älska henne?

Det värsta som kunde hända var om han inte ville träffa henne mer.

Kanske att hon skulle stå ut med att han var tillsammans med någon annan också, bara han gav henne en chans. Det kunde ju förändras. Hon kunde ju bli bättre i sängen. Mindre barnslig. Hon plockade fram flodhästen och petade på ögonen. Kysste plyschen under hovarna.

Hon grät.

Nästa gång, efter att de legat med varann och Petter var på väg ut i badrummet, kom han på något.

»Jag kan inte träffa dig nästa vecka. Jag får besök.«

Anna vågade nästan inte fråga, men hon var tvungen. »Vem då?«

»En kompis från Uppsala.«

Han sa inte mer än så. Hon ville veta om det var en tjejkompis men hon tänkte inte förnedra sig genom att fråga. Hon ville veta om det var *den* tjejen, men hon visste inte vad hon skulle göra om det var så.

Istället räknade hon kondomerna i förpackningen. Om han hade någon annan ville hon i alla fall veta.

Lillasyster storasyster

Det är kväll den första dagen hemma när Olivia säger det.

»Vet du, jag är med barn.«

Anna och hon har sett slutet av långfilmen efter att föräldrarna givit upp. Nu är de tillbaka i gillestugan med te och mackor och ytterligare en långfilm har börjat. De har båda sett den innan, men bakgrundsljud känns nödvändigt.

»Jaså, igen?« Anna känner sig härdad.

»Nej, det är nog inget den här gången heller.« Olivia suckar. »Men vad ska jag säga då, för att någon ska tycka synd om mig?«

Anna ler inombords. Olivia är som vanligt.

»Jag tycker synd om dig. Du måste ha ett rent helvete däruppe i Luleå.«

Allt är som vanligt dem emellan. Alla fyra är som vanligt. Olivia har häcklat föräldrarna hela dagen, precis som vanligt. Anna har gått omkring och bara varit och inte sagt mycket alls. Som vanligt. Båda föräldrarna har uppträtt som de brukar och noga låtit bli att komma i närheten av frågan.

Ändå måste de förstå att hon och Olivia undrar. Om de går i samtalsterapi. Om de närmar sig ett beslut. Om det bara är för denna natt de gått in i samma sovrum igen, eller om de aldrig slutat sova ihop.

»De tycker bara synd om sig själva. Jag är orolig för båda två, är inte du det?« Olivia tittar på sin storasyster.

»Jag vill helst inte tänka på det. Varför skulle de vilja skilja sig?«

»Därför att mamma är en idiot. Hon har fått för sig att pappa svikit henne. Speciellt när vi växte upp och speciellt när det gällde dig. Hon har till och med anklagat honom för att du hamnade på sjukhus.«

Båda sitter tysta ett slag. Så spritter Olivia till.

»Du! Jag minns när du kom hem från sjukhuset och berättade allt för mig. Tänk att du inte tyckte att jag var en barnrumpa!«

Anna ler med ena mungipan.

»Du var en satans barnrumpa. Men jag var tvungen att berätta för någon. Jag hade gått sönder annars.«

»Jag fattar ändå inte att du vågade berätta för mig. Tänk om jag hade skvallrat!«

»Du var den enda jag kunde berätta för. Jag var bombsäker på dig. Du visste att mamma skulle ta ihjäl mig om hon fick veta …«

»Hon skulle aldrig ha anklagat dig. Men hade det varit jag som skaffat en kille när jag var tretton och ljugit om att simträna …«

Anna minns andra saker än Olivia. Hon nästan kvävs vid tanken på mammas omvårdnad och Per-Arnes förståelse. Hennes egen självförnekelse under hela tonåren. Och så sitter Olivia och menar att Anna var den enda som fick svängrum.

»Vet du«, säger Olivia, »jag brukar köra ett parodinummer på hur orättvist de behandlade mig. Det spelade ingen roll att jag var bättre i skolan, det var ändå dig de var stolta över …«

»Jag vet, jag ville kräkas när de satte igång inför bekanta. Men det var väl bra för dig, då slapp du den skiten.«

Olivia ruskar på huvudet.

»Det värsta var när de ändrade sig. När vi bestämt en grej och så kom du och fick som du ville. Eller när jag inte fick köpa samma jacka som du, för du klarade inte av att jag hade en likadan …«

»Var jag så elak?« Anna kommer inte ihåg detta.

»Jag ville vara som du, men jag fick inte. Och mamma höll alltid på dig. Den där valborgshelgen, till exempel. Vi skulle åkt till Finland men du vägrade. För du skulle göra *något annat*. Bara synd för dig att det slutade på sjukhuset!«

Olivias ögon glimmar till åtskilliga gånger när hon rabblar på. Anna har ibland tänkt att ingen ser Olivia på riktigt.

»Vi pratar inte om det mer. Du har lovat att aldrig prata om det.«

»Jag hade gjort vad som helst för att få byta med dig och hamna på sjukhus. De köpte godis till dig varje dag!«

»Berätta om det där parodinumret istället. Vad är det för skit du pladdrar om då?« Anna hatar sin jargong, men vet inte hur hon ska nå allvaret i djupet av systerns blick. Hinna dit innan de skiljs igen.

Olivia fnittrar. »*Anna* slapp alltid hjälpa till, medan *Olivia* fick lära sig städa!«

»Det här minns jag! Du stod på huvudet i wc-stolen med en toaborste i handen. Jag kunde inte tro att det var sant. Att du gick med på det. Jag bara …« Anna viftar med handen.

»Det är precis det jag menar! Du vägrade. Det var bara *Anna* som kunde vägra. *Olivia* var tvungen att skura, hon!«

Anna skrattar elakt åt Olivias snabba uppvisning i toaborstningsteknik.

»Ni har kul i Luleå.«

»Skitkul! Tekniker är såna nördar, det är helt underbart. De är bra på att ordna fester också, med lite stil och klass.«

»Och så kommer du och förstör.«

»Precis! Jag är en frisk fläkt från en knäpp familj! Pappa prästlakej, mamma kondommånglare och min storasyster är egentligen min kusin. Bara *jag* är normal.«

Anna kan inte låta bli att dra på munnen åt Olivias liknelser av mammas jobb på ungdomsmottagningen och Per-Arnes för kyrkan.

»Är det så du presenterar oss?«

»Det är min familj. Fast nu ska den splittras. Skingras för vinden.« Olivia ställer sig upp. »Jag tar farväl … vårt barndomshem säljs till högstbjudande … de slår mynt av vår olycka …«

»Känner du verkligen så? Att de inte får sälja huset?«

Olivia sätter sig ned igen.

»Gör det inte dig någonting? Det var ju här vi växte upp. Om de säljer huset kan vi aldrig mer komma tillbaka …«

För första gången tvekar Anna inför Olivia. De kom varann så nära under tonåren och det har aldrig släppt. Ändå vet hon inte hur hon ska säga det.

»Det här var ju inte mitt barndomshem. Inte på riktigt. Jag hade ju ett annat.«

Olivia blir tyst. Anna ser henne krympa.

»Olivia«, ber hon. »Mina första minnen är inte härifrån. Det är klart att huset betyder mer för dig ...«

Olivia sväljer. Hon drar munnen mot vänster och fastnar med ögonen nedåt höger. Det ser roligt ut men Anna avstår från att skratta.

Hon tar ett andetag för att försöka på nytt, men Olivia hinner före.

»Jag har inga minnen som inte inkluderar dig. Du var alltid min storasyster ...«

Anna kan omöjligt svara »men du var inte alltid min lillasyster«. Hon letar efter något annat att säga. Då börjar Olivia hulka. Tårar droppar ned från lillasysterns kinder och munnen blir ful.

Anna flyttar sig intill. Det är inte många som är så små att de försvinner i Annas famn, men Olivia är alltjämt mindre än Anna. Hon har alltid varit mindre.

»Du är min lillasyster«, viskar Anna. »Du är jättemycket min lilla-syster ...« Sedan är hon tvungen att dela det. »Det som är jobbigt är att jag också var lillasyster en gång ...«

Och nu gråter båda två. Bölar så tyst de kan.

De äter på restaurang för att fira Olivias tjugoårsdag. Anna tänker att det kanske är sista gången de är samlade på det här sättet. Det borde vara hon som far mest illa av att ännu en familj hon tillhör håller på att lösas upp, men det är Olivia som är riktigt illa däran. Hon döljer det som vanligt bakom clownerier, men Anna har sett och Anna vet. Så tänker hon på att detta är den enda familj Olivia tillhört, och det verkar plötsligt rimligt att hennes förlust är större.

»Ja, tiden går riktigt fort«, säger Per-Arne när maten kommit, i ett försök att bli lite högtidlig.

»Jag vet«, säger Olivia, »för jag måste raka benen hela tiden. Tappar man bort rakhyveln är man luden på nolltid.«

Ingen skrattar. Olivia gör ett nytt försök. »Och nu är jag tjugo och har flyttat hemifrån. Men är tillbaka som gubben i lådan, bara för att få present. Och så får jag inget roligare än pengar …«

»Men det är jättesvårt att köpa något till en vuxen dotter«, protesterar mamma. »Vad skulle det vara?«

»Nya föräldrar!«

Anna ser när kopplingen till skilsmässan dyker upp i Olivias medvetande sekunden efter att orden ramlat ur henne. Hur hon drar efter andan för att rädda sig: »Jag var alltid avundsjuk på Anna som kom från en hemlig familj. Hon var en borttappad prinsessa men jag var bara vanlig.«

Anna ser automatiskt på mamma. Hon verkar otroligt avspänd med tanke på konversationens innehåll. Kanske hon inte längre känner ansvar för vad övriga i familjen säger?

»Jag kommer inte ihåg Annas pappa«, fortsätter Olivia, »men han var väldigt mystisk. Som en okänd sjökapten. Jag fantiserade jättemycket om det …«

»Ja, han var speciell … han skrev fina dikter«, säger mamma då.

Anna vänder huvudet mot henne. »Skrev min pappa dikter?«

»Ja. Det gjorde han. Det var inget Lisbeth var så förtjust i, men de dikter hon visade mig var bra. Tyckte jag då i alla fall. Det är längesen … Sedan tog nog barnen och jordbruket för mycket tid …«

»Finns de dikterna kvar?« undrar Anna.

»Kanske. I de där papprena du ska få. Usch, jag har inte … hur ska vi göra med det? Per-Arne och jag har inte hunnit … Vi borde ta tag i det …«

Hon avslutar inte tankarna ordentligt.

»Kan jag inte ta allt med mig? Det kanske står något där som är viktigt, som gör att det går att förstå …«

»Anna, du ska inte vänta dig för mycket av det som finns bevarat. Kom ihåg att polisen har tittat på allt. De hittade ingenting. Det är bara personliga tankar.«

Något annat är jag inte ute efter heller.

»Säg till när ni bestämt om jag ska få det.«

Bredvid Anna suckar hennes mor djupt. Anna ser henne utbyta blickar med Per-Arne och undrar om det är bra eller dåligt för deras relation att behöva ta tag i den här frågan när döttrarna rest tillbaka till respektive studieort.

Anna är mör efter tågresan. Mirja svarar inte när hon ropar, men hennes kängor står innanför dörren. Anna sparkar av sig skorna och kikar in i vardagsrummet. Mirja ligger i soffan och leker med en blå gummisnodd. När Anna kommer in siktar hon mot henne. Låtsas kika längs det sträckta bandet. Anna går fram till soffbordet med en bageripåse. Hela rörelsen när hon lägger ned påsen följs av det blå vapnet.

»Tre chokladgrejer, en till Franz också«, säger Anna. »Men om han inte är tillbaka än så blir det mer till oss.«

Hon kastar en blick mot köket. Franz varken syns eller hörs.

Mirja släpper henne inte med blicken.

»Jag-vet-inte-var-Franz-är-just-nu-och-det-är-helt-oviktigt.«

Gummibandet följer rörelserna när Anna tar av sig jackan och vänder sig mot fåtöljen.

»Gå och häng upp den i hallen!« Mirja siktar tydligare.

Anna går ut i hallen och släpper jackan i hörnet på en hög med skor.

»Berätta«, säger hon när hon kommer tillbaka till vardagsrummet.

Mirja har tillfälligt sänkt vapnet, men hon är allvarlig. Nöjd och allvarlig. Anna stannar mitt på golvet. Det har hänt något, och det handlar inte alls om Franz.

»Nu säger du vad det är.«

»Jag har tagit reda på var Petter finns.«

Anna står kvar mitt på golvet. Just nu är hon utan ord.

»Du och jag ska på begravning.«

Anna ser klentroget på sin vän. Mirja dröjer med att förklara sig. Medvetet drar hon ut på stunden.

»Han är död«, är Anna till sist tvungen att föreslå.

»Nej!« Mirja skrattar äntligen till. »Han håller i en begravning. På torsdag.«

Hon ser belåten ut. Men det låter helt snurrigt.

»Det heter *förrätta* begravning«, säger Anna långsamt, »och det är prästen som gör det.«

Mirjas leende rubbas inte. Det är tydligt hur nöjd hon är med sig själv.

»Det är Petter som är prästen.«

Så sprätter hon iväg gummisnodden mot Anna.

Anna 7 år

Misstänksamhet

Det var turbulensen.

Om mamma hållit sig till att gråta. Och pappa till att tiga, eller slå näven i bordet. Eller gråta han också för den delen. Men Mattias var tvungen att blunda och ta ett vibrerande andetag innan han klev in i ett rum där de vistades. Han visste aldrig vad som väntade.

Han räddes att hitta sin lillasyster i rummet intill, med händerna över öronen, inuti ett skal som inte gav något skydd. Om Mattias for illa, om han trodde han skulle gå sönder, hur var det inte då med Anna?

Det var när han fick med sig Anna därifrån, när hans ögon till slut kunde haka tag i hennes och hon till och med talade, det var då han kände att det fanns något inuti bröstkorgen som levde. I allt annat var de döende. Hans mamma höll inte ihop längre och hans pappa gjorde inte mycket för att hjälpa. All deras styrka som sprungit ur ett liv tillsammans. Nu höll den på att bryta sönder och förgöra dem.

Mattias önskade att de kunde löpa linan ut. Om det bar eller brast spelade inte längre någon roll. Bara inte de tvära kasten.

Sjukligheten. Han kunde gå förbi köket. Pappas röst uppgiven men fortfarande stark. Mammas kall som en slipad skarprättaryxa.

»Du är på sånt humör idag att det spelar ingen roll vad jag säger. Allt blir fel.«

»Men du säger ju inget.«

»Vad vill du jag ska säga? Om jag säger att en ko har fyra ben så nog fan hävdar du att den har fem.«

»Jamen, den har ju fem.«

Som en bila föll bådas skratt. Och var över lika fort.

De hånglade på ett sätt som var otäckt att se. Om Mattias kunde skulle han stängt öronen också, för de verkade inte bry sig om att han och Anna fanns i huset. Han fick vara tacksam för varje ord från pappas mun som kvävdes mot kläder eller nacke eller hår.

»… hållit mig långt borta … kan inte vrida tiden tillbaka … vred om huvet på mig … som om du brändes …« De långa harangerna mullrade fram.

»Ta mig till natten så jag vet att du menar det.« Hennes röst, för genomträngande för att stängas ute. »Att det är vi.«

Mattias tog Anna med sig upp eller ut. Att de struntade i honom kunde han ta. Men varför såg de inte längre sitt minsta barn?

Det blev än värre mellan varven. Vrålen.

»Du fick mig! Du borde vara tacksam!«

»Jag har aldrig haft dig! Det gick inte att få dig! Du valde fan bort dig själv!«

»Jag valde dig! Och jag gav dig det största man kan ge! Du borde vara tacksam men du ville aldrig ha honom. Erkänn det!«

»Skitsnack! Jag var beredd till vad som helst. Jag ville ha dig! Och jag ville ha Charlie. Något annat är inte sant och det vet du! Men du ska prata om ärlighet. Låt mig aldrig höra dig nämna det ordet igen! Det är din livslögn som kommer att sänka mig. Jag har alltid vetat det. Alltid varit så jävla rädd för det …«

»Kom inte dragandes med din skit om att du lidit. Du valde själv!«

»Jag valde dig! Och jag ångrar mig …«

Inte ett ord gick att undgå.

Dagen hon grät. Skrek och hulkade och slogs. Mattias visste redan på morgonen att hon inte sovit. Höjda ögonbryn försökte hålla uppe ögonlock som inte förmådde. Hålögdheten där tankarna rann ut. Ändå orkade hon sätta igång den morgonen.

»Jag klarar inte av att inte få veta. Jag klarar inte av det. Jag klarar inte av. Jag klarar inte av att inte få veta vad som hänt honom.«

Upprepningen i det oändliga. Först monotont, ett mumlande för att blidka demonerna. Sömnlöshetens maror som ansatte i gryningen. Pappa hade också känt av dem, det såg Mattias i det blekgrå ansiktet.

Timmar senare kom insikten. Orden blev sanna. Hon klarade inte av det.

Hon grät vilt. Henrik gick undan. Inte ens när Lisbeth började anklaga sig själv kom han tillbaka till henne.

»Det är mitt fel … det är jag som gjort fel … jag skulle aldrig … jag skulle valt något annat … jag skulle gjort på ett annat sätt … jag vill inte … jag vill inte … jag vill inte …«

Hon sjönk ned på golvet med huvudet mot städskåpet.

När ljudet av duns på duns på duns fick en betydelse vaknade Henrik. Han kom in och drog bort henne från skåpet och försökte sluta henne i sina armar.

Hon värjde sig.

När det inte gick skrek hon.

»Det är ditt fel också. Ditt fel. Du – du drev bort honom. Du ville att han skulle bort. Du drev iväg Charlie! Du – du – du tvingade bort honom. Det är du … det är du som är ansvarig för att han är borta …«

Och när Henrik fortsatte hyssja på Lisbeth och strök hennes huvud flög djävulen i henne.

»Ta bort dina händer. Ta bort dem från mig! JAG VILL INTE! Det är ditt fel! Du som inte ville ha honom kvar …« Hon backade ur hans grepp.

När han inte orkade samla sig till en ny omfamning hände det. Sittande på golvet lämnade hon honom.

»Det var du som dödade honom med dina bara händer … gjorde du inte det? GJORDE DU INTE DET! Du gjorde det …«

Det sista dränktes i gråtens hackande.

Henrik reste sig och gick.

»Jag klarar inte av mamma«, sa han när han kom ut i hallen. »Jag går till skogs tills hon lugnat ned sig. Försök prata med henne, Mattias.«

»Gå inte, pappa.«

Mattias hade i flera dagar önskat att föräldrarna kunde lämna varann ifred någon dag. Ändå kom det spontant. »Gå inte.«

»Men du hör ju vad hon säger«, sa Henrik hjälplöst. »Jag klarar inte av vad som helst. Vi är alla nedgångna. En enda person får inte ta ut sin förtvivlan på alla andra … Försök prata med henne du.«

Mattias tvingade sig att förstå. Och acceptera. »Jag tänkte bara att du … behövde vila.«

Vilket inte var sant. Mattias ville inte vara ensam med mamma längre.

Kvällen innan den sista dagen. Varför gick han med på sin mors begäran? Var det känslan av att hans kärlek sattes på prov? Eller blev han satt i skuld när han tilltvingade sig hennes hemlighet?

Han hade ställt frågan rakt på sak. Han visste inte vad det skulle tjäna till att få det svart på vitt, men när hon kom med sin underliga uppmaning tyckte han att han borde få veta.

»Vem är pappa till Charlie?«

Och världen stod still.

När hon släppte hans blick för att kunna svara visste Mattias. Hans mamma såg bort mot skogsranden därför att hon var tvungen att bära hand på sanningen.

»Charlie var ett kärleksbarn från mig till pappa. Något annat ska du aldrig tro.«

Och hennes blick, när den återvände till Mattias, förebrådde honom. Något var förlorat dem emellan. Hon hade känt sig tvungen att förklara att Charlie var önskad. Mattias hade tvingat henne att försvara ett barn. För det fanns ingen förlåtelse.

Han skyndade sig att säga:

»Jag gör det. Imorgon. Innan pappa vaknar, som du sa.«

Till sitt försvar skulle han tänka att han försökte gå en annan väg. Mattias gjorde något han aldrig kunnat förmå sig till innan.

Det var i kvällningen, när det började bli svårt att urskilja träden på andra sidan åkern. Hans pappa satt på en rank pinnstol på verandan och stirrade mot ingenting. Han hade fortfarande stövlarna på. Mattias satte sig på huk bredvid.

Det var kväll, den gång Mattias försökte nå sin far.

»Jag har tänkt på en sak. Du och mamma pratar bara om hur mycket ni bråkade, du och Charlie. Att ni alltid slogs …«

En svårligen hörbar suck intill. Så långt var pappa med.

»Mamma säger att du alltid … att ni alltid … att det blev bråk för att du … hade nåt emot Charlie. Och tvärtom …«

Nu var det alldeles tyst. Men här kunde han inte stoppa.

»Ända sen jag var liten minns jag hur du busade med Charlie. Du lyfte honom till taket. Och jagade honom. Och bara tills för några år sen kittlade du honom tills han skrek …«

»Du menar att det varit både och.«

Mattias vände ansiktet mot sin pappa. Det var inte så han menat. Han kom helt av sig. Han vände blicken mot de mörka grenverken vid knuten. Och kände skam.

Skamkänslan ledde honom tillbaka. Men det han ville säga krävde mod och det hade han inte. Så kom han ihåg vad hans mor bett honom göra och vad det innebar. Så han försökte i alla fall.

»Varför gjorde du aldrig så med mig?«

Han förnam en huvudrörelse. Bara det.

Så, efter en lång tystnad kom svaret:

»Men du var inte samma sorts unge …«

Mattias reste sig någon halvminut senare. När han gick in genom ytterdörren vred han ansiktet så hans far inte skulle se honom i skenet från hallampan. Det var egentligen inget att bry sig om. Det var inget som var nytt.

Och det var ju sant.

Henrik kom från skogen vid elvatiden nästa förmiddag. Han gjorde i stort sett samma runda varje dag nu. Rätt in i skogen bakom den gamla bagarstugan, upp över kalhygget och tvärs genom skiftet där han planterat granfrö ett par decennier tidigare. Det växte bra men såg verkligen inte ut som självsådd skog. Inte vackert. Skulle han ha gått längre i samma riktning hade han nått den sluttning där Lisbeth och han satt tallplant. Det hade varit ett misslyckande helt och hållet att köpa utländsk tall. Efter femton år var det bara att inse att det som skulle varit fin skog på tillväxt hade gått om intet på hela skiftet. Kostnaden för markberedningen. Och allt arbete de lagt ned. De hade lejt Erika som barnvakt åt småpojkarna en hel sommar medan de gått upp och ned i solskenet och planterat för framtiden. För Charlie och Mattias. Vissa dagar hade Lisbeth slängt både tröja och behå för att under Guds bara himmel få sol på kroppen.

Erika kunde ha varit tjugo år gammal. Ungefär i samma ålder som Charlie var nu. Charlie. Tankar på ett annat plan började cirkla som ett orosmoln över Henriks huvud. Hota att landa. Han trängde bort dem. Ersatte dem med minnen av killarna i förskoleåldern. Charlie hade sprungit ut och in hela somrarna och lämnat alla dörrar öppna så hemmet blev fullt med mygg och flugor i onödan. Glad som en sprattelgubbe och busig som en schimpansunge var han som liten. Mattias hade varit en blygare variant av Charlie. Ett finurligt litet busfrö med ett förbindligt smil på läpparna hela tiden. En kille som såg upp till sin storebror och härmade allt han gjorde, men bara i sina drömmars värld. Som pratade om de trädkojor de byggt utan att ha vågat sätta foten på nedersta brädlappen. Som förklarade hur roligt det var att cykla utan att ha suttit på en sadel. Som var som mest nöjd när katten strök sig kring hans ben eller när han fick släppa ut hönsen och plocka ägg.

Henrik hade ofta förundrats över hur Mattias la allt på minnet. Den lille ungen lagrade detaljer i mängd. De kom tillbaka på teckningar flera månader senare, och i berättelser år efteråt. Hörde Mattias ett nytt uttryck kunde han använda det en vecka senare i ett alldeles korrekt sammanhang. Eller också ritade han en bild som förklarade. Det blev dråpligt när Mattias fångade dubbeltydigheter med sina fina gubbar. Han förvånade också med att hitta ord för människors särdrag innan Charlie hade ett hum om sådana begrepp.

Mattias hade läshuvud, som man sa förr. Ändå verkade han inte medveten om vad han lagrade i huvudet. Han kom inte ihåg samma saker som övriga familjen. Det var detaljerna som fastnade, inte händelserna. Uttrycken, men inte sammanhangen där de skapats.

Mattias hade verkat så nöjd med sin plats i världen och familjen. Och när han vid tio års ålder inte längre fick vara minstingen i familjen, hade också det gått bra. Mattias hade varit förtjust över Anna och aldrig visat sig svartsjuk. Och den grabb som går omkring och är nöjd med att ärva sin storebrors kläder ända tills man växer om honom kan väl inte känna konkurrens uppåt heller?

Ändå fanns det tydligen där, för igår hade Mattias sagt något om att Henrik inte kastat runt med honom lika mycket som med Charlie. Henrik funderade lite över det när han trampade över myren där han hade sitt älgpass och vidare bort mot Hästtjärn. Men han kom inte fram till annat än att just nu fanns det mer bekymmersamma saker än Mattias funderingar kring uppväxten. Inte heller tog han sig tid att sakta av på stegen eller stanna till och lyssna och känna lukter. Det var en närmast manisk rundtur han gjorde, dag efter dag. Ibland en gång på eftermiddagen också, innan Anna kom från skolan.

Han visste att Lisbeth tyckte illa vara. Hon förstod inte hur han kunde jobba i skogen, som hon uttryckte det, när Charlie var borta. Att Henrik inte gick för att hugga borde hon se, men det spelade ingen roll. Hon var ute efter att klandra honom, och på sätt och vis hade han inget emot det. Det var tunga bördor att axla för henne nu. Att hon inte berättat för Lennart att hon var gravid när hon lämnade honom var tydligen ett beslut hon också plågades av. Och Henrik som trott att det bara var han som fortfarande fick ångest över det Lisbeth kallat sin kärleksgåva till honom. För Henrik hade svårt att se det så. Istället hade han ofta haft en smärtande tydlig insikt om att de berövat Lennart en son och låtit sonen leva i en villfarelse om sitt ursprung.

Ibland hade han befarat att någon skulle dra slutsatsen och ställa till det för dem. Nu visste han att det var Lisbeth själv som var den största risken. Varför måste hon plötsligt rättfärdiga det hon gjorde för tjugo år sedan?

När han kom runt huset såg han att Lisbeth var tillbaka. Han la handen på motorhuven när han gick förbi. Hon kunde inte ha varit hemma många minuter. Så fick han syn på henne. Genom fönstret i storarummet såg han henne damma bokhyllan. Eller, det var inte det hon gjorde. Hon letade efter något. Och bråttom hade hon. Henrik stannade till och funderade. Det såg så ... frenetiskt ut. Vad hade hon kommit på nu? Hon hade varit apatisk och hysterisk och cynisk de senaste dagarna. Allt om vartannat, men präglat av lamslagenhet vad gällde hushållet. Ingen hade ätit något igår. Det hade slagit honom först när han gick till sängs, men då struntade han i det. I morse hade han tagit fram bröd ur frysen och stekt några ägg. Anna var den enda som ätit lite grann. Mattias kom inte upp i tid och Lisbeth hade inte velat eftersom hon var rädd att må illa då hon skulle köra bil.

Hoppas hon berättat ordentligt för läkaren hur hon mådde nu. Henrik tyckte att hon behövde få träffa någon och prata, men han hade inte vågat föreslå det. Lisbeth hade en gång förut anklagat honom för att försöka idiotförklara henne när han nämnt psykolog. Att hon kanske skulle må bra av att träffa en. Han hade aktat sig efter det. Och det var först nu hon verkligen behövt det.

När han kom in i köket höll hon på att plocka in disk i maskinen.

»Hur gick det?« frågade han.

Lisbeth gjorde en min och undvek hans blick. »Sådär.«

Henrik försökte få armarna runt henne men hon snodde på sig och försvann mot ett skåp. Han suckade och försökte på annat sätt.

»Ska jag göra lite lunch? Anna slutar skolan tidigt idag. Var är Mattias?«

Lisbeth vände äntligen blicken mot honom.

»Hördu, jag vet inte.«

Det var något i den blicken som fick honom att inse att hon inte alls mådde bra.

»Vad letade du efter i storarummet?« for det ur honom.

Hon spärrade upp ögonen. »Spionerar du på mig?«

Henrik fortsatte titta på henne. Vad var det med henne?

Hon var tvungen att säga något.

»Jag letade … ingenting. Jag skulle ha en bok. Om relationer. Och nu tycker jag att du går och letar reda på Mattias.«

Henrik hörde henne ringa. Han suckade. Hon överreagerade, men vem kunde begära rationellt beteende längre? Han som inte märkte när de inte åt. Han var inte heller normal.

Så stod hon i köksdörren.

»Du hörde.« Det var allt hon sa.

Han nickade.

»Du gör som du vill.« Han vred huvudet så han kunde se nedåt åkern. »Vill du ha hit polisen därför att Mattias fått för sig nåt, så … Jag tar i alla fall en sväng till skogen.«

»Du går ingenstans. Du ska svara på frågor, du med.«

Henrik drog in luft så djupt ned i lungorna det gick.

»Men de kommer väl inte idag?«

»Det är precis vad de gör.« Hon undvek att se på honom när han försökte syna henne.

»Lisbeth … vad var det du sa på telefon att du hade hittat? En lapp?«

»Den ska poliserna ta hand om.« Han hörde darrningen på hennes röst. Och mitt i allt det absurda kände han för henne. Hon lät så skör, som hon endast gjort i de vanskligaste stunderna när livet hotat gå sönder. Som när Charlie var nyfödd och hann bli blå i ansiktet innan andningen kom igång. Som när Anna blev hundbiten utanför travbanan och den jävla jycken satt fast i hennes jacka och slängde med henne i en halvminut innan ägaren lyckades bända upp käftarna.

Som nu, när han blev viss om att hon ljög om någon lapp. Det fanns ingen lapp. Hon hade väl hittat på det för att de skulle komma ikväll och inte vänta till morgonen.

De kom inom en timme men verkade inte särskilt angelägna. Småspråkade och försökte vara trevliga. Den ene var samme polis de haft i bygden sedan urminnes tider. Han måste vara pensionsmässig och mer därtill och hade väl varit med om både den ena och den andra utryckningen i onödan. Det var han som kommit till Ringarkläppen alldeles efter att Charlie försvann. Men idag hade han med sig en annan kollega, en snärta de aldrig sett förr. Hon påminde Henrik om den unga Karin Boye, men det var ju inget man kunde säga högt. Det retade honom att de tvunget måste komma och parkera en polisbil på gården igen, men det var heller inget man kunde ha någon åsikt om. Grannarna fick väl prata.

Henrik väntade inte på att bli tilltalad. Han sa vad han trodde när de bänkat sig runt köksbordet och Lisbeth skramlat färdigt med kopparna.

Mattias var less. Det var därför han givit sig av ett slag. Han orkade inte höra grälen och utbrotten längre. Henrik hejdade sig när han såg Lisbeths blick, men upprepade det igen. *Utbrotten*. Det var klart att Mattias också var utom sig. Det var alla. Till och med lilla Anna.

Anna. Han insåg mitt under samtalet – förhöret – att Anna inte kommit hem. Med en blick på Lisbeth hoppades han att hon skulle förklara. Men de var inte längre på samma våglängd.

»Varför ser du på mig som ett fån?« undrade hon med blankt ansikte.

»Var är Anna?«

»Hos Antes. Jag ringde igår kväll och frågade om det gick bra. Det var så längesen Anna var hemma hos en kompis.«

»Jaha.« Han tog in det hon sa, men förstod det inte. Varför engagerade sig Lisbeth plötsligt i att Anna skulle få vara hos en kompis? Hon hade inte orkat med det sedan Charlie försvann. Och nu lyckades hon pricka in en eftermiddag med polisförhör.

Han suckade och försökte fokusera på polisen igen. Men nu var det Lisbeth den gamle ställde frågor till. Henrik såg på sin fru. Hon satt och skruvade på sig.

»Jag åkte till Ullånger direkt efter frukosten. Ingen av oss har sett Mattias sen igår. Han kan givetvis ha sovit i sitt rum, men ...«

»Vad skulle du göra i Ullånger?«

»Va?« Lisbeth såg frågande ut.

»I Ullånger. Du åkte dit i morse, sa du.«

»Ja ... jag åkte för att prata med tjejerna ... som ordnar loppmarknaden. Jag vill inte ha mitt bord längre, jag orkar inte ... det var det jag gjorde.«

»Och när kom du hem igen?«

»Jaa, det var ju ... det tog ju ett tag att prata med de andra, jag ville ju inte bara vända och åka hem igen ...«

Men vad i helvete var det med henne? Hon hade ju varit hos läkaren.

Sedan fick Henrik svara på frågor om Mattias. Om det varit något konstigt med Mattias igår. Och det visste han ju inte. Det hade varit en dag som andra. Nej, de hade haft en kris. Lisbeth hade nått ett krisstadium.

Och plötsligt stod hon där med en lapp i handen.

Kära hjärtanes. Hon trodde verkligen att det kunde vara han. Att han kommit i slagsmål med Charlie och gjort sig olycklig. Hon trodde den möjligheten fanns.

Länge efter att besöket var över satt Henrik kvar vid köksbordet. Han lät blicken bli en tunnel av skärpa ned mot grustaget vid skogsbrynet, och han försökte se den verklighet som var hennes. Den smalaste ljusstrimman som hotade kvävas av allt mörker. Han skärskådade den tynande dag hon levde i genom det krympande synfältet. Det var klart att hon var rädd. Om hon hade det så här.

Han skyggade för känslan och insikten.

Det började bli skumt inomhus. Han måste ut innan det blev mörkt. Ut i kvällningen, ut i skogen. Med smak av metall i munnen stack han fötterna i stövlarna och lyfte jackan från kroken.

Han undvek den vanliga rundan och gick längs kanten av hygget. På så vis kom han i närheten av Charlies pass, men det fanns inget som kunde få honom att gå dit. Han gjorde en stor lov runt myren. Sedan kom han förbi saltstenen strax före hans eget pass. Det började skymma nu. Men kvällningen kom sakta här uppe i norr.

Jag kommer inte hem förrän vi vet vad som hänt Charlie.
Jag vågar inte bo med pappa.

Spretiga bokstäver. Det var så Mattias brukade skriva, men det var inte Mattias som hållit i pennan. Hade hon inte insett att han kände sina barns handstilar som sin egen? Att han utläste deras ungdom och utveckling i det sätt de plitade ned sina bokstäver och tecknade sina figurer?

Hon hade skrivit den där lappen själv.

Till slut fick han vika av mot Hästtjärn för att komma bort från den täta skogen. Han sökte ljuset, det som fanns kvar. De sista strimmorna. På sluttningen ovanför vattnet stegade han fram till en öppning bland tallarna. Det susade i grenarna.

Han stannade till. Att hon ens tänkt tanken. Att hon alls trodde det var möjligt. Det måste väl finnas tusen händelseförlopp som var troligare än att han skulle haft ihjäl sin äldste pojk. Henrik stirrade på marken och andades djupt. Ögonen slöt sig och öppnade sig. Om och om igen. Det gjorde så helvetes, jävla ont att Lisbeth trodde att han kunde ha bragt pojken om livet. Att hon var rädd för den möjligheten. Så rädd att hon hade tagit sig för att skriva en lapp.

Plötsligt trodde Henrik att hans hjärna börjat spöka. Han såg ett mönster i gräset. Räta linjer som gick längs med vattnet. Några som korsade. Han tog ett par steg åt sidan. Då fanns de inte längre. Det mjuka halvgräset dolde det han sett. Han gick ett helt varv runt platsen, sedan stannade han upp. Det var bara från ett håll, i de snabbt försvinnande kvällsstrålarna, som han kunde se det. Linjer i den mjuka marken.

Som det slog honom undslapp han sig en svordom. De hade grävt ned skiten. Han vred huvudet mot sluttningen åt nordost. Det var där Bo-Anders avverkat förrförra vintern. Det var här, precis här, ungdomar skränat och fikat och solat i våras och somras. Kajsas gäng. De hade jobbat på beting, och fort hade det gått. Bo-Anders hade varit glad över varje tråg med plant han fått skicka iväg med dem.

Henrik hade gått förbi några gånger på andra sidan tjärnen och alltid tyckt att de suttit i öppningen vid vattnet och varit en vagel i ögat. Färgglada och högljudda. Han hade stått på myren tvärs över och sett ängsullen vaja för vinden. De vita tussarna gungade i otakt med tonårsmusikens dån från andra sidan vattnet. Här hade de lekt rockstjärnor och glatt trampat runt. Vräkt ut sig med vita bukar och delat matsäck och dragit historier. När han frågat Kajsa om de gjorde annat än att ha rast, hade hon svarat att hon inte var på hygget så mycket. Mesta tiden bar hon lådor nerifrån vägen.

Vid ett tillfälle hade Bo-Anders tagit sig till hygget själv. Han var bekymrad över att det gick åt mer plant än han tänkt, och att de ändå inte verkade bli klara på ett tag. Han hade fått beställa mycket mer än beräknat. Men har man astma så har man. Och är det värre än vanligt så är det. Och inte ville han oroa farsgubben heller, varken för det ena eller det andra. Bäst att bara betala och få jobbet gjort, hade Bo-Anders resonerat.

Men inte var han väl så godtrogen att han svalde vad som helst? Henrik såg sig om. Femton meter bort stod en gammal gran med täta grenar i ensamt majestät. Tankarna rörde sig som flugor kring en dyngkas. Det var väl för fan inte svårt att räkna ut vad som hänt. Medan han tog stora kliv mot granen tänkte han på de lata jävlarna. Gräver man ned några lådor plant så upptäcker man väl snart att det är för jobbigt det också.

De tunga grenarna nedtill låg direkt på marken. Henrik rev den närmaste åt sidan och gick ned på knä för att kunna pressa in kroppen mellan de torra ruskorna längst in. När han böjde sig ner och kikade inunder såg han två lådor staplade på varann. Det surrade ordentligt i huvudet på honom nu. Han fick vänta någon minut för att vänja sig vid skumrasket. För att hjälpa ögonen på traven stack han huvudet längre in. Låda på låda med plant hade de gömt under de snåriga grenarna. Långt över tusen bruna tallskott räknade han fram.

Jaha. Och vad gör man åt det då? Ville Bo-Anders verkligen veta? Vad tjänade det till att hjälpa en som inte ville bli hjälpt? Vad gör man när man har den största, förlamande smärtan själv? När ens son är borta och grannen visar sig vara en idiot?

Ingenting.

Henrik reste sig och gick hem. Stegade närmsta väg mot sitt hus och gick in till Lisbeth. Där tordes han inte försöka hålla om henne. Men han vågade fråga.

»Varför bluffade du om läkarbesöket?«

»Men det ville väl inte jag säga! Att jag varit till läkaren …«

Hon såg rätt på honom. Hon verkade avbruten. I sina tankar, förmodade han.

»Och varför inte det?« Henrik ville påminna om hur viktigt hon låtit påskina att ärlighet var. Men han avstod.

»De kan ju få för sig att kontakta honom …«

»Och vad gör väl det?«

»Jag tänker inte tala om för hela bygden att jag fått sömntabletter utskrivna.«

»Men inte talar väl läkaren om det … han har ju tystnadsplikt.«

Lisbeth såg ned i golvet.

»Det vet man ju hur det är med det«, mumlade hon. »Det räcker att stå i kö på apoteket för att folk ska få veta vad man har för besvär. Jag väntade tills det inte var nån annan där idag innan jag hämtade ut på mitt recept …«

Henrik gnuggade knogen mot ögonen. Försökte tänka.

»Ska jag hämta Anna?«

»De kommer hit med henne senare ikväll.«

»Jaha.«

Det kändes lugnare nu. Lisbeth verkade lugnare. Henrik undrade om hon skulle sluta syna honom snart. Och bestämma sig för att han var lika oskyldig som hon.

»Jag är orolig.«

Hon menade förstås för Mattias. Henrik resonerade högt:

»Jag är inte mer orolig än förut. Om Mattias är borta så är det kanske bra. Det kanske är så att Charlie ringt och Mattias också stuckit till var-det-nu-är-nånstans.«

»Nej.« Lisbeth skakade vilt på huvudet. »Det har han inte gjort. Han är borta, och jag vill veta vad som hänt. Vad som hänt Mattias och vad som hänt Charlie.«

Henrik pustade ljudligt ut luft och stödde sig mot bordet.

»Vi har ett barn som försvunnit. Måla inte djävulen på väggen för det. Jag säger dig bara det.«

»Men du såg ju lappen.« Nu lät hon envis.

Men han kunde också vara envis.

»Nej, jag såg inte lappen. Jag såg nånting som du själv skrivit. För att pressa in mig i nåt jävla hörn!«

Nu hade han sagt det. Och Henrik hade kunnat fortsätta. Peka på hur Mattias inte lät sina m avslutas på det sättet. Sonen dröjde kvar med pennan och lät en mjuk linje ta bokstaven ända ned till nästa rad. Och han kopplade inte ihop prickarna över ö. De var mer streck än prickar och skar ned i överkanten på cirkeln. Och Mattias skrev sina d i två rörelser, inte en enda som Lisbeth. Små detaljer, men så uppenbara för Henrik som gärna lät ord präntas på papper och få eget liv.

Men han sa inget. Och Lisbeth lät honom inte få chansen.

»Du är inte klok«, sa hon och försvann upp till andra våningen.

Jag kommer inte hem förrän vi vet vad som hänt Charlie.
Jag vågar inte bo med pappa.

Så fult av henne. Hon kanske hade övertalat Mattias att gömma sig? Men då hade hon kunnat be honom att skriva lappen också. När Henrik tänkte efter ångrade han sig. Vad onödigt att avslöja henne. Nu skulle hon aldrig sluta tvivla på honom.

Han borde gå upp till sovrummet och försöka vara vänlig. Förklara hur han förstått att det inte var Mattias som skrivit lappen. Men hon skulle väl förneka det i alla fall. Och lappen hade polisen tagit hand om så han hade inget att peka på.

Istället gick han ut på verandan och satte sig. Strax kom han tillbaka in igen. Mörkret lämnade honom ingen ro. Istället för att gå upp till Lisbeth satte han sig med papper och penna och ville skriva till henne. Han var trött, oändligt trött, och hon var avlägsen.

Mina solkiga händer ville ha dig

Orden kom ur honom på ett sätt Lisbeth skulle få svårt att ta till sig, han visste det. Men när han höll pennan kunde han inte låta bli att fläcka pappret med sin vånda, allteftersom den värkte ur honom.

Mina valkar och mitt grova skinn
har längtat, har vetat, har icke sonat

Långt senare, när Anna var hemkommen och i säng, och han stod och borstade tänderna i badrummet, vandrade tankarna vidare igen. Gjorde en lov och kom åter till dagens händelser och till Lisbeth. Hennes variant av sanningen.

Och samma stilla undran som tidigare slog honom.

Det var igår kväll hon pratat med Antes, och ordnat för Anna för första gången på länge. Då hade Mattias varit hemma. Då hade han kommit ut på verandan och drömt sig tillbaka till barndomen. Det var i morse han försvunnit och Lisbeth kontaktat polisen. *Men det var igår hon ringt Antes.* Och på köpet slapp Anna vara med om polisförhöret idag.

Det verkade nästan som en tanke.

Såvida inte Lisbeth farit ovarsamt fram med sanningen igen. Till polisen. Hon kanske inte hade ringt till Antes förrän idag men inbillat sig att det var bättre att säga igår.

Henrik öppnade medicinskåpet. Plockade lite. Bakom munvatten och sårsprit fanns en förpackning med sömntabletter. Den var oöppnad.

Då var det som hon sagt ändå, hon hade varit hos läkaren. Hon hade bara tänkt fel när hon bluffat för polisen. Så dumt att vara mån om sitt anseende när man är i kris och inte får sova. Det skulle väl ingen säga något om. Det måste väl varenda människa förstå.

Men när han läste på asken var den uthämtad för flera veckor sedan, alldeles efter att Charlie försvann.

Anna 13 år

Besök

Petter skulle alltid *leka*. Anna var less på det men det var han som bestämde. Hon förstod inte syftet och hon tyckte inte det var kul. Hon hade nästan slutat komma hit, men den här veckan var annorlunda. Det var hennes enda chans att träffa honom.

Och alla andra verkade gå upp i det. Det var bara Anna som hatade lekarna. Hon tyckte bättre om lekarna med Petter, när de var ensamma i hans lägenhet. Det här var fånigt.

Nu var det dags att rada upp sig i två lag. Någon skulle gå fram och möta en person från andra gruppen mitt på golvet och utbyta hemligheter. Det skulle vara något positivt om någon i den andres grupp. Sedan skulle man gå till den och viska det. Och så gick budkavlen vidare. Petter själv stod i mitten och lyssnade. För att få höra allt.

Men det var elakt tänkt. För egentligen var det Petters sätt att skämta som fick det att bli ett litet samtal där mitt på golvet. Och det var han som bestämde ordningen. Vilka de skulle prata om varje gång. Det var bara så tröttsamt att det gick att räkna ut hur det skulle bli. Adrian skulle få gå fram till mitten och med hundra procents säkerhet skulle han sedan komma och viska något till Anna. Och hon ville inte ha Adrians mun mot sitt öra. Hon ville inte ha hans andedräkt mot kinden. Hon förbannade Petter för att hon skulle bli tvungen till det. Hon förbannade honom för att hon kunde räkna ut det också.

Anna var sur. Därför tog det någon minut innan hon upptäckte honom. En kille som var mycket längre än de andra. En kille i Petters ålder. Han stod i andra gruppen, längst ut mot kanten. Och han stirrade på henne. Det måste vara Petters kompis! Så det var en kille ändå! Anna blev glad. Ofrivilligt log hon och var tvungen att vända sig om för att dölja sin lättnad. Så skönt! När hon vände sig tillbaka tittade killen fortfarande på henne. Hon vände bort blicken igen, men hon jublade inombords. *Ja, det är jag som är hans flickvän. Titta du.* Hon förstod att Petter berättat. Annars skulle killen inte stå och spana in henne. Hon växte.

Den nye killen var en av de första som Petter vinkade fram. När han stod i mitten och viskade med Petter och en tjej från Annas lag märkte Anna att hon för första gången kunde fundera över Petters liv. Att han hade ett liv på riktigt, som alla andra, utanför församlingsgården och deras kokong i lägenheten. Verkligheten blev större när han hade en kompis på besök. Anna kisade. Tjuvkikade. Han hade inte alls samma stil som Petter. Han såg mer ut som en kuf. Någon hon kanske sett förut, på stan eller så. Med håret i ljus, pissgul råttsvans. Och pipskägg. En *kultursnubbe*, skulle Per-Arne ha sagt i ett försök att vara lustig. *Ful*, tänkte Anna. Men Petter och han kanske hade vuxit upp ihop. Då kan man ju vara rätt olika när man blir äldre. Så var det ju med Anna och Sara.

Så kom killen rakt mot henne! Anna vände ned blicken. Varför skulle Petter skicka fram sin kompis? För att ge honom en chans att riktigt glo? Räckte det inte när han stod där på tio meters håll? *Det här var inte roligt!*

Anna vågade inte titta upp när pipskägget kom alldeles nära och stannade intill henne. Hon bara stod med huvudet böjt och såg in i hans blekblå tröja.

Anna väntade. Inget hände. Hon höll andan och fick för sig att killen *luktade* på henne. Vad äckligt! Han kanske försökte se ned i hennes tröja också, för han var mer än ett huvud längre och hade ögonen alldeles ovanför.

Anna höll andan och vägrade lyfta huvudet. Hon väntade på att han skulle säga något, men han bara stod tyst. Och *fluktade*. Det var nästan som om han ville stoppa händerna innanför hennes kläder … Anna rös. Hon kikade efter Petter för att få hjälp.

Så såg hon att Petter vinkade fram henne. Just ja! Nu var det ju Annas tur. Hon smet snabbt från sin plats och skyndade sig fram till Petter. Där stod redan en kille från andra laget.

»Vet du vem det där var?« undrade Petter med sin vänliga *pratar-med-alla-för-jag-är-ungdomsledare-röst*. Den där tillgjorda rösten som Anna gillat innan hon kände Petter. På den tiden hon trott att han aldrig svor och faktiskt var på det viset.

»Det är din kompis, va?« Anna såg på honom. Petters ögon var i alla fall äkta.

Han tvekade lite. Sedan sa han bara:

»Ja.« Och så kom dråpslaget. »Anna, du kan väl fundera ut något snällt om Adrian.«

Annas ögon öppnade sig. »Va?«

Petter log brett. »Just det. Om Adrian. Något positivt.«

På kvällen funderade Anna över Petters kompis och Petters liv. Det fanns alltså ingen tjej som betydde så där jättemycket i alla fall. Då borde hon väl varit på besök vid det här laget. Fast Petter hade ju varit ner till Uppsala över jul, så man visste aldrig. Men det var i julklapp Anna fått flodhästen. Petter hade åkt hem för att hämta den när han sett henne på stan. Han hade köpt den i förväg så det var en planerad julklapp, inget hugskott bara. Så om det fanns en tjej i Uppsala så var det hon som var bedragen. För Petter låg med Anna. Eller han kanske låg med båda?

Anna fick rysningar när hon tänkte på hur det skulle vara om en okänd, lång kille med snorgult skägg skulle kyssa henne. Hon slog bort tanken. Det kunde aldrig ha varit Petters mening att låta en kompis fantisera om henne. Det var säkert bara som Anna var pervers när hon inbillade sig att kompisen velat tafsa på henne. Fast varför hade Petter skickat honom till just Anna? Var det för att hon skulle få träffa honom? Men då kunde hon väl få komma på besök istället?

Anna bestämde sig för att ringa och fråga om hon fick komma. Hon skulle göra det imorgon innan simningen så hon kunde åka dit redan på kvällen om hon fick. Och varför skulle hon inte få det?

Det enda som gjorde henne tveksam var att Petter sagt att de inte kunde ses den här veckan därför att han hade besök. Men nu när hon redan träffat hans kompis måste det väl vara okej?

Ett par fjärilar i magen hade hon i alla fall när hon ringde.

»Jag undrar om jag kan komma och hälsa på ikväll.« Anna tyckte att hon lät vuxen och att det verkade helt naturligt att hon ringde.

Men Petter tvekade. »Vet du … varför det? Vem är det du vill träffa?«

Anna fattade ingenting. »Dig«, sa hon ärligt, »jag vill egentligen träffa dig. Men han är ju där, så …«

Då kom svaret direkt. »Det går inte. Det funkar inte. Om du hade varit intresserad av honom också, så hade det varit en annan story, men … nej.«

Då tappade Anna fotfästet. Hon mumlade att hon-skulle-i-alla-fall-hellre-egentligen-vilja-träna-för-det-blev-så-att-det-blev-inte-så-ofta-så-det-var-bäst-att-göra-det. Och så la hon på.

Blickstilla på sängkanten kom samtalet tillbaka i spröda ljud-strängar: »… *om du hade varit intresserad av honom* …«

Anna åkte på träningen. Under hela tiden i bassängen grät hon. Det syntes inte men det hjälpte inte upp resultatet heller. Petter ville inte träffa henne därför att hon inte var intresserad av hans kompis. Först skickade han fram kompisen för att glo och sedan ville han veta om Anna var tänd på honom. Hon kände sig som en hora. *Hora.* Petter trodde att hon kunde säljas till hans kompis. Hon kände skam i hela kroppen. Den blev blytung och omöjlig att bestämma över. Benen hade ingen kraft och armarna ville inte ta simtagen. Till slut smet hon med en halv ursäkt till tränaren om att hon hade mens och hade ont och måste hem.

Hon hade en annan anledning att gå ifrån tidigt. Hon ville inte duscha med sina träningskompisar. Hela hennes framsida som Petter skäggat förra veckan var fortfarande full av små kvisslor. Det hade börjat klia redan på väg hem och på natten hade hon rivit sig med naglarna på brösten och magen och insidan av låren och gjort utslagen värre. Det såg förfärligt ut och hon skulle inte ens ha visat det för Petters fula, kåta kompis som inte kunde skaffa egen tjej.

Hon var för skakad för att gå tillbaka. Hon hoppades att han skulle höra av sig istället. Om hon lät bli att gå dit så skulle Petter sakna henne och till slut ringa eller stå utanför simhallen.

Men det gjorde han inte.

En kväll vid middagen sa Per-Arne: »Petter verkar tycka att du är på rätt väg nu, Anna.«

Anna var oförstående. »Vad menar du?«

»Han säger att du verkar gladare och inte så sökande längre.«

Hur kunde Petter säga något om hur hon kände? Hon hade inte ens gått till ungdomsgruppen sedan han kommit dragande med sin äckliga kompis.

»Jaha«, var det enda hon fick ur sig. Men mamma verkade nöjd.

Den kvällen grät Anna. Hon grät över mamma som inte fattade hur övergiven hon var och som bara var intresserad av att döttrarna skulle uppföra sig. Hon grät över sin riktiga mamma, hon som hållit en bebis som hette Anna och som inte fått se sin Anna växa upp. Hon grät över flickan Anna som inte fått ha sin mamma kvar. Och hon längtade efter Petter så det gjorde ont. Hon ville ha honom över sig och på sig och inuti sig. Hon ville att något skulle ta bort det svarta hålet inne i bröstkorgen.

När Petter ringde nästa kväll kunde Anna inte känna glädjen skutta till i kroppen, som den alltid gjort förut när hon hört hans röst. Utan att hon ville det lät hon arg.

»Varför har du sagt saker om mig? Till Per-Arne?«

Petter skrattade till.

»Äh! Jag ville veta om det var något speciellt som hänt. Du hörde ju inte av dig.«

Anna blev misstänksam. Så här snäll och förstående var inte Petter. *Omtänksam*, hette det. Och det var han inte. Fast han försökte låtsas att han var det. Varför hade hon inte velat tänka så förut?

»Jag ska till fjälls en vecka snart, så jag tänkte försäkra mig om att du mår bra.«

Då kunde Anna inte låta bli:

»Kan jag komma till dig imorgon kväll?«

»Nej, jag måste jobba om jag ska hinna fixa färdigt programmet för fjällresan.«

»För de i rullstol?« Alla i ungdomsgruppen visste hur mycket Petter kämpat ända sedan i höstas för att få till stånd en resa för handikappade ungdomar.

»Just det. De i rullstol.«

Först nu insåg Anna att Petter var engagerad *på allvar*. Men hon förstod inte. Hur skulle handikappade ungdomar kunna ha glädje av en resa till fjällen? De åkte inte skidor. Och de kunde väl inte hångla i rullstolarna?

När Petter kom tillbaka från sin resa stod Anna snart och ringde på hans dörr igen.

Hon gick in i hans famn. Först verkade Petter handfallen, men kramade sedan om henne innan han lirkade sig loss och satte sig ned i sin fåtölj. Han hade redan en påse skorpor och en colaflaska på bordet.

»Hämta ett glas om du vill ha.« Han verkade undvika att se på henne.

Anna tänkte att han inte stack handen innanför tröjan eller byxorna på henne. Sedan slog hon bort det. Det gjorde ingenting. Det betydde ingenting. Det betydde i alla fall inte att han hade en annan.

Anna satte sig på sängen. Tillbaka där det en gång började. Och Petter såg nästan ut som den gamla Petter. Som innan han började sätta på henne. Som kyssar och varma händer. Men det var annorlunda nu. Hon kikade efter kondompaketet men kunde inte se det bakom cd-skivorna. När Petter hade blicken någon annanstans kände hon efter under kudden också.

Sedan kunde Anna inte hjälpa det. Hon måste smita in på toaletten. Låsa dörren och rota tyst bland hans toalettgrejer.

Ingenting. Det var bortstädat.

»Du pratade om din pappa en gång«, sa Petter när hon satte sig igen. »Du frågade om jag visste hur han tog livet av sig ... vad ville du egentligen veta om din pappa?«

Anna sjönk ihop på sängen. Höll armarna om sig själv.

»Varför han gjorde det«, sa hon. Mycket tyst.

»Och din mamma, då? Undrar du över henne också?«

Anna tvekade. Det var mer avlägset. »Jag har nog ... inte funderat så mycket över henne. Jag har alltid vetat vad som hände. Det som blev fel. Det var inte meningen att jag skulle få veta, men sånt där kommer ju ut ändå. Men jag vet inte hur min pappa tänkte. Och det har varit jobbigt ...«

Anna vände bort blicken när hon såg Petters ögon komma farande. Hon ville inte se på honom. Hon ville inte gråta. Det kändes som att de gått igenom det här förut.

»Varför frågar du om de här sakerna?« ville hon veta.

»Därför att jag tycker vi borde prata om det.«

Anna funderade. Varför var han inte intresserad av henne längre? Försökte han göra slut? Kanske hade hans tjej varit på besök ändå? Kanske hade hon väntat i lägenheten medan Petter var på ungdomsgruppen med sin killkompis. Kanske killen i ungdomsgruppen inte ens var en kompis. Det kanske var någon Petter raggat upp på gatan för att *låtsas* vara kompis för att Anna inte skulle misstänka något. Det kanske var så sjukt.

När Anna tänkte efter stämde den misstanken på ett obehagligt vis. Känslan av att hon sett den killen förut. Givetvis hade hon det om han strök omkring på gatorna och satt och drack öl på torget. Anna önskade plötsligt att hon tittat upp på honom när han stått nära, så hon kunnat se honom ordentligt. Då hade hon kanske vetat.

»Vad heter din kompis?« for det ur henne.

»Va?«

Nu tänker du efter, för du vet inte.

»Han som var på besök. Vet du ens vad han heter?«

»Det är klart jag vet vad han heter.«

Anna väntade.

Petter vände på hennes fråga. »Varför undrar du det?«

Anna gapade, först tillgjort och sedan chockat. Han *hade* verkligen haft sin tjej här. Och den där killen var vemsomhelst från gatan.

»Det har väl ingen betydelse vad han heter. Jag trodde förresten …
att du redan visste.«

»Du har aldrig sagt något namn. Jag tror inte det var din kompis.«

Petter såg länge på Anna.

»Vad är du ute efter egentligen? När du ställer de här frågorna?
Vad tror du att det handlade om?«

Anna svalde. Det flög förbi många scenarier i huvudet på henne.
Petter som tänkt se på när killen från ungdomsgruppen låg med
Anna; Petter och Anna och killen i en trekant av händer och tungor
och könsdelar; Petter med en massa andra tjejer och hur de skrattade åt Anna när han berättade hur oerfaren hon var; Petter när han
sa till sin tjej från Uppsala att det inte spelade någon roll alls om hon
kunde något eller inte för det var henne han älskade …

Petter hade aldrig sagt att han älskade Anna.

Anna, som trodde att hon älskade Petter, hörde honom sucka.

»Jag hade tänkt berätta för dig om din mamma och din pappa.
Förut hade du behov av att prata om de här sakerna. Vill du inte
göra det längre?«

Anna fick dåligt samvete.

»Jo.« Hennes föräldrar, de hon en gång haft, fanns hela tiden
med henne, men aldrig så tydliga. Aldrig verkligare än hennes behov av Petter.

Petter började prata. Först trevade han sig försiktigt fram bland
människorna som funnits i hennes familj, sedan började han berätta
om det som tyngt hennes pappa och mamma på slutet, hur de dragit
ner varann. Om hur hennes pappa gjort så hennes mamma tvivlade
på hans oskuld, men att han antagligen varit oskyldig – där kom det

där *antagligen* som skulle förfölja henne – och hur hennes mamma känt sig tvingad att få fram en sanning som antagligen – *där kom det igen!* – inte fanns. När Petter berättade om hennes pappas sista dygn blev han forcerad, och det var tydligt att han inte visste så mycket. Men vem kunde väl veta särskilt mycket som inte varit där. Anna själv hade varit där och allt var bara ett töcken för henne.

Trots att hans ord skadade henne och trots att hon ville värja sig, kände Anna hur skönt det var att fokusera på något annat än det som fanns eller inte fanns mellan Petter och henne. Att han lotsade henne till att släppa det en stund. För det, och för att han satt här och försökte hjälpa henne, kände hon oändlig samhörighet. Hon försökte låta lite av den känslan gälla också för Per-Arne, för hon var medveten om att det måste vara han som låg bakom informationen. Men det gick inte. Anna hade överhuvudtaget svårt att förstå hur Per-Arne kunde veta alla detaljer. Men någon annan förklaring fanns inte.

När Petter försiktigt kom in på Ringarkläppen och nämnde lite om de andra människorna i byn blev han glättigare på rösten och Anna lyste upp. Det här var minnen hon tappat, men de där människorna hade haft namn och givetvis hade Per-Arne och mamma Erika besökt gården efteråt och hämtat Annas saker och pratat med grannarna. Varför hade hon inte tänkt på det förut? Åh, det fanns så mycket att få veta, även om det bara var små detaljer och även om det kom från någon som berättade tredjehandshistorier. Hon blev ivrig över möjligheterna.

»Berätta om mitt rum. Om huset.«

»Jag vet inget om det. Jo, förresten. Du har en inkomst från det där huset för det är uthyrt. Allt juridiskt bök är ordnat och du sitter på en fin liten investering. Du kan sälja huset när du blir vuxen. Om du inte vill åka tillbaka och se hur det var.«

Anna blev tyst. Hon funderade. Och lyste upp ett ögonblick.

»Kan inte vi åka dit? Du och jag? Med din bil …«

Sedan slogs fötterna undan på henne. Ingenting skulle gå att återskapa. Det skulle vara en färd rätt in i dödens land. »Nej, jag vill inte, förresten. Låt det vara. Prata om något annat. Om vad som helst annat ...«

Och medan Petter började prata om sin vardag satt Anna och tänkte på sin pappa. Och såg på Petter. Han hade försökt hjälpa, men han hade gjort saken värre. Om hennes pappa *antagligen* var oskyldig, så betydde det att det fanns en möjlighet att han var skyldig. Och det var den förfärliga möjligheten Anna hörde. Att hennes pappa kunde ha varit skyldig.

Om du bara visste vad du gjort, tänkte Anna. *Om du ändå kunde fatta.* Och hon blev nästan rädd att hon sagt det högt. För hon ville skrika ut det. *Ditt jävla »antagligen« har sabbat livet för mig!*

Men hon måste sett ut som vanligt, för Petter pratade på och var snart engagerad i att beskriva handikappresan. Sakta kom Anna tillbaka till verkligheten, att hon satt på Petters säng och att han pratade med henne. Han behandlade henne nästan som en jämnårig. Hon försökte lyssna för att kunna säga något, något som lät vuxet, men hon stördes fortfarande av att Petter valt att lägga så mycket tid på att några andra skulle få komma hemifrån och kunna träffas en hel vecka och övernatta med andra än sina föräldrar.

Jag skulle också vilja det, tänkte Anna och plötsligt stod det klart för henne:

»Kan jag komma och sova hos dig någon gång?«

Petter skakade reflexmässigt på huvudet. »Nej. Det kan du inte.«

»Varför inte?« Anna var redan ivrig inför möjligheten. »Jag kan åka till Sara i Sundsvall och bli less efter en dag och komma hit istället!«

Men Petter ruskade på huvudet.

»Jag har varit oschyst. Jag borde ha pratat med dig hela tiden, som det var tänkt. Jag borde inte ha *legat med dig*.« Det sista sa han viskande och så hetsigt att Anna kände hettan åka rutschkana genom kroppen.

Anna skämdes när insikten hann ikapp henne. Hon hade tänkt att han försökt sälja in henne till sin kompis, att Petter tyckte det var okej om hans kompis lånade henne och satte på henne. Hon hade verkligen trott att det var så. Och så var han bara bekymrad över henne. Över att de haft sex.

»Jag ville ju.« Anna hoppades intensivt att han skulle resa sig och komma till hennes sida. Hålla om henne och inte kunna låta bli.

Men han gjorde inte det. Då reste sig Anna resolut och klev runt bordet och trängde sig förbi framför Petter i ett låtsasärende till köket.

Han slog ut en arm och stoppade henne. Det var det hon hoppats på. Hon sjönk ned i hans knä. De kysstes. Länge. Hårt och mjukt på samma gång. Tills Petter sa: »Fan ta dig«, och började knäppa upp jeansen.

»Vänta.« Han lyfte bort Anna. »Jag måste pissa först.«

Anna gick över till sängen. Hon började knäppa upp sina egna jeans. Petter stack handen bakom en trave böcker på golvet vid skohyllan och kastade något mot sängen. Kondompaketet. Samma som Anna hållit i för flera veckor sedan och lagt en siffra på minnet.

Hon log och drog av sig byxorna och la sig på mage på sängen. Tog fram den kondom som nästan ramlat ut och öppnade den. Höll den glättiga rullen mellan fingrarna och kände hur hon längtade i kroppen. I hela kroppen.

Petter kom ut från badrummet samtidigt som Anna vinklade upp förpackningen och såg. Sju stycken. Det skulle vara sju kvar. Men där fanns bara två. *Med den Anna hade i handen var det bara två kvar.* Glödgat järn tryckte sig in i magen samtidigt som Petter satte sig grensle över hennes rumpa och tog kondomen ur handen på henne.

Ett par sekunder efteråt drog han av henne trosorna och ryckte upp henne på alla fyra. Anna försökte hålla för ansiktet och tryckte knogarna in i munnen.

Petter förstod inte förrän han lyfte upp hennes överkropp för att slicka henne på halsen. Han kände tårarna när han vände hennes ansikte mot sig. Anna upplevde hur han krympte inuti henne och överallt. Han riktigt sjönk ihop i kroppen samtidigt som han såg hur det var fatt med henne.

»Men Anna, vad är det?« Han vände på henne och höll hennes ansikte. »Vad är det, min älskade Anna …«

Och Anna grät ännu mer över de orden. Först när det var slut fick hon höra orden hon längtat efter.

Det tog ett långt tag innan Anna kunde prata.

Hon visste inte vad hon skulle säga. Hon ville inte säga att hon spionerat och misstrott honom. Han höll henne och han kysste henne och hon ville inte säga att hon visste. För det gjorde så ont. Och hon ville så desperat bli hållen. Ändå måste hon säga något.

»Jag trodde att du aldrig mer ville ha mig … jag tänkte att du hade en annan …«

Han höll henne hårt. Han svor att han inte hade någon annan. Han förklarade att han haft så dåligt samvete över att hon var så ung, att han tänkt att det inte var bra för henne för ärligt talat visste han inte hur han ville ha det.

»Du älskar mig inte«, viskade Anna till slut mellan hulkningarna. Hon behövde få säga det.

»Jag vet inte.«

Konstigt nog kändes det lugnande. Hon fick fast mark under fötterna när hon förstod att han åtminstone var ärlig. Han hade inte ljugit om kondomerna heller, för hon hade inte frågat. Och att Petter legat med en annan flera gånger hade kanske inte med saken att göra. Han var i alla fall ärlig med att han inte visste hur han ville ha det med Anna.

Hon kände sig kolugn när hon frågade: »Vill du inte att jag kommer mer?«

Tystnad. Ett långt tag.

»Jag vill att du gör som du känner att du mår bäst av.«

Anna funderade, men bara en kort stund. »Jag vill komma hit och bo här en natt.«

»Gör det då. Planera och gör det någon gång.« Petters adamsäpple åkte upp och ned.

»Då kommer jag till valborg. Så blir det två nätter …«

Han blundade. »Okej. När du kan så kommer du. Men blanda inte in mig.«

Han insåg hur absurt det lät och så skrattade båda. Trötta och omskakade.

Men Anna flinade hela vägen hem. Hon var skadad men hon skulle få som hon ville.

Hon skulle få som hon ville. Petter skulle fortsätta ligga med henne. Så det var oresonligt att hon kände som hon gjorde. Att det bara tog en halv dag för att hon skulle ätas sönder av tankarna.

För Anna kände sig svartsjuk. Hon var vansinnigt svartsjuk på en tjej i Uppsala som hon inte ens visste vem det var. Hon var oresonligt svartsjuk på ett gäng handikappade tjejer som Petter tillbringat en vecka med. Hade han knullat med någon av dem? *Hur skulle det gått till?* Men hon kunde inte förmå sig att skratta. Hon var för svartsjuk för det. Och innerst inne förstod hon att hon inte hade en chans om Petter blev förälskad i en annan tjej. Oavsett hur hon såg ut eller om hon satt i rullstol.

Anna 23 år

Prästen

Anna sitter ensam på en buss.

Mirja hade dinglat Petter framför henne som en nyckelring och trott att hon skulle bli vild över möjligheterna. Men Anna funkar inte så. Hon vacklade fram och tillbaka men till slut bestämde hon sig för att inte åka till begravningen. Inte för att hon har något emot att låtsas tillhöra de sörjandes skara bara för att få möta prästen. Anna har gjort sjukare saker än så, och döden är inte främmande för henne. När Anna var sju år gammal såg hon sin mamma för sista gången. I en kista.

Anna minns hur hårt moster Erika kramade hennes fingrar.

Ingen kan säga att Anna är rädd för döden. Eller begravningar.

Hon är ganska glad att Mirja sitter i en kyrka ute på landsbygden i tron att hon inte tänker komma. Inte förrän Mirja redan stuckit ändrade Anna sig. Hon vet inte riktigt varför, men det har med nyfikenhet att göra. Och rädsla för att ångra sig. Som den gången hon sa att hon ville se sin mamma. Hon ville egentligen inte, men visste att hon aldrig någonsin skulle kunna ändra sig om hon sa nej. Det var liksom sista chansen.

Anna har ofta varit velig, men Anna har aldrig missat den sista chansen.

Därför sitter hon nu på en buss på väg ut i periferin. Och känner en viss tillfredsställelse över att ha klarat precis samma sak som Mirja – letat upp honom på nätet och sedan ringt församlingen. Och begravningsbyrån, för en vägbeskrivning. Men som vanligt var Anna ute i absolut sista stund medan Mirja planerade allt för flera dagar sedan.

Det här behöver förresten inte vara sista chansen, men Anna

tänker betrakta det så. Hon tänker träffa Petter och sedan måste han ut ur hennes liv.

Bussen tar henne över ett böljande landskap med åkrar och skogspartier. Någon har planterat körsbärsträd kilometer efter kilometer mitt ute i ingenstans. De är kala och skraltiga så här års. Mamma och Per-Arne har tre körsbärsträd på baksidan av huset men här klättrar de i hundratal i rad upp och ned längs vägen.

Hur kan man bo så här avsides? Anna vet att hennes föräldrahem låg ännu längre från närmaste stad, och ännu djupare in i skogarna. Där fanns inga körsbärsträd och inga busshållplatser. Inga skyltar vid vägkanten som sa: »Kakelugnsmakeri«.

Hon kan inte låta bli att känna att man måste vara galen för att bo så här. Hon skulle aldrig klara det. Sedan undrar hon om hon läste rätt. Man kan väl inte vara … *kakelugnsmakare*? Heter det så? Finns det sådana yrken?

Igår kväll försökte Mirja peppa henne. Satt på sängen och försökte övertala. Sa att det var världens chans att bli av med spöken. Träffa Petter och sedan dö, skämtade Mirja. *Träffa Petter, berätta för Mirja om olyckan och sedan dö,* tänkte Anna.

Mirja har engagerat sig så länge och till slut hittat Petter för hennes skull. Utan att Anna bett om det. Men Anna har börjat undra vad hennes vän egentligen vill. För vems skull envisas Mirja med Projekt Petter?

Anna får så många tankar på en buss i periferin. Plötsligt känner hon att hon sitter och ler. Hon älskar Mirja, som tänker leda henne till rannsakningens bås hur mycket motstånd hon än gör. Som har börjat dra åt tumskruvarna och *vaktar* så Anna inte längre går ut ensam på puben. Anna försöker känna efter om det är bra eller dåligt att bli begränsad.

Så rycker hon till, mitt i tankarna, av att chauffören ropar över axeln att hon ska av. Hon kikar ut medan hon går fram till bussdörren. På vänster sida finns en vitrappad kyrka omgärdad av en stenmur.

Stunden har kommit.

Och Anna vet inte vad hon är ute efter.

Det är skumt inne i kyrkan jämfört med ljuset från vintersolen på stentrappan utanför. Anna väntar någon minut i vapenhuset, utan att se, utan att synas. Men hon hör. En ekande mansröst. Den kan väl inte vara Petters? Hon blundar för att stänga ute allt annat, och då kommer rösten till henne. I de rullande ljuden som dånar mot stenväggarna finns en ton, en dialekt, en färg som hon känner så väl. Hon blir förvånad över hur man kan glömma en röst och ändå känna igen den tio år senare. Sedan öppnar hon ögonen och tar några steg, mot en situation hon aldrig någonsin befunnit sig i.

När hon ser prästen som mässar vid altaret i fotsid, svart kaftan blir hon osäker igen. Kan det verkligen vara Petter? Så får Anna syn på Mirja i en av de bakre raderna och det är bara att smyga in.

»Han är kort«, viskar Anna spänt till hälsning.

Mirja sitter tyst några sekunder.

»Fin röst«, svarar hon sedan. »Och fint av dig att komma hit. Kom bara ihåg att det är begravning.«

Anna glor till svar. Sedan kisar hon mot koret och koncentrerar sig på Petter. Hon är brydd. Kan en människa bli kortare på tio år? Och vart har det långa håret tagit vägen? Prästen har tunt hår med höga vikar i pannan och begynnande flint uppe på skulten. Dessutom bär han glasögon.

Anna börjar skratta bakom kupad hand och bitna naglar. Det är inget riktigt skratt, bara ett nervöst fnitter. Mirja nyper henne i låret.

Anna tittar igen. Hon kan omöjligt se förföraren. Hon ser bara en mammas gosse. Hon blundar och tittar igen. En datanörd. En asocial tönt. En liten kille som inte bestämt vad han ska bli när han blir stor. Hon tittar och ser något nytt varje gång hon blinkar. Sedan fingrar hon på sitt ansikte och känner sig overklig. Gråtfärdig utan att vara ledsen. Är det här killen hon tänkt på i tio år? Vad är det hon drömt om?

Tusen tankar och nästan inga känslor rusar genom Anna under den korta stund som är kvar av begravningsakten. När prästen viker ihop sina glasögon och folk reser sig efter sista psalmen och börjar tömma kyrkan följer de två tjejerna med. Genom grinden, ut mot landsvägen. Församlingsgården, där kaffe och tårta ska serveras, ligger precis intill.

Det blåser friskt i Annas kläder och hår, och hon vänder upp ansikte och blick. Vita skyar jagar över himlen, fort, fort. Hon tänker att hon kommit till en slutstation. Hon måste byta tåg och färdas åt ett annat håll nu. Men först ska hon ta reda på var hon hamnat.

»Jag ska träffa Petter igen, kommer du ihåg honom?«

Anna hade nämnt det till sin mamma i förbigående på telefon. Och varit helt oförberedd på reaktionen.

»Den där ungdomsledaren som utnyttjade sin position?«

Anna hade blivit närmast stum. »Vad menar du?«

»Men det måste du hört talas om! Eller var det bara vi vuxna som pratade om det? Han hade nog gjort någon av ungdomarna med barn, för han fick gå med omedelbar verkan. Och då brukar det ligga något allvarligt bakom. Det var förresten när du låg på sjukhus. *Hur* kommer det sig att du ska träffa honom?«

Prästen har precis växlat några ord med änkan.

»Hej Petter«, säger Anna lågt och ställer sig framför honom.

Prästen ser oförstående på den unga kvinnan som är nästan jämnlång med honom. Så höjer han frågande på ögonbrynen. Det här är Anna beredd på. Så här långt har hon tänkt i förväg. Hon öppnar munnen.

»Vi har träffats förut.«

Sedan vet hon inte mer. Hon funderar på att säga »i ett annat liv«, men kommer sig inte för. Hon blir bara stående och söker något av det gamla i hans ansikte. Medan Anna studerar honom ser hon tankarna i hans hjärna börja snurra. Och hon vet plötsligt att det kommer att räcka att bara stå där och spärra vägen. Lite för nära.

Hon skäms inte heller för att titta på strecken kring ögonen och tänka på att läpparna verkar mindre. Petter har ömsat skinn. Det är ett liv senare.

Cirklarna blir snävare. Det är den unga kvinnans röst som öppnar stängda dörrar i prästens huvud. Hennes utforskande blick som får honom att leta där han inte varit på länge. Och kanske det är hennes ansikte som till slut leder den irrande tanken i mål.

Anna tar sig tid att vara betraktare när Petter färdas tio år bakåt.

»Anna, minsann.«

Så står de framför varann igen, Anna och Petter. Hon har vuxit en hel del, han har blivit betydligt tunnhårigare. Och det är ingen som kan tro att de har en bit gemensam historia.

Tills han fortsätter:

»Jag är glad att du kan gå.«

Nu är det Anna som ser oförstående ut.

»Att du inte sitter i rullstol«, förklarar han. Samtidigt tar han i hennes arm och för henne åt sidan. En gest prästen måste gjort många gånger, för att ge en vilsen själ sitt förtroliga råd. För att skona någon från andras lystna öron. En enskild stund i en korridor eller på kyrktrappan eller som nu, i församlingsgården.

»Hur kände du den döde?« Petters fråga ställs utan misstänksamhet.

»Han var ju fritidsledare …« Sedan ändrar sig Anna hastigt. »Jag kände honom inte.«

Petter ler tveksamt. »Jag ska inte genera dig inför någon. Jag förstår hur det här har gått till. Bör jag vara rädd om skinnet nu?«

»Vad menar du?«

»För att jag höll inne med sanningen.« Petter talar tyst. Hans ansikte är samlat. Och oroligt. Anna försöker se in i det. Hon är fortfarande förvånad. Han är kort, och överdrivet snaggad, som för att bevisa att han inte räds flintskalligheten som kommer krypande. Och så är han utspökad till präst. Orolig präst.

»Vilken sanning?« undrar hon.

»Det jag berättade för dig, om din familj. Du trodde det kom från din styvpappa. Men du vet redan, va? Eftersom du är här.«

»Vadå?«

Han kisar mot henne. *Prästen* kisar och försöker genomskåda henne.

»Hur hittade du mig?« Först nu verkar han fundera över hennes ärende.

»Det var min kompis som hittade dig. Genom kyrkan.« Anna letar upp Mirja med blicken och pekar.

Petter blundar någon sekund. Sedan öppnar han ögonen och ser mot övriga i rummet. »Jag tror jag måste ägna mig åt de anhöriga nu. Men om du ger mig ditt mobilnummer så ringer jag.«

Anna skrattar till. Vad tror han egentligen?

»Om du vill prata med mig får du lämna *ditt* nummer. Så ringer *jag.*«

»Självklart«, säger han snabbt.

När hon knappat in hans nummer säger han:

»På lördag. Jag brukar gå till en jazzklubb på Kungsgatan.«

Hon skakar på huvudet. »Jag ville få svar på några frågor bara … men det spelar ingen roll. Allvarligt.«

»Jag bjuder på käk på klubben. Och svarar på frågor.«

När Anna fortsätter skaka på huvudet ändrar han tonen: »Nu vill jag att du kommer på lördag.«

Anna häpnar. Äntligen en skärva från det förgångna. Finns det en gammal Petter kvar därinne någonstans? Bakom prästens korrekta utsida? Men hon tror inte en minut på att hon ska komma iväg till en jazzklubb inne i Stockholm en lördag kväll för att träffa Petter Präst. Så hon passar på nu istället:

»Du kunde ha sökt upp mig igen. Eller brydde du dig inte alls?«

Nu är det Petter som får bråttom. »Kan vi vänta med förhöret?«

Vilken tönt. Som inte kan svara på en direkt fråga ens.

»Du kontaktade mig aldrig igen. Du visste inte ens om jag satt i rullstol förrän nu.«

»Det var uttryck för en ... sorg, över att det slutade som det gjorde.«

»En *sorg*? Vet du, jag har ett enda tydligt minne från den kvällen. Och det är av dig och hur du *skrattar* åt mig när jag tror att jag ska dö.«

Prästen tappar fattningen. Han blir helt mållös. Anna hinner tänka hur absurt det är att hon, som alltid försöker förtränga obehagligheter, inte är rädd för de här minnena. Han däremot, som borde vara van att bearbeta problem, klarar inte ens av att komma i närheten. Sedan överger hon tanken. Det är inte dit hon vill.

»Du kunde ha besökt mig på sjukhuset.«

»Jag fick inte för din styvpappa.«

För Per-Arne? Anna kisar. Petter talar för snabbt. För beredvilligt. Något klickar till i henne.

»Fick du sparken efter olyckan?«

Han ser på henne några sekunder. »Nej. Det kan man inte säga.«

»Och det var ingen du gjorde med barn?«

»Det hoppas jag inte. Verkligen inte.«

Jävla tönt. Och jävla, dumma mamma.

Anna funderar lite. Och sammanfattar: »Jag antar att jag får ärliga svar av en präst.«

»Ja, herregud.«

Petters ögon glimtar till. Anna ler ofrivilligt. Efteråt tänker hon att det här var enda ögonblicket de nådde jämvikt. Nådde fram till varann överhuvudtaget.

»Vilken pärs.«

Mirja ser frågande ut. De är på väg till busshållplatsen.

»Jag fick *dra* ur honom orden«, förklarar Anna. »Jävla nörd.«

»Är kapitlet Petter avklarat nu?«

»Det har varit avklarat länge«, ljuger Anna. Hon vill att sanningen ska se ut så. »Jag ska berätta om den jävla valborgsnatten, och sedan pratar vi aldrig mer om den tiden. Nu har vi sett honom och det var ju ingen upplyftande syn. Ingen extatisk upplevelse heller, kan jag meddela. Jag bara undrar varför du inte tog tillfället i akt att ställa honom mot väggen om ett och annat. Varför frågade du inte om alla de där sakerna jag inte kan svara på?«

Mirja tar henne under armen. »Du pratar och pratar. Orden bara rinner ur dig.«

»Jag pratar väl inte mer än vanligt. Jag bara säger att det var inget jag hade behövt oroa mig för. Varför jag nu skulle ha oroat mig, jag gjorde kanske inte det. Jag vet inte varför jag var nyfiken. Men Petter har blivit en tönt och krympt ungefär femton storlekar …«

»Du babblar! Sluta!«

Sent på eftermiddagen babblar Anna fortfarande.

»Hur kan han vara så *ointressant*? Så intetsägande, så …«

»Men vad trodde du egentligen?« Mirja låter nonchalant. »Att han skulle ge dig förstagångsupplevelser igen?«

»Det var inte jag som tvingade dit mig, jag måste inte deklarera vad jag trodde, vad trodde du själv?«

»Att du behövde det. Det finns vissa fördelar med att komma över saker i ens förflutna …«

Mirja fortsätter förklara. Anna lyssnar bara på vartannat ord och struntar i Mirjas teorier. Hennes överdrifter om allt. Men något i det Mirja sagt kittlar Annas fantasi.

»Det är ju en idé … Låta *Petter* vara med om något nytt för omväxlings skull.«

»Man kan inte förlåta någon som inte ens ber om förlåtelse«, säger Anna på kvällen.

»Ska du inte ge honom en chans att göra det då?« undrar Mirja. »Gå till jazzklubben på lördag.«

»Så du har ändrat dig? Förut ville du ställa honom till svars, men nu ska han plötsligt förlåtas?«

»Jag tror att du skulle må bra av det. Det har gått tio år. Och han har blivit präst. Han har säkert ångrat sig.«

»Knappast. Men jag ska se till att han ångrar sig. Jag ska hämnas.«

Det är tyst ett tag. Annas ansikte är orörligt. Till slut frågar Mirja: »Hur ska du hämnas?«

»Jag har tvingat killar förr. Jag har ju en bra hållhake på honom.« Och när Mirja bara ser på henne med tusen tankar gömda bakom håret: »Kyrkan. Han vill inte att det kommer ut. Att han utnyttjade sin position.«

»Du gör det inte«, säger Mirja långsamt. »Jag vet att du inte kommer att hota honom. Han är faktiskt präst.«

»Ha! Han är väl inte helig för det. Och tänk dig – en präst! Jag kan ta bilder om du vill.«

Men Mirja skrattar inte.

Sent omsider hörs Annas röst i mörkret:

»Följer du med på lördag? Så går vi hem tillsammans.«

»Jag är alltid med dig. Intill tidens ände.«

När dagen släcks

Det blev gryning igen. Henrik stod vid köksfönstret och strök sig över den grånande skäggstubben med en enda känsla i kroppen. Han ville få slut på rotationen av jorden. Inga nya dagar. Inga nya nätter. Det var väl inte rimligt att allt fortsatte som vanligt när fundamentet för hela existensen hade börjat vittra sönder i hans eget hus.

Lisbeth var inte kontaktbar. Hon gick och gjorde saker i köket, i rummet, i hallen. Ibland gnydde hon till, men hon var helt i sin egen värld.

Han hade slutat med promenaderna. Han kände inte igen sig själv, att nästan vara mörkrädd i skogen. Även mitt på ljusan dag.

Tankarna snurrade. När han sökte få grepp om sakernas tillstånd var det sommarjobbarnas förehavanden som gnagde mest. Han kunde inte bli kvitt tankarna. De fanns där hela tiden, som oknytt i skogen, vare sig han ville det eller inte.

»Latjävlar tar väl inte en spade med sig till skogs? Och bär planten en och en halv kilometer och *sen* gräver ned den?«

Lisbeth bara tittade på honom med tom blick. Hon tog inte in några ord. Men Henrik kunde inte låta bli att älta vidare.

»Det är nåt som är fel. Varför bar de ända upp till hygget? Varför grävde de inte bara femti meter från bäcken?«

Han gick några varv i köket och pustade på nytt.

»De måste ha kommit på det när de redan burit en massa lådor till hygget. Så var det, förstås. Det gick ett tag och sen kom de på att gräva ner några stycken.«

Han såg på Lisbeth att hon inte förstod. Och han begrep inte själv varför det var så viktigt att reda ut vad ungdomarna gjort på hygget.

»Men det stämmer inte. De fortsatte bära hela tiden. Bo-Anders levererade plant till Svartbäcken och ungdomarna bar och gömde uppe på hygget. Varför?«

Till slut måste Lisbeth känt sig tilltalad. Henrik såg henne öppna munnen men hann före med malandet igen.

»Varför bära hela vägen? De var inga dumskallar. Kajsa var ju med … Men hon kan väl inte ha hållit på med sånt?«

»Håll käften om det där! Jag vill inte höra mer!«

Hur mycket Henrik än ville släppa tankarna gick det inte nu.

»Alla kan inte ha varit med på tilltaget. Det måste gått till så. De fick smussla undan en låda då och då uppe på hygget.«

Lisbeth sjönk ned på golvet och lutade huvudet mot diskbänken.

»Sluta med det där! Gå till Bo-Anders om du måste bry dig om hans plantsättning.«

Henrik kunde inte hålla inne med nästa radda heller.

»Hur kan man riskera att gräva alls? Kajsa kom och gick på hygget. Hade hon kommit på dem hade de åkt dit. Hon hade pratat med Bo-Anders direkt.«

»Ut!« Lisbeth höll för öronen och bara vrålade. »Ut! Ut!«

Henrik måste få bukt med funderingarna. Han mumlade frågor och svar, högt för sig själv, hela vägen till Bo-Anders: »Några stycken var kvar och grävde när Kajsa hade gått, förstås. Men vad gjorde de av jorden? Bar ned till sjön? Om man inte bär spade för spade så måste den läggas på nåt.«

Han kände att det rörde på sig. Något höll på att lossna. Men han förstod fortfarande inte varför det var viktigt.

Bo-Anders satt i köket och bytte batterier i en fjärrkontroll.

»De var inga dumskallar«, sa Henrik till honom. »De tänkte ut en plan, tog en spade med och en säck. Eller nåt annat för jorden.«

Bo-Anders la ifrån sig fjärrkontrollen.

»Latjävlarna hade inte kommit på att gömma under granen ännu«, fortsatte Henrik. »Det kom senare …« Han hejdade sig. »Det stämmer inte i alla fall. Varför gräva där alla står och går? Det stämmer inte …«

Bo-Anders väntade tålmodigt på fortsättningen. Men Henriks

blick gick inte att fånga. Den var förlorad till en plats långt bortom det kök de befann sig i. Bo-Anders återgick till petandet.

Henrik strök sig över ansiktet med den grova handen.

»Det var inte samma människor«, sa han långsamt. »Inte samma tillfälle.«

Så vände han och gick.

Han gick till skogs. Han var livrädd för skogen nu, för det okända. För vad han skulle finna.

Mitt på dagen såg Lisbeth honom komma gående tillbaka. Då hade hon väntat länge. Och ångrat sig. Hon hade ångrat sig så mycket att hon var beredd att gå in i hans famn och be om förlåtelse. Tänkt att de förlorat så mycket och att de behövde varann så desperat. De måste prata. Och reda ut det här. Lisbeth ville sitta ensam med Henrik i bastun och sedan ligga i hans famn. Låta gråten bli gemensam.

Hon hade bett Anna packa lite kläder så skulle hon bli skjutsad till moster Erika några dagar.

Så såg hon honom komma gående med böjt huvud och en spade, och hon förstod att han varit iväg för att bevisa för Bo-Anders hur lurad han blivit av plantsättarna. Det hade Henrik ägnat tid åt, fast de hade det så jobbigt. Allt kom tillbaka på ett ögonblick: ilskan, besvikelsen, förödmjukelsen.

Och hon ropade till Anna att de skulle åka tillsammans de två. Hon och Anna.

Hon sa det genast han kom in genom dörren.

»Jag tänker åka med Anna till Härnösand ett par dagar. Både hon och jag behöver det. Så får du fundera över vad som är viktigt för dig …« Hon avbröt sig. »Vad är det som har hänt?«

Henrik hade stannat i dörröppningen.

»Jag har svikit dig«, sa han med tom röst. »Jag skulle gjort saker på ett annat sätt. Från början. Jag skulle ha lyssnat till dig. Jag är oändligt ledsen.«

Lisbeth blev stel mitt på golvet.

»Vad är du ledsen för?«

»Allt. Att jag inte accepterade dig för den du var. Fullt ut. Att jag tyckte mina värderingar var nåt att hålla fast vid. Jag är ledsen för allt.«

»Du finns inte där för mig. Du har aldrig gjort det.«

Han såg henne rakt i ögonen.

»Jag vet. Jag har inte … ord nog för att be om förlåtelse. Men jag ska göra det som står i min makt för att göra bot.«

I det ögonblicket dundrade Anna nedför trappan.

»Ska vi åka nu? Ska ni skjutsa båda två?«

Lisbeth tvekade. Kanske skulle hon aldrig få ett erkännande som var mer fullödigt än så här.

Henrik vände sig mot Anna.

»Jag ska inte åka.« Han böjde sig ned och kysste dottern bakom örat. Lyfte upp henne och höll hela den lilla flickkroppen mot sin. Anna klamrade sig fast med benen runt honom.

»Kommer du senare, då?« undrade hon.

»Ja.«

Lisbeth rynkade ögonbrynen. De hade bara en bil. Men Henrik ljög av bara farten. Då for han väl med osanning när han erkände att han svikit henne också. Luften och hoppet gick ur henne.

»Då åker vi, Anna«, sa hon tyst och närmast böjde sig undan den flyktiga kyss också hon fick mot nackhåret.

»Jag ska inte svära mig fri, Lisbeth. Så får du välja själv.«

Både Anna och Lisbeth stannade till i hallen. Henrik upprepade orden. Två gånger till sa han samma sak: »Jag ska låta bli att svära mig fri.« Sedan gick han undan med böjd nacke.

Han tog fram papper och penna och satte sig vid köksbordet. Det tog en timme. Några få meningar tog en timme att skriva. Orden fanns där, men han hade svårt att få ned dem på papper. När det enda som var viktigt att säga inte kunde sägas, fanns det då något som var värt att säga alls?

Sedan var det modet som tröt. Allt runt honom var ett svart hål.

Randen att stå på så smal. Och han vågade inte. Han ville göra det som en man, för Lisbeths skull. Men han vågade inte. Han var feg.

Han var ingen jägare.

Länge satt han och samlade mod. Sent omsider började han plötsligt skratta.

»Vapenskåpet är tomt«, sa han för sig själv.

Så stramade det till igen, i halsen och runt hjärtat. Det här kom han inte ur.

Han var tvungen att formulera en sista mening. Den krävde en del tankemöda, och han hade svårt att förmå sig att skriva dit den. Till slut satte han den för sig själv, allra längst ned på pappret. Sedan sköt han fötterna i sina gamla träskor och gick till Bo-Anders för andra gången den dagen.

Ett skott small precis när lantbrevbäraren klivit ur bilen och lämnat posten i lådorna. Han studsade till och vände sedan blicken mot Bo-Anders hus. Han gick fram några steg så han kunde se förbi traktorn. En ruta såg ut att vara sönder på glasverandan och därinne vrålade en mansröst något, gång efter annan.

Anna 13 år

Tusen bitar

Olivia var glad som en lärka när de bokat Finlandsresan. Hon sprang fram och tillbaka i huset, snurrade runt så hon blev yr och hoppade upp i sina föräldrars säng och studsade tills de plockade ned henne.

Det tog några minuter innan Anna förstod att det gällde *den* helgen. Valborgshelgen. De hade hunnit före henne.

»Men jag har redan bestämt med Sara ...«

Anna skrek och grät och ljög. Hon stängde in sig på rummet och tjöt under täcket. När det verkade som om alla avlägsnat sig ringde hon ett viskande samtal till Sara och utverkade lov att komma över valborgshelgen. Sedan andades hon djupt några gånger och låste upp sin dörr. Travade ner till gillestugan och mötte oroade blickar.

»Jag ringde Sara ... de har tänkt stanna hemma för min skull. De skulle åkt bort men hade bestämt att stanna i Sundsvall för att jag skulle komma ... jag försökte ... men jag kunde inte med att säga att jag inte längre kan ...« Anna brast i skälvande gråt.

Olivia började också tjuta. Hon kunde plötsligt se vartåt det barkade.

»Men börja inte du också.« Per-Arnes irritation svämmade över. Anna log inombords. Det här skulle nog gå på något sätt.

»Ni kan åka till Finland i alla fall«, föreslog hon när det var dags att dra ned på gråten. »Kan inte ni och Olivia åka själva? Om jag är hos Sara behöver väl inte ni sitta hemma och uggla. Jag måste få börja bli stor någon gång också.«

Olivia höll givetvis med. Tillsammans peppade de föräldrarna tills de verkade övertygade.

Nu hade hon valborgshelgen att sikta in sig på. Men det hade blivit annorlunda.

Varje gång hon klev av bussen och slängde träningsväskan över axeln slogs hon av samma konstiga tanke. Hon funderade på vad som skulle hända om hon gick förbi Petters dörr och fortsatte till simhallen. Bara gick förbi utan att någonsin mer gå in. Hon var fortfarande kär, för att han älskade med henne och för att han ville ha henne på alla sätt. Men hon var inte kär så det stack i huden och brände i läpparna. Och hon lyckades aldrig komma när de låg med varann.

De hade börjat fuska med kondomerna också. Petter sa att det kändes skönare utan och drog sig istället ur henne i sista sekund. Anna funderade över varför han aldrig gjort så i början, men hon sa inget.

Ibland, när hon blev ivägskickad från Petter efter bara en halvtimme, kände hon sig riktigt utnyttjad. Hon hade smakat på ordet flera gånger, *utnyttjad*, och var inte längre rädd för det. *So what*, sa hon till sig själv. *Om du inte vill så skit i att gå dit, då.*

Hon gick alltid tillbaka.

En känsla av att vara dömd slog klorna i henne varje gång hon drog upp hans port för att kolla om han ville ha henne. Snömodden blev slaskigare för varje vecka, och snart skulle det vara torrt ute. En hel vinter skulle ha gått och hon hade inte kommit längre.

Anna kände att Petter var för långt bort när hon låg med knäna över hans axlar och han stötte och stötte och svettdroppar kastades från det svarta håret ner mot hennes ansikte och hals. Hon försökte, men kunde aldrig riktigt komma nära. Hon ville aldrig att han skulle sluta, men hur länge det än höll på så hjälpte det inte.

Så tog det slut i och med Petters konvulsioner och hon tyckte om att känna honom darra efteråt. Veta att hon var orsak till detta. Att han var nöjd. Anna sa till sig själv att hon också var nöjd, för hon kunde ändå aldrig få tillräckligt.

Hon drog in vårluften i lungorna och la märke till ljuset varje kväll hon gick tillbaka till bussen, och hon förvånades över den känsla som kom över henne allt oftare och lovade bot mot det som rev i henne. En längtan som blev allt intensivare.

Hon ville vara ännu mer intim med Petter, komma ännu närmare.

Hon ville hellre kyssas med kläderna på.

Hon råkade titta ut genom sitt rumsfönster och såg det redan på hans sätt att gå. Per-Arne hade parkerat bilen i garaget och var på väg in. Med ett budskap. Smidig som en vessla sprang Anna på hala sockor genom hallen och gled på parketten den sista metern in i biblioteket. Där kröp hon ihop under skrivbordet med örat tryckt mot väggen.

»Jag pratade med Petter«, hördes Per-Arnes låga röst när han kom in i köket. »Och han tyckte det var nästintill oansvarigt att åka bort så många dagar med en trettonåring lämnad vind för våg hos en vän hon inte har så mycket gemensamt med längre. Det är klart att Anna vill till Sara, sa han, men hon kommer sannolikt att vilja därifrån lika snabbt. Och vart ska hon då ta vägen?«

Anna satt med öppen mun och uppspärrade ögon på andra sidan väggen och hörde alltihop. Och förstod ingenting. Varför la sig Petter i Finlandsresan? En känsla av tyngd sög sig in i maggropen. Hon blev inte rädd, för de skulle aldrig svika sitt löfte. Men de skulle ställa in Finlandsresan.

Hon förstod inte Petter. Var det inte bättre att ha mamma och Per-Arne långt borta? *Utomlands.* Efter det här skulle de ringa till Sara och kolla att Anna var okej varje dag. Så det var bara att skynda sig hem efter första natten hos Petter om hon inte ville bli avslöjad. Om han hållit käft kunde de fått *tre* nätter ihop …

Hon fattade ingenting.

Och när den dagen kom, och inget blev som hon tänkt, kunde hon inte hålla tyst om det.

Anna hade siktat på tre timmar, men efter att hon anlänt till Sara var de i fullt gräl redan efter en halvtimme. Anna fejkade ett telefonsamtal till sin mamma. Avdramatiserade grälet men förklarade att hon egentligen kände sig urförkyld och trodde att hon höll på att bli sjuk. Det var bäst att hon kom hem. När Saras pappa skjutsade henne till stationen förklarade Anna i bilen att hon inte velat säga något tidigare men de hade verkligen kommit ifrån varann hon och Sara. Hon bad vuxet om ursäkt och sa att hon inte skulle göra något stort av det hemma. Tackade för hans hjälp och tog i hand när hon klev ur.

Hon steg in hos Petter ett par timmar senare. Då hade hon gått förbi en nyöppnad affär på gågatan och spenderat halva månadspengen på makeup och parfym och ett par örhängen.

Hon klev in till en Petter med smutsigt hår. En Petter som gick omkring i kalsongerna. Överst på högen av disk i köket balanserade en pizzalåda. Lakanet låg i en korv som hängde ned på golvet.

Anna hade en ny doft på sig.

Hon satte sig på armstödet till fåtöljen. »Varför sa du till Per-Arne att de inte borde lämna mig ensam?«

Hon förstod inte att hon faktiskt sagt det. Det första hon gjort. Inte förrän hon fick en hätsk blick till svar.

»Han bad om mitt råd.«

Petter var på dåligt humör. Men det kunde inte vara hennes fel. Hon borde inte reta honom, men hon existerade också. Han visste att hon skulle komma idag, men det såg ut som om han inte hade städat på flera veckor.

»Det verkar som om du inte vill ha mig här.«

Var det flera veckor sedan hon var här? Det kunde det inte vara. Och varför sa hon så? Varför hetsade hon honom att bli arg?

»Jag tänker *inte* bli instängd i min lägenhet i fyra dygn. Det fattar du väl! Jag orkar inte ha dig här i fyra dygn.«

Det handlade om *tre nätter*! Och han kunde väl inte veta hur det skulle vara.

»Jag tänkte inte vara här så länge«, försvarade hon sig och tittade ned i mattan. » Och Per-Arne har ingenting med mig att göra … Du kunde ha låtit mig bestämma vad de skulle få veta.«

Du kunde ha låtit mig vara vuxen.

Petter fortsatte vara arg. »Jag sa så därför att jag kände så. Jag orkar inte med det här … Jag skulle vilja att vi avslutar det här, du och jag.«

Anna vände ansiktet mot honom. Bara det.

Petter hade också stelnat.

Till slut var han tvungen att förklara sig. »Jag tänkte inte säga något förrän efter din utflykt hit. Du har ju drömt om det här i flera veckor. Men nu när vi ändå pratar om det. Så är det bättre.«

»Vadå?« Anna andades knappt.

»Det här … förhållandet. Jag känner att det räcker nu.«

Anna svarade inte. Det fanns inget att svara, han hade inte ställt en fråga.

Hon hade legat i sin säng många gånger och gråtit. Och många gånger när hon gråtit hade hon radat upp argumenten för sig själv. De hon skulle använda om han försökte göra slut med henne. Och då hade hon till slut kunnat somna. Nu när hon behövde de där argumenten hittade hon dem inte. Det var helt tomt i hennes huvud.

När han ställde fram ett glas cola på soffbordet sjönk hon ned i fåtöljen. Petter satte sig på sängen.

»Vill du att jag går nu medsamma?«

Petter såg förvånad ut. »Nej. Vart skulle du gå?«

När han satt så där bredbent kunde Anna se spetsen på hans snopp. Den stack ut i öppningen på kalsongerna.

När han öppnade munnen igen lät han helt neutral.

»Du kan väl sova här i natt som du ville.«

Anna förstod. Han ville få det avklarat ikväll. Han ville att de skulle göra slut ikväll, och prata klart om det ikväll.

Det började mörkna.

Anna hade aldrig förut tänkt på att Petter hade en teve. Nu stod den på hela kvällen och de pratade inte. De tog inte i varann heller. När Petter äntligen drog ned Anna i sängen och la armen runt henne tog det inte många minuter förrän han stönade irriterat.

»Varför kan du inte ligga stilla? Vad är det med dig?«

Anna gick på toaletten och när hon kom tillbaka satte hon sig i fåtöljen istället. Han tänkte i alla fall inte krama eller kyssa henne. Hon visste inte om hon ville det heller. Eller om det var bra eller dåligt att han var tyst. Men så länge han sköt på det, så länge han inte tog upp det igen, hade hon en chans att hinna komma på ett sätt att övertala honom.

När det blev natt tog det många timmar för Anna att somna. Petter snäste till flera gånger när hon vred sig i sängen. Vid ett tillfälle vände han sig mot henne och började kyssa henne och smeka henne. Mekaniskt, könlöst. Anna slog bort honom.

»Vi kan väl ligga med varann när du ändå är här«, sa han raspigt. Rösten lät oanvänd. När Anna ville gråta skyndade han sig att lägga till: »Börja inte böla. Eller förklara en massa.«

Sedan vände han henne ryggen igen.

Hon ville prata, förklara. Hitta ett sätt att få honom att fortsätta träffa henne. Men hur skulle hon kunna vinna honom tillbaka om hon inte kunde komma på en enda anledning att vara tillsammans? Hur skulle de komma någonstans alls om han inte ens tänkte prata?

För första gången kände hon sig riktigt främmande hemma hos Petter. Utan tillhörighet. Var det så här det kändes när det var slut? När allt var över?

Till slut somnade hon i en luddig föreställning om att hon redan var hemma.

Hon vaknade i absolut stillhet. Rummet var becksvart. Hon kände försiktigt med handen men han var inte där. Hon förstod att hon somnat men det kändes inte som om det gått mer än några minuter.

Dörren till badrummet stod öppen. Ett gapande hål, svartare än omgivningen. Sakta kom den krypande – insikten att hon var ensam i lägenheten.

Vart hade Petter gått?

Hon satte sig upp.

Ett svagt sprakande ljud var allt som hördes. Det kom från köket. Men det var mörkt därinne också.

Hon såg honom när hon rest sig från sängen och tagit några steg. Ljuset från gatlyktan silade in genom persiennen och gjorde hans kropp svagt randig. Han stod lutad mot diskbänken och drack en öl. Och såg på henne. Hans ögon var stora, okända.

Det var tyst i lägenheten förutom sugandet på ölburken.

Så la Petter huvudet på sned. Anna fick för sig att han log. Vad höll han på med egentligen, mitt i natten? Det såg ut som ... han hade väl inte gått upp för att ... runka? Det bubblade till inom Anna. Det var ju inte klokt! Gjorde Petter sådant? Hon som trott att det bara var hon som ... Men det var klart, om han nu inte tänkte träffa henne mer så kunde han ju få syssla med det istället. Anna kunde inte hålla tillbaka fnisset.

»Vad är det, Anna?« frågade Petter mjukt. Och med nästa klunk öl började han frusta. Anna kom närmare dörröppningen. Då såg hon Petters stånd som hoppade upp och ned i takt med att han skrattade.

Förtjust började hon skratta med.

Petter ställde burken på diskbänken och drog fram köksstolen med foten. Anna fick en skymt av hans stora leende.

Hon lyfte armarna och drog t-shirten över huvudet. Varför visste hon inte, men det var roligt. Roligt att strippa när det bubblade i kroppen. Hon började peta ned trosorna också, och fick för sig att hon skulle kunna göra saker hon aldrig vågat i hela sitt liv.

Som att hoppa bungy.

Petter satte sig på stolen, rakt upp och ned, och särade benen. Det var en fråga. Till svar fick han Annas kluckande och trosorna som föll till golvet.

Petter räckte fram handen.

Så slängde han sig framåt. Tjöt triumferande när han fick tag i hennes arm och halade in henne. Anna svarade med att bita sig fast i hans huvud och dra med käkarna. Hon skrattade och spottade med munnen full av otvättat hår. Och släppte taget när ena bröstet hamnade i hans mun. Höll honom borta.

Ingenting gratis. Ingenting frivilligt.

När Petter började ta på sig själv, utstuderat tydligt, gjorde Anna stora ögon. Och hon log i hela kroppen. Åt att det inte fanns något kvar att förlora.

Petter fnissade tillbaka.

Anna hade aldrig varit så uppspelt. Åt helvete med alla problem, alla panikkänslor. Allt ont i hjärtat.

Hon slängde sig grensle över honom. Annas kropp var också naken i mörkret, hennes mun smakade också öl. Och nu var det Petter som höll henne på avstånd. Petter som flinade när hon försökte dra sig närmare. Anna som fnittrade frustrerat och försökte styra hans kuk rätt. Skrattet som ilade från knäna till insidan av låren och ända upp i bröstvårtorna.

Glädjeknull, for det genom henne. Det här var ett glädjeknull och hon brydde sig inte om Petter. Bara hon fick knulla.

När de gungade och knakade och försökte få varann blev det ombytta roller igen. Petter som ryckte henne tillbaka när hon drog sig bakåt. Anna som tog spjärn med fötterna mot pinnarna under stolen så han fick ta hårdare om henne.

Anna drog högljudda andetag. Och det spelade ingen roll vad han tyckte. Eller vad det betydde. För Anna räckte det att veta att hon ville. Det var en häftigt befriande upptäckt.

När stolen gick sönder under dem hann Anna inte få bort benen.

Under skärande sekunder då alla himlars helveten öppnade sig hörde hon fortfarande Petters överrumplade skratt.

Anna 23 år

Kvällsvard

Anna har redan glömt varför hon ringt upp Olivia, så roligt var det att säga »vet du vem jag träffade igår«. Hon drar hela kyrkobesöket med alla replikskiften medan hennes lillasyster äter frukost i andra änden.

»… och du kan ju tänka dig vad mamma sa!«

Olivia fnittrar glatt.

»Dog hon inte när du sa att han är präst? Minns du alla rykten om Petter efter att han slutade i Härnösand? Mamma var säkert med och skvallrade. Och det kom väl från pappa. Det var nog bara du och jag som visste att det var bullshit allt de sa …«

Då kommer Anna ihåg:

»Jag måste få ett telefonnummer! Till Per-Arnes jobb. Jag ska prata allvar med honom.«

Hon drar sig för att ringa. När hon äntligen slår numret har hon skjutit upp det så länge att hon gått omkring och blivit irriterad på alla. Mamma som är en skvallerkärring. Petter som gått och blivit präst istället för något vettigt och som tvingar Anna att komma till en jazzklubb för att låtsasprata. Olivia som inte fattar att det är jobbigt. Mirja som mår bra när Anna mår dåligt.

Per-Arne som aldrig talat ur skägget.

»Förbjöd du Petter att träffa mig efter olyckan när jag var tretton?«

»Det här börjar bli riktigt brännande obehagligt …«

Per-Arne har ett sätt att lägga orden som gör Anna stum. De har aldrig fört ett samtal på samma nivå.

»Vad hände efter olyckan?« Anna använder samma vapen som då. Envishet och lomhördhet. Fast då gällde det mamma.

Per-Arne mal bara på. »Det var första gången vi var två om det hela … Jag fick aldrig vara delaktig, men plötsligt var jag ansvarig när det gick fel.«

»Vad hände efter olyckan?« upprepar Anna dumt. »Förbjöd du Petter att träffa mig?«

»Jag försökte skydda dig.«

Det tar någon sekund innan Anna märker att han faktiskt svarade på frågan.

»Mot vem då? Mot mamma?«

Hon hör honom andas. »Aj-aj-aj-aj-aj.«

»Ska jag berätta för mamma?« Samtidigt som hon säger det hör Anna att det är elakt. Hon tvingar sig att låta vänligare: »Är det inte bättre att berätta allt för henne? Det håller ju på att gå åt pepparn mellan er i alla fall.«

Per-Arne tiger. Men Anna tänker inte längre tycka synd om honom när han fegar. Hon gjorde det när hon var yngre, när hon också var lite rädd för mamma. Nu kan hon se problematiken från ett annat håll. Hur det måste vara att leva med någon som håller sig undan verkligheten.

»Vill mamma verkligen skiljas?«

Till sist hör hon utandningen:

»Efter att jag berättat vill hon nog det.«

Anna stönar när hon lagt på. Vad skulle Per-Arne ha att berätta som är så märkvärdigt? Vilket totalt meningslöst samtal.

En halvtimme försent. Det var inte meningen, men när det är ett faktum känns det ganska bra. *Då* väntade han aldrig på henne.

Anna sjunker ned mittemot.

Petter ser på henne underifrån en svart lugg som inte längre finns.

»Jag var just på väg att ringa, jag tänkte att du kanske ändrat dig, det är ju lördagskväll och allt.«

Hon studerar honom. Varför är Petter osäker? Tror han att det här är en *dejt*?

»*Du ser väl till att göra slut nu?*« var orden Mirja skickat iväg henne med. Mirja som inte litar på henne längre. Mirja som tror att Anna ska förgöra en präst.

För Anna är det ingen dejt, och inget slut. Det är återuppståndelse. Vad det är hon tänker väcka till liv är hon inte på det klara med. Hon har i alla fall inte tänkt ligga med honom. Någonsin igen.

Hon minns torsdagskvällen, då hon låg i ett tomrum efter en Petter som inte längre finns. I drömmen hade Anna inbillat sig att det var på Petters begravning de varit.

Hon är medveten om att han studerar henne medan hon tar av sig jackan.

»Varför ändrade du dig? Vi skulle ju äta på klubben.«

»De har ingen riktig mat … och jag tänkte att det är lättare att prata här.«

»Och på klubben är det folk som känner dig. Det är helt okej om du är ärlig. Det är därför du vill sitta här i ett bås, va? Bakom fula, förväxta palmer i en mörk pizzeria. Du är rädd för att jag ska ställa till med något. Bli högljudd.«

»Jag tycker kanske det är onödigt att någon hör. Är det ett tillräckligt ärligt svar? Kan vi beställa?«

Petters hand kommer strykande över bordsytan. Anna rycker till en aning innan hon ser att det är menyn han skjuter över.

»Jag har redan ätit. Jag kom hit för att prata.«

Petter blir tyst. När han beställt sin pizza och fortsätter tiga och titta måste hon fråga vad det är.

»Jag vet inte, Anna. Det är konstigt att sitta här med dig. Du har blivit äldre. Och det här är sista gången vi ses. I alla fall på tu man hand.«

»Så varför ska jag offra en lördagskväll på att träffa dig? Ett telefonsamtal hade räckt för mig.« Anna har svårt för Petters ansikte, så hon tittar på hans röda t-shirt istället. »Varför inbillar du dig att jag vill träffa dig *en sista gång*? Jag är inte desperat.«

»Det har jag inte sagt.«

Men Anna är redan arg. »Vem tror du att du är egentligen? Du ligger med mig när jag är tretton, du tvingar in mig i vuxensex innan jag … skit samma. Du visste att jag aldrig hade legat med någon.« Hon fokuserar på Petters bröstkorg medan Mirjas ord spyr ur hennes mun och tar slut lika fort.

»Jag vet«, skyndar sig Petter att säga. »Jag borde inte ha …«

»Man måste väl kunna stå för det man gör! Eller kan man ta ledigt från sånt ibland?«

»Det jag försöker säga är att det givetvis var fel av mig. Rent formellt var du för ung.«

När Anna tänker på sin sista kväll hos Petter är det alltid tystnaden som kommer för henne. Den som aldrig tagit slut.

»Vad du än tyckte att vi hade tillsammans, så måste det funnits någon sorts … förpliktelse. Att avsluta det på något sätt. Man brukar ge den andra en chans att förstå. Du gjorde aldrig det. Du bara försvann.«

För att jag var en barnunge.

»Jag trodde du kom över mig rätt snabbt. Jag hade ingen anledning att tro att jag betydde något speciellt.«

Anna ser hans smala kropp på andra sidan bordet och tänker att han är så långt från Petter Förföraren som det går. Spontant far det genom hennes huvud att den här killen aldrig varit i närheten av att ha sex med någon.

Det är en ganska rolig tanke.

»Berätta hur det kom sig att du blev präst. Du hade ju svårt för Westbergs hycklerier.«

»Det var inte en rak väg, om man säger så. Jag hade mina tvivel.«

Anna ser frågande ut. Mannen i röd t-shirt och läderkavaj mittemot henne, han som ska byta till prästkappa imorgon, försöker förtydliga:

»Enkelt sagt funderade jag över mänskligheten många gånger. Och över mig själv och vad jag höll på med … Men så upptäckte jag att det är vanligt inom det här skrået. Jag var inte ensam. Det är något alla präster sysselsätter sig med.«

Anna spärrar upp ögonen. »Ligger med småtjejer?«

Petter harklar sig ljudligt.

»Nej. Jag tänkte på tvivlet.«

Anna hänger inte med. Och så händer något. Långsamt kommer det krypande. Hon blir medveten om hela sin kropp. Och sitter där och undrar hur det är möjligt att kastas tillbaka så. När otillräckligheten kommer krypande är hon bara en liten trettonåring som inte betyder något.

Efteråt ska hon ursäkta sig med att det inte var meningen. Det är sveket som gör att hon sätter igång.

»Jag bar mig dumt åt mot dig. Jag skulle aldrig ha tillåtit mig att ha den sortens relation med dig. Jag ber om förlåtelse för det.«

Men Anna hör bara någon som inte menar ett ord av det han sitter och säger.

»Som präst borde du vara mer driven i konsten att be om förlåtelse. Eller att förstå vad du ska bli förlåten för. Jag vill inte prata om sex. Det var när du packade ihop dina prylar och stack från Härnösand utan att ens hälsa på mig på sjukhuset som du sänkte mig.«

Petter böjer sig fram över bordet. Spänner ögonen i Anna. *Nu börjar det likna något.*

»Jag fick inte besöka det jävla sjukhuset«, säger han långsamt.

»Vem förbjöd dig?«

»Din styvfar. Per-Arne. Sa jag inte det i torsdags?«

Per-Arne har redan bekräftat det halvt om halvt, men Anna får ändå en känsla av att Petter försöker blanda bort korten.

»*Ville* du besöka mig, då?«

»Jag ville så långt bort det var möjligt, efter att Per-Arne förstått alltihop.«

Anna gör stora ögon. »Fick Per-Arne veta att vi var ihop?«

Petter stoppar munnen full innan han svarar.

Tuggar klart. Köper tid.

»Jag tror han visste hela tiden. Jag ringde i alla fall hem till honom på valborgsnatten. Han kom till akuten samtidigt som jag körde in med dig.«

Anna har aldrig tänkt på möjligheten att Per-Arne var inblandad den natten. Kan det verkligen vara sant?

»Varför kom inte mamma också, i så fall?«

»Per-Arne skyllde på att jag behövde hjälp med fulla ungdomar i församlingsgården.«

»Och vad sa ni om det som hade hänt?«

»Jag sa ingenting. Jag var chockad. Per-Arne sa att jag hade hittat dig på gatan och ringt honom. Att du måste berätta själv. Vi hade ingen aning om vilka du varit med, sa han. Han var skitskraj.«

»För vadå?«

»För spöken.«

Petter tuggar med öppen mun nu. Anna blir tyst. Hon förstår mycket väl vem Per-Arne var rädd för. Det är mamma som är spöket han aldrig slutat vara rädd för.

»Har du aldrig undrat över varför Per-Arne var den som besökte dig mest?«

Anna anstränger sig. Ser ner på händerna och verkligen försöker.

»Nej. Jo. Jag minns att han sa att det verkade som om jag varit med om en mopedolycka och undrade om jag åkt med en kille jag inte ville berätta om. Jag hakade på den versionen. Jag var bara tacksam över att ha något jag kunde säga …«

Anna funderar över ordet. *Tacksam*? Jo, det var så hon känt det. Per-Arne hade hjälpt henne.

»Mamma förde ett himla liv om att hitta de ansvariga. Men jag sa till polisen att det var en dum grej jag gjort, bara. Att gå ut och åka ett varv naken på stan. Jag vägrade säga några namn. Det är lätt att låtsas vara en annan sorts människa när man pratar med okända. Men till mamma vädjade jag bara. Sa att jag ville vara ifred. Och Per-Arne höll på mig.«

Han hade hjälpt henne hela vägen. Det var Per-Arne som stöttat henne. Mamma som gormat och levt om.

Anna ser Petter i ögonen. »Mamma gav sig till slut. När Per-Arne sa att det handlade om min integritet och att de borde respektera det. Han var på min sida.«

Anna ser något nytt i Petters blick. *Misstro.*

»Kanske var Per-Arne på din sida. Han var i alla fall inte på min. Han biktade sig hos Westberg för att få mig sparkad. Men det var ju ingen som ville att det skulle komma ut.«

Annas ansikte blir uttryckslöst. Det är nu det börjar komma. Det är nu hon är tvungen att börja se.

»Så egentligen förbjöd han ingenting. Det var du som inte tyckte att jag behövde få veta någonting.«

»Men jag hade inget val«, envisas Petter.

»Du hör ju inte vad jag säger! Hur kan du vara präst och vara så sjukt döv?«

Anna ser på honom. På mannen som valde bort henne. Han är samlad.

»Jag hör det du säger, Anna. Och ja, jag svek någon. Men det var inte dig jag svek. Du fick den hjälp du behövde. Du hade en familj som tog hand om dig.«

Och Anna hör den fortsättning som inte sägs högt. Hon hör orden lika tydliga som om han viskat dem i en folktom kyrka: *Din bortskämda skitunge.*

»Du är en jävla lögnare«, far det ur henne. »Du sitter här och ljuger. Du är fortfarande livrädd för att det ska komma ut …« När Anna ger igen, gör hon det på det enda sätt hon kan.

Petter sänker rösten ännu mer. »Jag håller tyst när jag anser att det värnar någon. Jag kan bara hoppas att du också kan vara lite diskret. Du ska inte skada mer än nödvändigt.«

Petter verkar inte ha mer avancerad logik än så. Anna famlar ett slag i den återvändsgränden när hon hör honom mumla för sig själv: »Jag kommer att få pungkulorna avskurna.«

Hon lyser upp. »Haha! En präst som är rädd för att bli kastrerad!«

Petters hand kommer över bordet. Griper tag i Annas innan hon hinner reagera.

»Anna, jag kanske förtjänar det, men det gör inte …«

Anna rycker åt sig handen. »Vem?«

Och när Petter inte kan svara – när hon ser att rädslan är äkta och att den är djup, men att han i alla fall inte tänker svara henne – då vet hon också att hon har förlorat. Hon kommer alltid att vara för liten.

Men det är hans förnekelse som får henne att gå överstyr. Förnekelsen av att hon har rätt att få veta och förnekelsen av att han skulle svikit henne.

»Du tvingade mig till något jag inte var mogen för. Det har satt sina spår. Du får göra som jag vill nu, för du är skyldig mig det.«

Petter måste se förändringen hos henne. Att djävulen flugit i Anna.

»Vad är det värt om jag lovar att inte berätta för någon? Är du gift, Petter? Har du gift dig med din flickvän från den gamla goda tiden?«

»Jag är gift. Men inte med någon flickvän från den tiden.« Petter talar långsamt.

»Har du varit otrogen någon gång?«

»Va?« Det tar någon sekund, sedan bleknar Petter.

Anna flabbar. »Du lärde mig det. Att knulla och bara gå. Jag har nya killar varje helg.«

Petter blir tvungen att kommentera när tystnaden kräver det.

»Vad får du ut av det?«

Anna sätter på sig ett leende. »Omväxling«, säger hon släpigt. »Och jag har alltid längtat efter att få ha sex med en präst.«

»Du är inte ett dugg rolig …«

»Kom igen! Så får du lite kul utanför ditt tråkiga äktenskap. Och jag slipper berätta för kyrkoherden vad du gjorde mot mig när jag var tretton.«

»Dra inte in mitt yrke. Jag är fel person att skämta med på det sättet.«

»Jag skämtar inte«, säger Anna och håller ansiktsdragen allvarliga.

Petter blundar. »Det här är värre än jag trodde …«

»Och vad trodde du, då?«

Petter öppnar ögonen och ser på henne. Helt lugnt.

»Att du kanske var lycklig.«

Och i den stunden vet Anna att det är över. Hon vet aldrig hur eller varför, men allt rinner av henne.

»Oroa dig inte«, säger hon med ett framtvingat leende. »Jag skulle aldrig berätta om det. Inte för en kyrkoherde i alla fall.«

»Anna. Jag är inte rädd för mina överordnade. Eller någon annan inom kyrkan. Det där var längesen, och andra har gjort värre saker. Jag skulle bli förlåten direkt.«

Annas blick far runt i hans ansikte.

»Men du är rädd för någonting. Att lilla prästfrun ska få veta?« Hon söker bekräftelsen i hans ansikte. »Eller är det Guds straff du är rädd för?«

När Petter abrupt reser sig och lägger pengar på bordet blir Anna full i skratt.

»Guds straff? Är det sant?«

»Kom. Vi går bort till klubben. Du sa att din polare är där. Mirja nånting …«

Anna stelnar till. Hon har inte sagt att Mirja väntar på klubben. Men Anna hinner inte fråga förrän han kommer med nästa överraskning:

»Jag går in med dig och sedan sticker jag.«

»Vart ska du då?«

»Hem. Och skjuta mig en kula för pannan.«

Som Petter säger det sista rycker han till och vänder sig mot henne. »Anna, förlåt. Det var dumt sagt. Jag ska hem bara. Och hålla andan.«

»Och vad ska jag göra inne på klubben?«

Istället för att svara sträcker Petter ut sin hand och ger sig inte förrän hon tar den.

När de går mot Kungsbron på väg till jazzklubben är det varken älskaren eller prästen Anna håller i hand. Det är en förälder som vill se till att barnet inte rymmer.

När mörkret väcks

Lisbeth brukade alltid blåsa på ordentligt, men den här gången körde hon långsamt. Anna sa till om det flera gånger, för hon ville komma fram till moster Erika.

Lisbeth sträckte ut en hand och smekte dottern över kinden.

»Det ordnar sig«, sa hon tyst, mer för sig själv än till Anna. Men det lät inte övertygande. Det var mycket som inte ordnat sig. Egentligen hade allt blivit väldigt fel.

Hon hade inte räknat med att Mattias skulle ha en egen vilja. Ett eget sätt att gå vidare. Först hade hon blivit förvånad, och efter ytterligare någon dag orolig. Att inte Mattias fattade att hon skulle bli utom sig av oro när han inte ringde som de kommit överens om! *Om två dagar*, hade hon sagt.

Hon ringde Erika på fjärde dagen och berättade att Mattias var borta. Hon kunde inte fråga rent ut, men om systern vetat något skulle hon ha sagt det. Speciellt när Lisbeth poängterade att de kontaktat polisen igen.

Hon blev tvungen att inse att Mattias aldrig kommit fram till Erika. Eller snarare att han aldrig tänkt åka dit. För att något skulle hänt Mattias på vägen trodde hon inte. Han må verka tafatt och försynt, men den killen var lika kapabel att ta hand om sig som Charlie. Och nu hade han bestämt sig för att hålla sig undan. *Hålla sig undan från henne.*

Hon hade våndats i några dagar. Grunnat över sin eventuella dumhet men till slut bestämt sig för att Mattias var orättvis. Han hade inte rätt att markera gentemot henne. Att han var upprörd över att hon skickade iväg honom var begripligt, men han borde gjort som han lovat.

Hon var till slut riktigt förbannad på honom. Först lät han bli att skriva den där lappen till Henrik. Han stod inför henne och såg henne i ögonen och sa att han gömt den därhemma på natten. Sedan steg han på bussen och åkte iväg. Men han klev inte av i Härnösand. Hade han ens åkt buss? Han hade kanske klivit av så fort hon vänt ryggen till. Antagligen höll han till hos en kompis i Ullånger.

Hur kunde Mattias tycka att det var rättvist att hon och Henrik nu satt med den extra oron hans påfund innebar?

Hon blev fortfarande, efter en vecka, ordentligt arg när hon tänkte på det. Och inte hade det lett till någon förbättring hemma heller. Henrik betedde sig fortfarande som ett beläte. Han hade slutat gå till skogs men han hade ändå inte närmat sig henne.

Bara nu, idag, hade något hänt. Henrik hade plötsligt gått iväg till skogen igen och sedan kommit med ett slags erkännande. Att han svikit henne och att han lovade bot och bättring. Han hade varit alldeles vit i synen när han sagt det. Som om han sett spöken på ljusan dag. Var det så förbaskat svårt att erkänna att man älskade någon?

»Vad betyder att svära sig fri, mamma?«

Lisbeth tappade tråden ett slag. »Vad sa du, vännen?«

»Pappa sa så. Att han inte skulle svära sig fri. Så får du välja. Vad är det du ska välja, mamma?«

»Jag vet inte, vännen. Jag vet inte vad han menade.«

Det var inget fel på fantasin hos Henrik. Han hade orden inom sig. Men det var bara på papper han fick ned några tankar. Och de kom ut som obegripliga strofer i de där jädra dikterna han plitade ihop. Som hon inte kunde tyda. Som han inte ville förklara.

När han idag äntligen tagit sig i kragen hade han sagt något om att han borde ha accepterat henne för den hon var. Han stod där och såg gammal ut och sa att han skulle ha accepterat henne. Hon tänkte på orden.

»Kan du inte köra fortare, mamma? Jag vill komma fram nån gång.«

Lisbeth såg återigen på Anna.

»Vi är framme snart, lilla vän«, sa hon och strök flickans arm. Anna rörde på sig av otålighet. Lisbeth satte båda händerna på ratten igen.

Acceptera. Kunde han inte någon enda gång säga att hon betydde mer än så? Det var väl nu, när tillvaron rämnade, som man skulle visa vad man betydde för varann? Hon hade skrikit ut sin rädsla. Hon hade försökt få honom att komma till henne med sin smärta. Behöva henne. Istället hade han vänt sig bort. Han fanns inte längre där för henne.

Det hjälpte inte ens att anklaga honom för att inte älska Charlie. Det hade aldrig hjälpt, när hon tänkte efter. Han hade inte någonsin, under alla år, reagerat på det. Han hade varit lugn och jämn som en insjö i sommarvärme. Han hade tagit sig an Charlie, och det kunde ingen säga annat än att han gjort det som en far. Hon tänkte på de första månaderna, när pojken skrikit varenda natt. Hur Henrik gått och burit på honom, timme efter timme, och vyssjat och sjungit. Falskt som en ostämd fiol men med vidöppet hjärta. Ibland väckte han henne och viskade att det var dags att amma, men annars fick hon sova.

Och han höll om henne mellan varven och viskade att han var så lycklig över henne och grabben. När hon tryckte på och sa att han inte valt Charlie blev han harmsen. *»Jag valde dig, och så fick vi Charlie. Och vi ska ha fler«*, upprepade han varje gång.

Mattias ankomst blev omtumlande för dem båda. Man kunde ha trott att det skulle varit Anna som ställde till det när hon kom flera år senare, då de redan var ur blöjåldern och det ständiga passandet, medan Mattias hanterades med vänsterhanden i kölvattnet efter Charlie. Men det hade varit precis tvärtom. När hon var gravid för andra gången hade Lisbeth i smyg önskat sig en flicka. Hon hade inte anförtrott sig åt Henrik, för hon var rädd för sina känslor och rädd för hur hon skulle reagera om det var en pojke.

Henrik hade också haft förhoppningar, visade det sig. På natten efter förlossningen satt han med lille Mattias i famnen och viskade till Lisbeth: *»Att det blev en kille. Tänk att det blev en kille* *till. Jag är så glad för honom.*« Och Lisbeth gick nästan under av smärta.

Flera gånger senare hade hon ställt Henrik till svars för det han sagt den natten. Att han önskat sig en pojke till för att han inte såg Charlie som sin egen. Att han borde önskat sig en flicka annars. Det hela hade kunnat leda till skilsmässa. Hon var ordentligt nedgången innan det fick ett slut. Då hade Henrik hotat med både psykolog och familjesamtal hos prästen.

Till sist hade hon lyckats ta sig samman. Det vände någon gång den våren Henrik lovade henne dyrt och heligt att de skulle ha ett barn till. Och det genast, om hon ville det. Och hur många som helst, om det var viktigt för henne att få en flicka.

Bara att han gav henne det. Förståelsen för att hon bar en längtan efter en flicka. Utan att anklaga henne, utan att göra henne skamsen, gav han henne löftet om ett barn till. Hon hade börjat lyfta sig ur det tunga och känt vårluften fylla henne med liv. Och det var med ens inte så viktigt att det blev ett barn till. I alla fall inte genast.

»Kan vi komma fram nån gång ...«

Barnet bredvid henne var det kärleksbarn de till slut fått ändå. Hon var barnet som ständigt visade att hon fanns. Lisbeth hade många gånger känt tacksamhet över Annas envishet och styrka. Den ungen skulle överleva vad som helst. På något vis kändes det just där och då, i bilen, som en gudagåva.

När Anna och hon precis kommit innanför Erikas dörr ringde telefonen. Erika gick och svarade och ropade genast på sin syster.

»Heej«, sa Lisbeth utdraget eftersom hon tänkte att det var Henrik. Hon fick en förnimmelse av kyssen bakom örat. Att han inte tagit i henne när hon for. Han skulle ha hållit fast henne och hållit hårt. Hon hade behövt det.

»Lisbeth, är det du?« En främmande röst i andra änden.

»Ja.«

»Du måste komma hit. Det har hänt något. Med Henrik.«

Tankarna stod stilla.

»Vem är det?«

»Det är Bo-Anders. Du får komma hem.«

Hon tyckte det mörknade i det ögonblicket.

»Men jag är hos min syster … Vad är det som …?« Hon avslutade inte meningen, medveten om att dottern lyssnade.

»Kom tillbaka. Genast.«

»Varför då?« Nu tryckte hon på med uppfordrande röst.

»Lämna jäntan. Lämna jäntan och kom tillbaka. *Kör försiktigt, Lisbeth.*«

Det var då hon förstod. Att det blivit kväll, och snart skulle vara natt.

När hon la i en växel och började återfärden, körde hon endast aningen snabbare än förut.

Den gamle polismannen pockade på uppmärksamhet. Han la fram brevet igen och frågade om hon hade någon kommentar till det Henrik skrivit. Hon läste på nytt, som om hon inte redan kunde texten utantill.

Jag vill inte berätta vad som hänt Charlie. Det ger oss inte
pojken tillbaka. Det ger endast smärta och jag orkar inte.
Härifrån finns ingen väg att gå.
En jägare skjuter sig och jag älskar dig Lisbeth.

Och så meningen allra längst ned, den som inte längre fanns. Hon såg den ändå, den stavade sig fram i hennes huvud och höll på att få hennes hjärna i sken.

»Kan du säga nåt om det här?«

Hon skakade på huvudet åt den vänliga rösten.

»Är det Henrik som skrivit det?«

Hon nickade.

»Är det Henriks handstil?«

Hon nickade.

»Lappen är avriven nedtill ...«

Lisbeths blick for ofrivilligt mot vedluckan på köksspisen. »Det är väl nån av oss som gjort en inköpslista.«

När de var på väg att gå såg hon något. Hon såg orden med deras ögon. *Jag vill inte berätta vad som hänt Charlie ... jag orkar inte ... ingen väg att gå ...*

Högt ropade hon:

»Det var inte Henrik. Det betyder inte att Henrik ...!«

Sedan satt hon där och nu fanns det inga tvivel längre. Hon hade inte funnits där när han behövde henne. Det var hon som drivit Henrik att ta livet av sig.

Lisbeth behövde vara ifred men prästen stannade hos henne. Till slut satte hon sig ned ändå och skrev ett brev till sin syster:

Jag känner ett tungt ansvar för Anna. Mattias klarar sig men jag vill att du tar hand om Anna. Jag känner mig så skyldig inför henne, det är en fruktansvärd skuld. Jag litar på att hon får det bra hos dig. Jag orkar inte längre vara med ...

Orden fortsatte fylla sidan av sig själva. Bara ibland gick hon tillbaka och läste en mening och ändrade något. Tills det tog stopp. Ett långt tag satt hon och såg tomt framför sig. Sedan tog hon ett nytt ark papper och skrev ännu ett brev till sin syster. Det gick fortare den här gången.

... Jag ska erkänna att jag är rädd. Jag kommer att vara rädd när jag kör över kanten. Tro inte att jag är hur tuff som helst. Jag vet att du ibland tyckte jag var vårdslös med sanningen och hård mot Henrik. Men nu är jag så rädd så jag befarar att jag kommer att ångra mig ...

När hon var klar satt hon med oseende ögon någon minut. Så letade hon fram ett kuvert och la in båda pappersarken och förseglade.

Hittade ett frimärke, skrev på en adress och stoppade ned kuvertet i sin handväska.

En plastkasse i nedersta lådan fick duga till nästa aktivitet. Hon rotade i Henriks lådor och fann dikter han givit henne och dikter han hållit för sig själv. Allt åkte in i kassen, tills hennes ögon föll på ett blått hörn. Hon drog fram pappret.

Bortom soldis i lövskogssänka
granskog som upprepar sig
Bergen slår mig stum
redan i gryningen

Så började dikten, men det var inte orden som gjorde att Lisbeth tvekade. Det var det blå arket med guldkant. Det måste varit precis i början av deras relation. Henrik hade skrivit dikten, knappast medveten om att hon en gång köpt det finare pappret för att kunna skicka brev till Lennart från alla exotiska länder hon tänkt besöka. Allt som inte blev.

När Henrik visat henne dikten hade hon blivit arg på honom. Trätat över att han använt hennes brevpapper utan att fråga. Sanningen bakom hennes irritation hade han nog förstått ändå. Den hade inget med pappret att göra. Lisbeth satte sig för en minut på skrivbordsstolen för att se om hon kunde förstå hans tankar lättare idag, efter alla dessa år.

Landskapet sätter sig i själen
här ska jag vandra min levnad
Om inte svårmodet tar mig

Rad efter annan. Hon kom inte ihåg ett enda ord. Bara att hon inte kunnat förstå det han försökte säga. Kanske det skulle varit annorlunda mellan dem om hon haft lust att prata om hans dikter.

Hon stirrade på den gamla dikten ett slag till, på ett par rader om vintermörker och hur långt borta våren tycks vara ibland.

I sina egna gömmor hittade hon sedan sina två senaste dagböcker och noterade hur många år de täckte in. Hur tunna de var.

Det blev inte mer.

När hon inte fann mer skrivet gick hon en gång till genom alla rummen. Det var så här det skulle sluta. *Det var redan slut.*

Så försökte hon än en gång få prästen att åka. När det inte fungerade kände hon desperationen komma. Hon ville knyta ihop plastkassen. Hon ville stänga till om det som fanns där, men hon behövde skriva något till Anna. Så hon tillät sig att koppla bort det som stundade, att släppa fram en liten gnutta av allt som varit innan, och låta några ord som kändes viktiga hamna på ett nytt ark papper:

Jag kysser dig min flicka. Du var gåvan i slutet på färden.
Uppfyllelsen av en längtan. Jag önskar dig ett underbart liv,
fritt från den här sortens känslor. Bli inte passionerad över
någon eller något. Bli lycklig. Jag älskar dig.

Det blev inte mer än så. Lisbeth hade velat skriva längre, men mäktade inte mer. Hon tvekade, sedan kysste hon brevet och la in även det i kassen och knöt igen plasthandtagen. Efter några sekunders villrådighet drog hon flera remsor isoleringstejp runt hela påsen och skrev med tusch utanpå: »*Till min flicka Anna när hon fyller 25.*«

Hon lät plastpaketet bli liggande på skrivbordet.

Nu måste hon få iväg prästen, för det fick inte hinna bli mörkt.

Hon tog ett djupt andetag innan hon tog telefonen och talade högt utan att slå några siffror:

»Kan jag komma till dig i natt, Erika? Jag måste få vara hos någon som står mig nära ... Ja, det kan vi säga. Då möts vi halvvägs då ...«

Efter att hon för syns skull tagit en liten väska och fyllt den med några klädesplagg stod Lisbeth sedan med nyckeln i handen och tvekade. Sömntabletterna i badrumsskåpet spökade i hennes huvud. Så tänkte hon på Anna och lät bli. Och påminde sig om brevet till systern. Det hon inte fick glömma att lägga på lådan.

Hon låste ytterdörren och så slog hon och prästen följe till Docksta. Där stannade hon till vid en postlåda och passade på att återigen försäkra prästen att hon var okej. Sedan körde de åt olika håll utan att Lisbeth kände dåligt samvete gentemot den näst sista person hon samtalade med. Hon var avstängd, fokuserad på det oundvikliga.

Det började skymma. Om någon timme skulle det vara mörkt. Bara ett enda ärende att uträtta först.

Anna 13 år

Tre vise män

Den förste kom med sin fru innan Anna vaknat ur narkosen. De satt vid hennes säng och samtalade.

Hon frågade: »Hur kunde vi låta Anna vara ensam en valborgs-helg?«

Han svarade: »Hon skulle inte vara ensam. Hon var inte ensam.«

Tystnad.

»Nej. Hon var inte ensam. Men vem har gjort det här?«

»Det var en mopedolycka. Sa någon. En pojkvän ...«

»Men vem var det? Varför vet vi ingenting?«

Han blev svaret skyldig.

»Varför säger du ingenting? Vi har tappat bort henne. Vi måste se till att få henne tillbaka. Hon är vårt ansvar. Ditt och mitt.«

Oändligt lång tystnad.

Sedan mycket försiktigt: »Om inte Anna vill tala så kan vi inte tvinga henne.«

»Om hon inte *vill*? Hon *måste* få tala. Med oss eller med någon annan. Hon måste få hjälp. Det här är ett trauma. Bara att bli ope-rerad är ett trauma och hon har en olycka att komma över också. Hon måste få hjälp att prata om det.«

»Men om hon inte vill ...«

»Du har ingen förståelse!«

Gråt.

Den andre låg först sömnlös och våndades. Han hade svikit. Han hade burit sig åt på ett sätt som var oförlåtligt och nu skulle det han gjort blottas i hela sin fulhet. Han skulle vara tvungen att berätta exakt vad han gjort med Anna. Han krökte sig av smärta bara han tänkte tanken.

Han var kallad till kyrkoherden på morgonen.

När det äntligen var över skulle man känna lättnad. Det var det han hört. Man kunde göra riktigt dumma saker och våndas inför att bli avslöjad, inför att stå där i sin nakenhet och bada i skam. Man kunde tro att man skulle gå under när allt avslöjades, att det var lika bra att dö när allting kom i dagen. Men när väl rättskipningen kom och Herrens dom föll skulle man i alla fall endast känna lättnad.

Nu var den dagen snart här. Och allt han kände var skräck inför att behöva stå för det han gjort. Så han började fundera på ett sätt att komma ur det hela.

När han insåg att lösningen var enkel och att det var Anna som givit honom den, lättade bördan så mycket att han somnade till slut. Och han drömde om henne. Men bara ett litet tag. Sedan kom drömmen att handla om någon helt annan.

Medan Anna låg på operationsbordet för andra gången packade han sina grejer. Han ägnade henne inte en tanke när han klev på ett södergående tåg och lämnade Härnösand bakom sig.

Han upptogs av det stundande återseendet. Pengarna han fått för den gamla bilen skulle räcka till en resa. En gemensam resa som kunde stilla samvetet en aning.

Den tredje fick besök i sömnen.

På natten en vecka efter olyckan hemsöktes han av den trettonåriga Annas styvmor. I drömmen upprepade hon det hon sagt när hon besökte honom på pastorsexpeditionen den dagen:

»Jag är övertygad om att han vet mer än han berättat. Som ungdomsledare har han vunnit min dotters förtroende. De har pratat om katastrofen hon drabbades av när hon var sju år. Det är självklart att hon också berättat för honom om sin pojkvän. Du är kyrkoherde och måste kunna se till så han besöker henne. Hon vägrar tala med kurator, men hon vill prata med honom. Hon måste få komma över det här.«

Han hade upprepat att han inte visste när det skulle kunna ske. Att det berodde på personliga händelser i ungdomsledarens familj och att han eventuellt inte skulle komma tillbaka alls.

Och i drömmen sa han det han inte kunnat säga under det korta besöket:

»Om jag kunde skulle jag prygla honom offentligt, men jag skulle vilja prygla dig också, för att du släpper din dotter lös och riskerar att skämma ut hela kyrkan. Nu har jag varit tvungen att ta hand om problemet åt dig.«

Men han förstod inte varför han drömde så. För något problem fanns inte längre. Dilemmat som flickans styvfar hade presenterat för honom hade lösts på ett oväntat sätt redan tidigare under veckan. Det var ungdomsledaren själv som stegat in till honom:

»Jag tycker inte man ska prata om sexuella dumheter offentligt. Om jag får förflyttning till Uppsala så behöver vi inte talas vid om det som hänt. Varken om Anna eller om dina erotiska eskapader med en viss diakonissa.«

Vid närmare eftertanke blev det mycket enklare så här. Nu behövde han inte utverka någon disciplinåtgärd eller ens ta en diskussion med någon om det lämpliga i att mannen fick vara kvar inom kyrkan. Ingen utomstående visste. Och av de som visste skulle ingen säga något. Flickans styvfar hade försäkrat att det var bäst för henne själv om det hela glömdes bort så snart som möjligt, oavsett vad modern sa. Själv ville flickan inte prata om det, så varför inte respektera det?

Han kunde inte finna skäl att säga emot.

Men i sömnen kände han ilska över människans dumhet. Hur kunde hon vara så otacksam att hon ljugit för sina styvföräldrar och dragit skam över sig själv och dem?

Återuppståndelse

Han har snöat in på en mössa. Anna står med en cola hon inte vill ha och undrar hur Petter kan minnas en mössa mer än något annat.

Fast hon kommer också ihåg konstiga detaljer. Hon gillar killar i rundhalsade, svarta tröjor av en anledning. Och hon köper fortfarande den tandkräm han hade (men hon vill inte komma nära nog för att veta om han fortfarande använder den). Numera vet hon också vilken artisten var som han lyssnade på hela tiden. Hon minns när hon upptäckte det. Det var bara för ett par år sedan, på en efterfest hos någon. Då ramlade en röst över henne, då kom en massa minnen tillbaka. Och det är det närmaste jazz hon någonsin klarat av.

Men en mössa.

Petter står och pratar om hennes gamla mössa. Till levande jazzmusik.

»Grå och röd ... grå med en uppvikt kant och röda smultron påstickade ...«

Men för helvete!

»... tofsen hängde ut ur jackfickan när du ringde på första gången. Du sa någonting om att du hade glömt mössan i ungdomsgruppen ...«

Anna kommer inte ihåg detta. Det är imponerande att Petter minns henne från tiden innan något hände. Hon blir glad, ända ner i magen, trots att hon inte förstår syftet med att de står här.

»Vad väntar vi på?«

»Jag måste se till att du är kvar här tills ... Jag ska ta en cola till, vill du ha något?«

Anna håller fram sitt glas. »Ta min. Jag gillar inte cola.«

Petter ser förvånad ut.

»Det var för tio år sedan«, säger Anna. Och är medveten om att hon försöker lägga distans mellan dem. Mellan Anna nu och Anna då. Men inte av någon annan anledning än att vara schyst tillbaka. Petter vill så uppenbart lätta upp stämningen efter samtalet på pizzerian. Säga snälla saker. Men har inget annat att prata om än en mössa.

»Vad fick dig att vilja ha mig?« Det är bara nästan en elak fråga till en präst.

»Det förstår du väl.« Han sväljer. Hon ser det på hans hals.

Anna tittar ner i golvet. På Petters jeans. På andras jeans. På skor som rör sig förbi dem. Det finns egentligen inget syfte med att vara här. Men hon borde passa på att fråga om sådant hon inte någonsin kommer att få veta annars.

»Berätta om den där natten. Vad hände egentligen?«

Hon höjer blicken. Och ser att Petter vitnar.

»Du behöver inte berätta vad vi gjorde«, säger hon vänligt. »Jag minns att vi var i köket. Jag minns.«

Petter vrider undan huvudet. Grimaserar lite.

»Det är faktiskt något jag förträngt ... det kan vara så att jag gjorde dina skador värre.« Han ser på henne ett ögonblick, sedan flackar blicken iväg igen. »Jag satt fast. Det lät så förfärligt när jag försökte komma loss. Jag väntade på att du skulle börja skrika, men det kom aldrig. Du hade tuppat av.«

I ett svep dricker Petter upp hela glaset. Sedan fortsätter han, rabblande med blicken någon annanstans:

»Och när jag tände lampan såg jag benpipan som stack ut, jag fattade inte vad det var först. Jag hade trott att skelett var vitt, men det är faktiskt gult ...«

Han blundar när han vänder ansiktet mot Anna. Kontakt men ändå inte. »Jag svepte lakanet runt dig och körde till sjukhuset. Jag var tvungen att lägga ned dig på gatan för att öppna bildörren. Det vräkte ned snöblandat ... Jag hade fel på vindrutetorkarna och fick köra sakta. Sedan vaknade du i bilen ...«

»Det minns jag inte.« Sedan inflikar Anna en tanke: »Hur kunde polisen bara låta det vara? Jag trodde att du kanske blev satt i fängelse utan att jag fick veta …«

Petter ser bakom sig innan han svarar henne.

»Det var ingen som misstrodde mig. Konstigt nog, kanske man ska säga. Per-Arne ville att jag skulle säga att några ungdomar ropat ute på gatan, men att de hann sticka innan jag kom ut och hittade dig.«

»Mamma kom aldrig över att någon skulle gjort så. Lämnat mig på gatan. Hon ville att jag skulle tala om vem det var. Vems moppe jag kört. Och hon frågade gång på gång om det inte var så att du hade tagit av mig jeansen och tröjan för att få stopp på blodet … hon var så rädd att jag skulle ha blivit *utsatt* för något, sa hon … jag fick nästan för mig att hon *önskade* det, hellre än att jag hade en kille och hade ljugit hemma …«

Petter ser sig omkring. Väger från fot till fot.

»Jag tror att både Per-Arne och jag bad till Gud att du skulle hålla tyst. Och det gjorde du.«

Anna ser direkt på Petter.

»Det var lätt. Jag ville inte att du skulle råka illa ut.«

»Vet du«, säger han, »jag sticker nu. Vi kanske inte ses mer. Eller också gör vi det. I vilket fall som helst är jag glad att du dök upp på begravningen. Och ännu gladare att du kom hit ikväll. Och det är absolut sant.«

Anna är häpen. Över vändningarna. Hon får inte ens en kram innan Petter är på väg mot utgången.

Ska hon känna sig övergiven nu? Borde hon inte det?

Annas blick landar på ett bekant ansikte på andra sidan baren. När Mirja frågande höjer ögonbrynen knycker Anna på nacken och vänder sig snabbt bort igen. Hon kan inte fokusera på sin vän ännu. Hon försöker förstå varför Petter ville träffa henne. Han vred sig som en metmask hela tiden.

På andra sidan baren lutar sig Franz mot Mirja och flinar.

»Hon såg mig inte.«

Mirja svarar inte.

»Den tjejen har sabbat för så många«, fortsätter Franz. »Hon är en anorektisk depression som lärt sig prata och gå. Du har så stort medlidande med losers att jag blir tokig. Och jag blir tokig av att inte få röka härinne …«

»Men gå då. Varför skulle du med egentligen?«

»Uppföljning. Jag var tvungen att få se den förtappade prästen med egna ögon efter ditt allvarliga snack med honom igår. Hjälpte det att ringa och böna, tror du? Har han bett om ursäkt för att han inte kunde hålla byxorna uppe?«

»Han har gått nu, och det kan du också göra. Du bryr dig inte om Anna så varför ska du vara kvar?«

»Det är alltid kul att se när folk kämpar för att gå under.«

Anna grubblar över samtalet med Petter och den människa han blivit. Någon som inte förstår att be om förlåtelse ens när man säger det – den måste man väl inte förlåta? Och nu går han ut ur hennes liv. *Så lät det ske.*

Anna ser efter honom. Och spärrar upp ögonen.

»Ta mig fan är det inte …«, viskar hon för sig själv. Och skrattar till.

Petter står och pratar med någon nära utgången. En lång och tanig kille, som måste vara … *kompisen.* Killen från Uppsala. Det där ljusa håret och … han hade haft pipskägg då. Nu är han bara orakad. Tänk att de fortfarande känner varann!

Anna minns att hon tänkt att det kanske var någon Petter plockat in från gatan. Hon hade varit rädd att han ville ha med henne på gruppsex. Anna ler åt sitt trettonåriga alter ego som trott att det var normalt i de flestas liv att ligga med flera samtidigt.

Kompisen ser inte lika ful ut längre. Anna tänker att hon var färgad av sin fantasi den gången. Det hade räckt att tänka på hans händer på hennes kropp så hade hon känt avsmak.

Och nu står Petter där och pratar – *samtalar* – med sin kompis. De lutar sig nästan in i varann. Och Anna ser.

De är minst lika nära varann som Mirja och Anna. Kanske de är älskande. Anna kommer ihåg kondomerna som försvann, de som fortsatte spöka under hela tonåren. Vore det ett mindre svek om det varit en kille hon blev sviken för? Någon Petter fortfarande älskar?

Anna iakttar dem från tio meters håll utan att försöka dölja det. Hon skärskådar deras närhet, hon ser den ene uppmuntra den andre till något. Petter ingjuter självförtroende i sin vän genom varsamma gester. Hon ser vännen tveka, krympa, sedan få fotfäste och växa igen.

Anna ser honom vända sig ett kvarts varv och komma rakt emot henne.

Jaså. Det handlar om det i alla fall. Petter hjälper honom att ragga tjejer.

Anna blir inte ens upprörd. Det jobbigaste är redan avklarat. Det här ska hon greja på en minut. Det kan till och med bli lite kul.

Petter försvinner mot utgången medan kompisen tar sig fram bland människorna på golvet, som om han bara händelsevis kommer att hamna bredvid Anna i baren. *Så dåligt.*

Hon mumlar för sig själv, lagom högt: »Jamen, då kör vi en gång till då. När alla jävla sorgligheter ramlar över en samtidigt …«

Anna vänder sig åt andra hållet när han ställer sig intill. Man ska inte göra det för enkelt för idioter. Hon funderar över männen i lokalen och om hon kan bli intresserad av sex senare ikväll. När killen börjar tala mot hennes hår kan hon repertoaren utantill:

»'Hej-hur-är-e?', 'Bra-kväll-va?', 'Jag-har-inte-sett-dig-här-förut'.«
Men så hör hon att det inte är det han säger.

»Kommer du ihåg mig? Vi träffades i Härnösand en gång …«

Det är så han säger. Rakt på sak. Anna kikar snabbt upp på honom. Han har också blivit äldre. Ingen tönt direkt, *men för helvete!*

»Jag behöver ingen pojkvän thankyouverymuch.«

»Men jag …«

»Det är lika bra att du lägger ner det här.«

»… jag kände dig när du var liten …« försöker killen.

Tror han att hon är intresserad av att han besökte Petter en gång i Härnösand och följde med till hans ungdomsgrupp?

»Så jävla liten var jag inte«, säger hon elakt. »Och *kände* är att överdriva.«

»Innan du började skolan. När du var liten.«

Anna fnyser. Hon tänker inte ge några fler svar.

»I Ringarkläppen.«

Anna vänder sig mot honom. *Jävla lögnhals.* Dags att göra processen kort.

»Vad hette vi i familjen då?«

»Henrik-Lisbeth-Charlie-Mattias-och … Anna.«

Han ser henne oavbrutet i ögonen. Anna tvekar. Så får ingen säga hennes namn. *Vad betyder det här?*

Anna ser på hans hand. Hans arm. Han trycker den mot bardisken. Hela killen darrar som ett asplöv. Anna får samma sällsynta känsla som på t-banan till en okänd man i Vällingby. Obehagligt och behövligt.

Konstiga tankar börjar tränga sig på.

»Det är du som är Anna …« säger killen och lutar hela sin långa lekamen mot baren för att få stöd. Hans rädsla är ofräsch. Anna har aldrig dragits till något annat än självsäkerhet. Men han uttalar hennes namn så det gör ont i kroppen. Det hon helst vill göra är att bara gå. Men hon kan inte.

För det handlar inte om kroppar. Anna ser honom i ögonen och förstår inte vad det är som händer. Det bara händer. Och det går fort.

Hon faller bakåt, genom tegelväggen, som slagen av en björnlabb. Hon tappar balansen fast hon står stilla.

Sedan hör Anna det hon redan förstått. Hon har sin blick djupt i de ljusblå ögonen för första gången på många år när hon hör orden.

»… och det är jag som är Mattias.«

Fulhet blir styrka och desperation blir till mod. Något annat finns inte.

»Sluta kämpa för den tjejen. Sluta kämpa för något som är dömt.«

Franz gör ett huvudkast mot andra sidan baren.

I det skumma skenet ser också Mirja. Hon ser sin Anna sakta lyfta näven och måtta ett slag i slow motion mot en okänd killes haka. Hon ser killen lyfta sin hand och göra samma sak tillbaka. Han håller sedan kvar näven mot Annas kind. Hon ser ut att gråta, för öppen ridå.

Mirja har aldrig sett henne så här.

»Jag fattar ingenting.«

Franz drar henne mot utgången. »Men det visste vi redan. Anna har en skruv lös.«

II.

Den rosa pantern

Mattias besökte högmässan bara en gång. Predikan handlade om »helgelsens väg«, och eftersom den nye församlingsprästen ville nå vanliga människor av idag, kom budskapet att ha endast en perifer anknytning till den dagens predikotext. Orden, som på osynliga vingar bars ut från predikstolen, var i huvudsak riktade till den yngre generationen. Välformulerade tankar virvlade ner mot besökarna, men ungdomarna i bygden hade annat för sig en söndag. Den utspridda skaran äldre satt och knep ihop läpparna i bänkarna.

Den unge, långhårige prästen fick utstå en och annan kommentar vid kyrkkaffet. De texter som anmodades i Psalmboken hade ett syfte. Lärde de sig ingenting på prästseminariet nuförtiden? Bakom rygg mumlades om »nyexaminerade präster«.

Om det inte varit för den unga prästfrun hade Mattias inte vetat så mycket om viskningarna. Men hon satte näsan högt och talade om respekten för den som var bärare av Jesu ord. Hon beskrev hans gudsupplevelse så prästen själv rodnade. Innan kaffet kallnat hade hon nästintill upphöjt sin make till Gud Fader Allsmäktig själv.

Men det var inte prästfruns debut i församlingen som rotat sig i Mattias minne. Det var stunden när prästen givit människorna sina första ord som skulle finnas kvar. Hur prästen orädd sträckte sig mot människorna i glädje att få pröva sina vingar.

Den novemberdag prästen kommer på besök och berättar att han träffat Anna på en begravning, står Mattias länge vid den franska balkongen efteråt. Han ser frosten greppa järnräcket utanför och kan inte förstå varför tanken på en skadskjuten fågel kommer för honom.

Han upplever att han faller, och tumlar mot jordskorpan med obrukbara vingar, och han blir inte klok på om det är han själv eller Petter som flaxar i panik för att hålla sig i luften ännu ett litet tag.

*

Länge gömde sig Mattias bland tankar på de kläder mamma valt åt honom. Så länge han tillät sig att vila i hennes omtanke skulle hon finnas kvar.

Kvällen innan Charlie försvann. Jägarna hade varit trötta och skitiga och mamma hade satt på bastun. Henrik la sig på översta laven med knäna i luften och benen brett isär. Vid hans fötter satt Lisbeth med full utblick över härligheten och kastade skopa efter skopa på stenarna.

Killarna gick in i bastun efter dem. Mattias hade tagit av sig den röda, gamla tröjan och de grova jaktbyxorna och lagt dem i yttre farstun som mamma ville. Charlie gjorde tvärtom. Strippade på väg ned i källaren.

Uppe på sitt rum efter bastun hade Mattias sett kläderna. Mamma hade varit inne i Örnsköldsvik och gått från affär till affär och valt ett par jeans, en skärmmössa med tryck och en marinblå tröja. Nästa dag tog Mattias på sig den nya tröjan när han gick till skogs. Varför han gjort något så huvudlöst kunde han inte komma ihåg, men han mindes att mamma blivit besviken på honom. De flådde den eftermiddagen och när hon fick se att han satt på sig en splitterny tröja var det klart att hon bråkade om det.

Men om man aldrig köpt sina egna kläder, då kunde man väl inte göra rätt jämt? Om man hållit med mamma när hon tyckt att man inte haft någon smak, då var det kanske som Charlie sa – man kunde inte stå på egna ben. Man kunde definitivt inte klara sig själv när hela familjen krisade. Inte om man inte ens klarade att välja tröja.

Vägar som ledde bakåt. En massa bråte i vägen.

»Hon knuffade ut dig ur boet en dag utan att du fått lära dig flyga. Kunde du annat än kraschlanda?«

Traumatisk kris. Det tog den rosa pantern flera år att hjälpa honom med det sista skrotlasset. Den sista veckan.

Mattias var instruerad att åka söderut, till moster Erika. Mamma hade sagt att hon behövde få veta, att hon ville pressa pappa till det yttersta för att någonsin kunna lita på honom igen. Mattias hade ljugit till svar och känt sig overklig. Hade mamma kramat om honom? Eller hade hon bara föst honom mot busshållplatsen och rivstartat? Det var ett tomt hål där minnet skulle suttit i hans hjärna, ljusblått som den första vårhimlen.

Medan namn på samhällen och byar han aldrig mer än passerat svepte förbi i höstsol under resan norrut – Husum, Nordmaling, Hörnefors, Sörmjöle – kände Mattias att han höll på att tappa fotfästet. Länge, kanske ända till slätterna kring Röbäck, höll han fast vid en tanke om att Charlie skulle komma till undsättning. Han fick kämpa för att frammana bilden av sin storebror – hur Charlie vaggat lite när han gått, hur han flinat helt öppet istället för bakom rygg, vilka skämt han brukat dra. Men de rörliga bilderna stelnade gradvis.

Mattias blev konstigt lugn när han släppte efter och lät hoppet om Charlie gå förlorat.

När han sökte foga samman en bild av Anna och föräldrarna fick han inte till det heller. Bakom stängda ögonlock tvingade han ihop det som spretade, men så snart han öppnade ögonen, och det måste han när chauffören slog av motorn, hade verkligheten en reva med trasiga kanter.

På kvällen kom förlamningen, men då hade Mattias blivit uppplockad på centralstationen. Den som förbarmade sig över honom hade svarta kängor, blåtira och egen studentlya. Hon erbjöd Mattias ett hörn av madrassen och tillgång till ett korridorkök. I gengäld vittjade hon hans plånbok och funderade över om det fanns mer att hämta ur omständigheterna kring hans virriga, världsfrånvända tillstånd.

Mattias stannade kvar för att han inte kunde annat. Han tog sig till toaletten men fick ta stöd mot väggarna. På kvällarna upplevde han att det var mamma som såg ner på honom med det mörka håret hängande som en gardin, som när han var liten.

En kväll stod någon annan i dörren. Mattias blev uppsliten ur sängen och en morakniv hölls framför ögonen innan han kände den mot strupen.

»Du visar dig aldrig här igen, fattar du det din spenslige jävel!«

Med huvudet före åkte han ut genom fönstret och landade i nysnö. Skorna och jackan kom några sekunder efteråt, sekunder när fickorna tömdes.

När Mattias fått fötterna i skorna såg han att han var på en annan planet. Låga studentlängor längs glåmiga lyktstolpars väg. »Stipendiegränd«, det var där han tillbringat en vecka.

Hur kunde mamma göra så här när hon älskade honom och Anna? Älskade hon honom och Anna?

På stationsgolvet satt han lutad mot en bänk och grät inombords natten igenom. Ingen svarade därhemma, som om världen höll på att utraderas. På morgonen ringde han Bo-Anders.

Orden var så ofattbara. De kunde inte vara sanna. Det som hade hänt på Bo-Anders glasveranda, och det mamma sedan gjort ... så kunde det inte vara.

Mattias brakade in i ett tidningsställ och gick emot en glasvägg innan han kom ut ur byggnaden och ut i trafiken.

»Vill du ta livet av dig! Är du inte klok!«

Mannens röst kom underifrån. Ovanför trycktes isande kyla mot Mattias kropp.

»Jag vill inte dö, jag vill inte dö, jag vill inte dö.«

Hjälpande händer kom till slut. Underjorden hämtade hem honom.

»Kolla med Örnsköldsvik om han har varit intagen där.«

Mattias spände sig så mycket han kunde. Människorna runt omkring pratade om honom som om han var galen. Han måste höja rösten.

»Inte till dårhuset hör ni det era idioter – jag måste hem till morsan och farsan – jag är inte galen – inte till rosa pantern ...«

»Lugn, lugn. Du blir kvar här i Umeå så länge. Vi ska bara ta reda på vem du är. Vi vill hjälpa dig.«

»Inte den rosa pantern ...«

Men de lyssnade inte. De började tala över hans huvud igen.

»Kolla med Övik. Överläkaren där går under det namnet. De har målat psyket rosa.«

Prata om andra saker, sa en röst till Mattias. Prata om vädret. Nej, inte vädret, prata om marken. Om rutorna, om rummet. Om hörnen ovanför dörröppningen.

Världen snurrade upp längs väggarna igen och han tappade balansen.

Han vägrade titta på moster Erika när hon kom. Inte för att hon var lik mamma, utan för att han skämdes som en hund. Det var outhärdligt. Mattias ville inte att hon skulle förstå sanningen, att det var han som var ansvarig.

Till slut hade Mattias svårt att värja sig. Han höll på att ramla ner i ett svart hål igen. Och när moster Erika började prata om Anna fick han andnöd.

Det var det enda han fick ur sig, precis när de hjälpte honom bort:

»Tar du hit Anna slår jag ihjäl henne.«

»Du ska få följa med mig, Mattias.«

Det var den rosa pantern som talade.

Mattias satt och frös. Det hade han gjort konstant sedan han kommit tillbaka in i sin kropp igen och förstått att den rosa panter som talade med honom nästan varje dag var en bredaxlad människa som hette Ulf.

Ulf hade inte knäppt de översta knapparna i skjortan. Nu skrattade han.

»Du hör inte hemma här, bland de här ... dårarna.« Det sista viskade han. »Du får flytta med mig söderut. Jag har fått en ny tjänst och du ska tillbaka till ett vardagsliv. Rehabilitering, känner du igen det?«

Mattias tyckte om hans sätt att skämta. Han hade fått en psykos och Ulf skojade om det.

»Vi har ju pratat om att du skulle behöva jobba lite innan du studerar igen. Jag har ordnat praktikplats på en verkstad. Och så tänkte jag fortsätta hålla ett öga på dig.«

Det lät bra, det Ulf sa, men skrämmande också. Låtsas vara normal, bland normala människor. Ha åsikter. Komma ihåg att ord kunde vara värdefulla och förändra. Som när man kliver av en gren och ljudet får fågeln att lyfta och räven att missa sitt byte.

Ulf kliade sig där håret stack upp. »Du har sagt många gånger att du inte vill ha med din mosters familj att göra.«

»Det är min lillasyster jag menar. Jag vill inte att hon ska veta. Att hon ska se vad jag är.«

»En dag kommer du att kunna lita på dig själv. Att du hanterar ångestattackerna. Och då orkar du vara storebror igen. Men jag tänker inte gå händelserna i förväg, för jag vill tro att din vilja leder dig rätt. Fast … till dess har du ingenstans att ta vägen.«

Mattias såg Ulf rätt i ögonen. Det var inte sant att hans vilja var viktig. Det, om något, hade han fått klart för sig här. Hans ord var bara förflugna tillfälligheter som skulle bedömas och sedan försvinna. Som vittring i vinden.

»Det finns ingen annan anledning att jag ska följa med dig?«

Ulf drog på munnen och vände blicken mot fönstret. »Annat än det här norrländska pissvädret, menar du? Jo, det finns en annan anledning. Bryta gamla mönster, vi har pratat om det. Och vi har pratat om min son.«

Mattias bottnade igen. »Han som har fel slags kompisar här i Umeå?«

»Ja. Vad säger du?«

När Mattias försökte se in i den snåriga skog som verkligheten utgjorde, hittade han både stigar och fallgropar. Kanske fanns det mer sanning än han trott i det Ulf berättat om en son som höll på att hamna snett efter föräldrarnas skilsmässa. I fantasin hade han gått längs en av stigarna, strax efter den andre grabben. Nu blev den visionen mycket verkligare än Ulfs uppenbara försök att få Mattias att känna sig värdefull.

»Du är bara sjutton år, Mattias. Du måste få en fast förankring i tillvaron. Min grabb är ett år äldre, och jag trodde ett tag att jag inte skulle få med mig honom om jag flyttar tillbaka till Uppsala. Han har ju fått för sig att han är vuxen, fast mycket pekar åt precis andra hållet. Springer runt med tjejer. Röker på. Men när det kommer till kritan är han inte så stor. Du gör som du vill förstås. Men Petter är nyfiken på dig.«

Mattias tvekade inte längre. Uppsala låg längre bort än Umeå. Längre bort från Anna.

»Jag säger ja.«

*

Allvarlig och bestämd. Eller kunde man beteckna honom som beklämd?

Nuförtiden finns inget kvar hos Petter av den pojkcharm som i begynnelsen fick Mattias att hejda sig i sin nedgång och sedan manade hans sinnen att börja fungera på gehör igen. Kvar finns ingen gnista till något engagemang och det förekommer aldrig ett samtalsämne som avhandlas med en klackspark och en sup. Eftertänksamheten, den samtidigt grubblande och välgörande, har blivit ersatt av ett töcken av påtaglig trötthet. Och tystnad.

På Petters första vikariat som präst hade Mattias fått tulla av nattvardsvinet, bara för att ha gjort det. Petter hade underhållit dem båda med historier om andra prästers laster. Så icke längre. Livets allvar har sänkt sig som ett fångstnät över den unge prästen. Och Mattias försöker inte längre få honom loss från garnet.

Som fastvuxen står han framför den dragiga dörren vid den franska balkongen. När Petter dök upp för en stund sedan trodde Mattias att det var för att ställa in klubbesöket på lördag. Det har hänt förut. Han bemödar sig inte ens om att variera ursäkterna längre.

Men prästen hade haft ett nytt uttryck i ansiktet och ett oväntat budskap han kastat fram utan att linda in det. Petter, som lärt sig tassa på tå när Mattias skyggar för verkligheten, hade eldat på ordentligt. *»Tänk vad Ulf skulle varit glad ... Dags att mota bort alla vålnader ... Samvetet borde förbjuda oss båda att undanhålla Anna den bror hon behöver.«*

Som om han förberett sig ett halvt liv.

Mattias ser på mönstret i isbildningen på det rostiga räcket utanför, och tänker på det onekliga. Prästen har åldrats flera år på bara någon vecka.

Blodsbröder

»Rosa pantern är på ingång.« Petter skyndade sig bort från det lilla fönstret i garageporten.

Mattias stuvade raskt undan prylarna och dök med blicken ned mellan kylflänsarna.

»Killar, vad gör ni egentligen?«

»Va? Ingenting. Ja, vi mekar. Hurså?« De talade nästan i kör.

Ulf stod alldeles innanför garagedörren med händerna i fickorna. »Den där förgasaren skruvade ni loss för flera dagar sedan.«

Mattias torkade händerna på ett trassel. »Ja?«

»Den har legat på samma ställe sedan dess.«

»Vi har pysslat med annat«, mumlade Mattias.

»Annat, ja … jag undrar vad det är för 'annat'?«

Petter ryckte i vattenslangen medan han vindade upp den. »Äsch, farsan. Vi är lata. Men vi ska få ordning på din gamla klenod. Innan sommaren spinner hon som en katt.«

Ulf gick ett halvt varv runt den vita bilen och klappade den i förbigående på taket. Böjde sig över Mattias och fingrade lite på en tändhatt.

»Maten är klar om en halvtimme. Kommer ni in då eller måste jag hämta er?«

När dörren stängts efter honom vreds två huvuden mot varann. Två flin, varav det ena sa: »Jag kunde inte hålla andan längre. Jag är säker på att han kände lukten. Det var därför han hängde över mig.«

Och det andra svarade: »Skit samma. Nu softar vi lite innan det är dags för käk.«

Mattias kände kinderna hetta. Som om det skulle vara mer för-

bjudet att sitta i baksätet och lyssna på musik från de nyinsatta hög-
talarna än att röka hasch under ventilationstrumman.

Ibland blundade Mattias. Då gick dunket ända ut i fingerspetsarna.
Nedsjunkna med knäna uppdragna mot framsätets helsoffa satt de
så nära de vågade. Ibland vilade deras knän mot varann. Trycket
från Petters ben gjorde honom yr.

De pratade om farsor och morsor. Om Petters rosa panter till farsa
och hans karriärmorsa i kostym. Och Mattias berättade mer för Petter
än han någonsin gjort för Ulf. Om sin svårmodige farsa och hur tafatt
han varit i kontrast till Mattias livfulla morsa. Tills livet tog slut.

De pratade om demoner och ångest. Mattias förklarade att de-
moner som en gång fått fullt spelrum inte var så lätta att hålla i
schack. Han ritade smådjävlar med horn och breda grin i margina-
len på kulturdelen av morgontidningen. Petter var fascinerad. Mat-
tias insåg varför – han var en levande människa i samma ålder, inte
en teori serverad av pappa till frukostfrallorna.

De pratade om Gud. Om det gudabenådade livet. Det var i det
samtalet Mattias märkte att det fanns en öm punkt hos Petter, ett
sökande sinne. Obevakade rum att nästla sig in i.

Och ibland, när Mattias kände sig stark och frisk och glad, så
hände det att de pratade om kärlek och sorg. Den utflykten slutade
alltid med att Petter försökte övertala Mattias att kontakta Anna.
Mattias fick kämpa som ett djur för att kontrollera demonerna. När
han lyckats beskyllde han Petter för att vara köpt och gå den rosa
panterns ärenden.

De gånger demonerna vann kampen fick Petter be om förlåtelse
efteråt.

Den ende de inte pratade om var Charlie. När de satt intill varann
och Petter trummade takten mot bådas ben så fanns inget utrymme
för Charlie. Och Mattias visste aldrig vad det var som gjorde ho-
nom tjock i halsen och suddig i huvudet.

*

Mattias har en pratande skugga sedan tre dagar. Går han på muggen följer Anna med och står bredvid och klämmer finnar i badrumsspegeln.

Halvt i smyg studerar han henne när han kan. Från köket ser han bakhuvudet och nästippen, och snett bakom henne den franska balkongen. Anna i nuet. En gång hade han tyckt att han kände henne utan och innan, som om en sjuåring inte var så komplicerad. Den Anna som sitter i hans soffa nu har så många spår inåt. Det slår honom att de första stigarna antagligen fanns där redan då.

På närmare håll kisar han, för att sudda ut åren. Så slipper han vandra i rågången mellan nu och då.

Mattias blundar inför sig själv också. Han har aldrig känt hämningar i tecknandet. Han har prånglat ut sina serier till vänner och tidningsredaktioner. Aldrig att han känt sig sårbar över kommentarer eller sägningar, inte ens över anonyma elakheter när han lagt ut något på nätet.

Redan när Anna ställde sina första frågor förstod han att det är annorlunda nu. Här kommer ord som vänder upp gamla tuvor.

Den Anna som inte längre är ett barn söker få grepp om honom. Mattias försöker rinna genom hennes fingrar som sand.

Anna står tätt intill när han kryddar grytan. Hon har inte lyft ett finger för att hjälpa till med något sedan hon kom. Allt hon verkar kunna är att kommentera ett tidigare liv. Mattias vill inte dit.

»Har inte moster Erika lärt dig laga mat?«

Anna blir kvar med näsan i hans köttgryta när han går ett varv igen.

Den rosa pantern fick honom att komma vidare varje gång han krisade. Till ett nytt fritt fall ned i nästa svarta hål. Mattias undrar över alla invecklade inre processer han haft genom åren. Kanske har han tragglat sönder sig på färden.

Han måste rädda grytan. Kanske handfallenheten beror på att hon var för liten. Hon hann aldrig gå i mammas skola.

Anna vänder upp ansiktet. Lugnet, det är nytt. Hos sjuåringen var det antingen surmulna miner eller obehärskat skratt.

»Behöver du inte åka och hämta kursböcker? Eller en egen tandborste?«

»Jag har längtat efter det här. Jag vill aldrig åka härifrån.«

»Du har ett liv som väntar. Skärvor och dåliga serier är vad jag har.«

»Det är samma med mig. Mirja kommer att öppna ögonen en dag och se vilken fejk jag är.«

Anna lutar huvudet över spisen och gömmer sig bland lukterna.

»Om jag går ut genom dörren kanske jag vaknar och så finns du inte längre.«

»Vi har pratat i flera dagar, Anna. Man kan inte ta igen allt i en stöt.«

*

»Vad ska vi bli när vi blir stora?«

Det var den stående frågan, öppningen till samtal.

»Psykologer«, föreslog Mattias. De stod i garaget för ett sista bloss på flera veckor. På dagordningen stod att göra sig klara för att fjällvandra. Ulf började semestern dagen därpå och ingen av killarna litade på att han inte tänkte gå igenom deras packning.

»Bra val.« Petter nickade eftertänksamt. »Är du nervös?«

Mattias svarade inte.

»Tänk om de tar Anna med till juristen«, funderade Petter vidare.

»Vi ska stanna två timmar i Härnösand och jag ska skriva på ett papper.«

»Ja, jag menar precis det. Att skriva på ett papper kan inte ta två timmar ...«

Mattias var tvungen att slå sig ut.

»Om du kunde skita i Anna! Jag gör vad jag kan för att hantera att din farsa tvingar med oss på en jävla reningsmarsch. Bara för att han är för feg för att dra till oss. När det inte funkar att prata ska vi tokgå som straff. Men att trycka upp oss mot väggen och ge oss varsin jävel det klarar han inte ...«

»Var det så din farsa gjorde?«

Mattias svalde. Och svalde. »Det var så han gjorde med Charlie.«

»Hade han ihjäl honom?«

Mattias tänkte på risken att möta Anna hos juristen. På Annas armar runt pappas hals. »Jag har aldrig trott det ... Men jag får ju aldrig veta.«

»Du är skitnervös. Ett vrak. Du borde träffa din lillasyster.«

»Lägg dig inte i.«

När Petters nacksving kom för att dra in honom till en omfamning slog han sig fri och skrek: »Jag vill inte, jag vill inte.« Hela vägen ner genom det svarta hålet vrålade han samma sak: »Jag-vill-inte-jag-vill-inte-jag-vill-inte.«

Utan förvarning blev det mörka så groteskt att det slog över i ljusaste skärt. Och när han kände igen ansiktet framför sig tvingade han sig att bli begriplig igen. »Vad-ska-vi-bli-när-vi-blir-stora?«

»Präster«, svarade Petter.

*

»Jag önskar att jag också hade fått prata om mamma och pappa och Charlie. Jag fick knappt öppna munnen under hela min uppväxt.«

Det blir rester till middag. Efter flera dagars matlagning är det nästan en buffé. Mattias dukar fram och påminner henne inte om Petter. Att han vet att Petter offrade många kvällar på att samtala med Anna om hennes familj. Att Petter försökt hjälpa dem båda.

Ett par gånger de här dagarna har han blivit ställd mot väggen av en lillasyster som vill veta varför hon inte fick träffa honom i Umeå. Varför man inte talade om för henne att hon hade en bror som levde. Man lät henne tro att båda bröderna var försvunna, och *hur kunde man göra så mot henne?*

Nu är hon där igen.

Han svarar återigen som det är. »Det var jag som förbjöd moster Erika att säga något om mig. Det hade inte hjälpt dig ändå. För det fanns tre personer till att fundera över. Jag funderade över mamma och pappa och Charlie tills jag var helt väck.« Och som en eftertanke: »Men jag vill se den där pappersbunten du pratat om. Vad mamma skrev den sista dagen.«

I fem dygn har han väntat på att Anna ska göra det de flesta skulle gjort dag ett. Om de haft familj. Men Anna har inget meddelandebehov, han har inte sett henne hålla i en mobil ens.

»Hennes dagbok då, är du inte nyfiken på den?« säger hon bara.

»Den tjuvläste Charlie och jag så fort vi lärt oss läsa. Det stod aldrig något spännande i den. Hon skrev bara om pappa. En massa arga tankar.«

Slutligen måste han kläcka ur sig det i klartext:

»Ska du inte ringa moster Erika och berätta att vi sitter här tillsammans?«

Anna förvånar honom. »Ja! Och så ber jag om det där kuvertet, så kan vi läsa det tillsammans!«

Skyndsamt får Mattias fram sin mobil. Sedan kan han inte låta bli att sätta sig bredvid när hon häver ur sig allt i ett andetag. Genom pyttesmå hål hör han moster Erika säga att hon förstått att den här dagen skulle komma, när Anna själv letar upp sin bror.

Då blir Anna tyst.

Sedan knäpper hon på tonårsdottern. Hon anklagar moster Erika för att ha låtsats som om Mattias var död, fast hon visste bättre. Anna talar så fort att hon snubblar på orden.

Mattias hör det lama försvaret. Orden skruvar sig ur mobilen:

»Men Anna snälla, vi ville inte tynga dig med minnen av det som varit. Först var du alldeles för liten för att förstå. Och i tonåren var du så ledsen. Det hjälper inte att tänka på det som kunnat vara annorlunda …«

»Är det därför du inte ger mig den där pappersbunten? Du ska inte bestämma över det som är mitt. Du skickar hit alla jävla papper nu! Mattias och jag ska ha dem!« Anna fortsätter gasta tills hon börjar andas mitt i meningarna och moster Erika får in ett och annat ord igen. Då häver Anna ur sig att hon aldrig varit så besviken i hela sitt liv och så trycker hon bort samtalet.

Mattias kommer på sig med att lyssna efter ett ljud han inte hört på hemskt många år.

Efter ett tag säger Anna: »Jag har aldrig lagt på i örat på henne förut.«

Fortfarande försöker Mattias höra det. Tickandet från ett pendelur i tystnaden efter en skräll.

*

»Ja, jag hade börjat undra«, sa Ulf och nickade menande till alla tre. »När ni killar inte kunde slita er från varann. Så det är skönt att se en tjej i gänget.«

»Du förnekar dig aldrig.« Petter drog iväg med både Mattias och flickvän.

Mattias kunde inte låta bli att jämföra henne med Kajsa, Charlies tjej. Och då förlorade hon förstås. Att det skulle finnas en tävlan mellan Petters flickvän och honom själv såg han inte förrän hon tog upp striden.

»Kan du inte lämna oss ifred? Gå och sätt dig i den där bilen ni har i garaget.«

Utanpå Mattias syntes ingenting. I bröstkorgen rev svartsjukan som tokig. Petter brukade säga det, att man inte kunde tro att Mattias varit med om någonting alls i sitt liv. Att han såg ut som en snäll kille från landet.

När kvällarna blev ensammare märkte Mattias att Ulf talade med rosa panter-rösten igen. »Du gömmer dig för livet. Det är dags att kläcka skalet och komma ut nu.«

Komma ut. Mattias undrade om han var bög. Men så kom han återigen att tänka på tjejen i flätor som aldrig varit hans. Kajsa hade fått hans ansikte att hetta på samma sätt som han känt i baksätet på Ulfs vita Buick Invicta.

Kanske det var lovarna hans tankar börjat ta åt norr som gjorde att han fick syn på jobbannonsen. Han funderade inte så länge innan han la fram den. Det spelade ingen roll om Petter flyttade till Härnösand. Tiderna hade redan förändrats, de var inte längre oskiljaktiga.

*

Kvällen kommer allt tidigare. Dagsljuset krymper i båda ändar och det är svårt att tro att det snart ska vända. Mattias tänder en lampa till.

Anna tittar på permanentlockar och en tantnäve som håller handväskan i ett bastant grepp. »Som någon man kände när man var liten, som rökt för länge.«

Mattias ser på munnen han tecknat som ett hönsarsel. Han har börjat undra om Anna inte läser pratbubblor. Han sätter pekfingret på mannen med det breda grinet och högaffeln i högsta hugg. »Bonden från norr. Fåordig. Valhänt.«

»Bönder är väl inte valhänta?«

»Jorden går i arv. Man har inte så många val. Det är meningen att det ska märkas på honom.« Mattias drar fram ett annat blad. »Och så deras dotter. Gammjäntan som blev kvar hemma. Hon spelar på bingo. Smygröker fast hon är fyrtio.«

I flera av serierutorna går redskap utanför ramen. Andra saknar ram och figurerna har givit sig iväg, utsläppta som kalvar på grönbete. Mattias är nöjd med det extra språk bildkompositionen talar, men det är karaktärerna som får honom att gå igång.

»Och så byfånen, då. Originalet på bygden. Han som kan alla låtar på Svensktoppen utantill. Som tror han har en chans hos gammjäntan fast han är över sjuttio och inte har en tand kvar …«

Anna avbryter. »Du kommer ihåg så många människor, Mattias. Du har så mycket kvar som jag tappat … Men du gör narr av det. Det är oseriöst.«

Mattias betraktar henne.

»Och vad gör du som är seriöst, Anna? Det finns väl inget som är så viktigt att man inte får skoja om det?«

»Du och Olivia skulle gilla varann.«

»Det måste vara längesen du träffade Olivia. Ska du inte åka och hälsa på?«

»Jag stör dig«, säger Anna surt. »Du har ingen tjej, ändå stör jag.«

»Är det inte såna kommentarer som kallas … heteronormativa?«

Anna sätter handen för munnen. »Shit! Att jag inte räknade ut det.«

»Men jag har ingen kille heller …«

En dag är serierna slut. Många års arbete med penna i hand har hon bläddrat igenom på bara några sittningar. Och för varje stripp Mattias är tvungen att förklara, förlorar den tvådimensionella världen i djup. Anna sätter upp ett frågande ansikte inför allt och Mattias tänker att hon gjorde så redan som liten.

Hans lillasyster ville en gång ha sagor berättade för sig på ett övertydligt sätt. Anna låtsades inte förstå, så att stunden skulle dra ut i det oändliga och nattningen aldrig vara över.

Anna tänker fortfarande inte förstå.

»Du *ville* egentligen träffa mig. Jag hade inte gjort dig något. Om jag fått träffa dig hade allt varit annorlunda.«

»Jag fick attacker. Panikångest. Man får ont i magen och ont i bröstkorgen och blir nästan lam i armar och ben. Man tror man ska dö. Jag kunde inte träffa dig på det viset. Jag blev sämre bara jag tänkte på dig … Och så värnade jag en bild.« Han försöker förklara. Så länge han kunde inbilla sig att Anna hade det bra, vittrade den eviga familjen inte sönder.

Anna är inte sen att protestera. Mattias fick också en ny familj, räknades inte de?

»Och hur skulle jag kunna lita på att Petter inte tänkte överge mig för någon tjej? Att Ulf inte skulle gå och dö en vacker dag?«

Tro fan att han hållit hårt i drömbilden och varit rädd för verklighetens Anna.

Nu sitter hon i hans närhet. Anna är långt ifrån den lillasyster han

tänkt sig, men hon sitter här och hon finns. Det borde vara över.
Har han inbillat sig att det är över?

*

Han kände sig som en stolt förälder när Petter fick jobbet. Kanske Ulf bidragit med sina kontakter, men i så fall dolde han det väl. De stod tillsammans och vinkade som fåniga kärringar när Petter körde iväg i en gammal häck som kostat mindre än en månadslön.

»Det danar karaktären att finansiera sin egen bil«, hade Ulf tyckt.

Det tog lång tid för Petter att övertala Mattias att komma upp och hälsa på. I färskt minne fanns besöket hos juristen i Härnösand, när Mattias skrivit över hemmanet på Anna för att definitivt kunna klippa banden. Moster Erika hade försökt berätta om hans lillasyster och Mattias hade blundat och darrat och känt andnöd. Ångrat att han gått med på att sätta ut medicineringen och till slut vrålat efter Ulf.

Så här några år efter juristbesöket kändes det bra att Petter fick inblick i Annas liv. Då kunde han fortsätta att hålla sig på behörigt avstånd för egen del. För att Mattias skulle åka norrut själv behövdes rejäla påtryckningar. Det krävdes en mindre jordbävning.

Och den kom.

»Du ska upp till Härnösand«, meddelade Ulf en dag.

Mattias stirrade på honom och såg det genast. Det var den rosa pantern som tog sig ton igen. Han blev förbluffad. De var ju överens om att han gjorde som han ville. Att han fick hålla sig undan Anna för resten av sitt liv om han kände för det.

»Du ska upp till Petter. Om du träffar din lillasyster eller inte är din sak. Men du ska inte sitta här ensam när jag åker in på operation.« Ulf pekade med fingret på huvudet. »För en tumör.«

Mattias kände sig förlamad. Han hade våndats över att föräldrarna tog livet av sig så oförberett. Han var tvungen att varje dag leva med ovissheten om vad som hänt Charlie. Och nu detta.

När han kom tillbaka från den bedrövliga resan till Härnösand visste han att Petter hade en ny tjej. Mattias hade fått tvinga fram erkännandet, men det hade varit lika tydligt som ful graffiti på betong. Och Anna hade han inte vågat prata med.

Det skulle aldrig gå att vrida tiden åter. Varje sekund som gick lades till ett misslyckat liv. *Framtiden finns inte*, intalade han sig och övervägde olika sätt att ta livet av sig.

Stressen över att Ulf var så sjuk gjorde att Mattias och Petter pratade nästan dagligen. Anna ställde frågor till Petter om sitt barndomshem i Ringarkläppen, och Mattias fick anledning att gå på långa upptäcktsfärder i minnet. Han fann snart att han inte vågade tänka vidare på att sitta i Ulfs Buick med rutorna nedvevade och dra djupa andetag med motorn på tomgång.

Med Mattias skulle alla minnen från barndomshemmet försvinna.

*

På köksbordet står en adventsstake. Två lågor brinner nästan helt stilla. Båda doppar skorpor tills de flyter omkring i teet. Gamla vanor vårdas som på institution. Eller ännu värre, som vore de biljetter till dåtiden.

När Anna återigen kommer in på drömmar går Mattias undan.

»Jag vågade aldrig säga det, inte ens till Olivia, men jag drömde alltid om att Charlie och du skulle komma tillbaka en dag.«

Första dagen hade Mattias burits med på vågen av hennes fascination. Nu är det en vecka senare.

»Vill du verkligen veta vad som hände Charlie? Även om du då förstod att du aldrig skulle få se honom igen?«

Anna sätter sig i soffan med tekoppen och struntar i att svara. »Vilken var din dröm, Mattias?«

»Min dröm kommer aldrig att bli uppfylld.«

Han fingrar på en trasig bokrygg i hyllan. Ena dagen har man hela livet framför sig, nästa vaknar man till en verklighet som bär med sig en omöjlig önskan – att ha varit dödfödd.

»Men säg, då! Vilken var din dröm?«

Mattias går fram och börjar gräva mellan kuddarna i soffan. »Jag önskar att Petter aldrig hade gift sig med det där psykfallet. Hon bestämmer vilka han får umgås med. Och jag tillhör inte de utvaldas skara.«

Anna sneglar på den som precis sagt ordet »psykfall«.

»Det går ju inte att prata med dig.«

Mattias sätter sig tillrätta med fjärrkontrollen. En röst börjar mala om temperaturer.

»Måste teven vara på, Mattias?«

Han flyttar sig nära. »Alla meteorologer heter Per, har du tänkt på det?« Han nickar mot teven. »Det är en hemlig plan de har från staten, att kontrollera allt. Det är därför väderleksrapporterna inte stämmer längre. Det är staten som sår skit i våra hjärnor. Så snart de kan styra vädret ligger vi alla jäkligt risigt till …«

Mattias håller sig allvarlig en lång stund medan han byter kanal några gånger. Sedan stänger han av teven: »Tro inte på allt jag säger, unge!«

»Och hur vet jag när jag ska tro på dig, då?«

Hon studsar upp utan att invänta ett svar. Hennes tekopp blir kvar på soffbordet och smulorna kommer han också att få torka upp.

Stegen är strax tillbaka. Anna kommer in med läderstövlar på.

»Jag går till posten och hämtar dagböckerna. Paketet med alla gamla papper.« Rösten är dämpad genom flera lager stickad halsduk. »Så har vi något att göra i jul.«

»Du och jag och en färdigköpt julskinka. Och morsans gamla dagböcker. Men det är klart, Petters fru blir själaglad.«

»Du bara tramsar vad jag än säger. Jag frågar om din dröm och får en utläggning om väder. Och julskinka.«

När hon bara står kvar är Mattias tvungen att titta upp till slut. Men han klarar inte att se henne i ögonen när han svarar:

»Jag är alltid tillbaka i Ringarkläppen. Min dröm är att få leva om de där septemberveckorna.«

*

Hals över huvud. Det var så Mattias upplevde det. Petter kom tillbaka från Härnösand och hade vilda idéer om en resa, om att göra något ihop. Återfinna varann, vara bröder. Blodsbröder.

Kuba.

De fascinerades av bilarna. Amerikanska åk rullade på gatorna i toppskick.

Chevrolet, Chrysler, Pontiac, Ford.

Originallack. Träinlägg.

Cuba libre. I ett alltmer diktatoriskt land hade amerikanskt femtiotal bevarats orört. Vårdats ömt, av nödgade och tvungna.

De gick omkring i två veckor och turistade inte mer avancerat än att besöka Hemingways bostad och att köpa varsin t-shirt med Che Guevaras välkända silhuett.

Smekmånad. Mattias kunde inte låta bli att nära tanken.

Vid midsommar, mindre än en månad efter att de kommit hem, dog Ulf.

Mattias kunde aldrig få grepp om vad som hände därefter. När han föreslog att Petter skulle söka sig norrut igen svarade han med att flytta ut ur villan och lämna Mattias ensam kvar.

Det skulle ta två år till innan han själv tog steget. Han gjorde det dagen efter bröllopet. Medan Petter satt på flyget på väg till Kuba med sin nyblivna fru slog Mattias upp lägenhetsannonserna. Smekmånaden var över.

*

Julen bjuder inte på snö.

»Det har hänt förut i Uppsala. Man vänjer sig. Det är säkert snö i Härnösand.«

Mattias hör själv att alla hans kommentarer har en svans. Som på beställning ringer telefonen. Anna pratar med dem alla, i tur och ordning. Hon är fåordig.

»Olivia är ledsen«, förklarar hon efteråt. »Hon vill inte fatta att jag är sur på mamma. Hon tycker jag är dum som låter det gå ut över julfirandet. Det är första året jag bryter traditionen.«

»Jag hade klarat mig själv.«

»Det är inte dig det är fel på. Det är jag som inte vill. Vänta ska jag hämta en sak!«

Innan hon är tillbaka har Mattias hunnit sätta på teven. I ögonvrån ser han ett inplastat paket med stor text i svart tusch. »Vi sa ju att man borde bränna sånt där«, kommenterar han.

»Vi sa att vi skulle öppna det på julafton. *'Till min flicka Anna när hon fyller 25'*«, läser Anna. »Kom nu!«

»Du är inte tjugofem än.«

Anna river upp isoleringstejpen i köket.

Överst i bunten ligger ett vitt ark.

Jag kysser dig min flicka. Du var gåvan i slutet på färden. Uppfyllelsen av en längtan. Jag önskar dig ett underbart liv, fritt från den här sortens känslor. Bli inte passionerad över någon eller något. Bli lycklig. Jag älskar dig.

Teven har stängts av.

»Få se«, säger Mattias och ögnar igenom raderna. »Typiskt mamma. Gräv fram en dagbok så får du se. Handlar uteslutande om hennes känslor. Passionen för pappa. Där fick ingen annan plats.«

Anna öppnar en mjuk, svart anteckningsbok och läser högt från första sidan:

Henrik och Charlie har bråkat om plattsättningen på verandan. Det slutar med att jag får ta hit en hantverkare i alla fall. Det är jobbigt att behöva medla för att få det gjort. Jag som vill ut och promenera. Jag behöver motionen.

»Hon behövde väl vara i form. För att orka med pappa i sängen.«

Anna stänger dagboken. »Det här är inte rätt.«

»Två år hit eller dit. Hon lär knappast hålla dig ansvarig.«

»Jag menar inte så. Jag vill inte att du kommenterar.«

Hon öppnar boken igen och bläddrar ett par sidor. Ögat fastnar på en svordom. Anna skrattar till när hon läser:

Jag vet att det inte är så. Ändå blir jag så arg när Henrik kommer in i affären. Det är min arbetsplats och jag vill ha den ifred, även med den jävla apan som chef. Hon ger alltid Henrik gamla bröd-paket och bullar. Och han bara ler och nickar. Som om han tar emot allt hon är villig att ge.

»Det är väl klart att han inte sa nej till grismat. Läs om någon annan än pappa … Jag ska försöka låta bli att kommentera.«

Anna skummar texten. »Här är jag!«

Vår lilla Anna är en sådan glad människa. Hon är sprudlande positiv och kommer inte att få några problem alls i livet. Hon har så lätt att få kontakt med andra människor. Det ska bli riktigt roligt att se henne erövra världen …

Anna avbryter sig. »Kände hon mig inte alls? Hur fel kan ens egen mamma ha?«

»Den där beskrivningen av min sjuåriga syster kunde jag ha hittat på själv.«

Annas leende är borta. Hon har inte en aning om ifall hennes storebror skämtar eller inte.

*

Det dåliga samvetet var en räddningsplanka när det började dra ihop sig.

När han måste öppna alla fönster för att kunna sitta ned vid köksbordet såg Mattias till att ha Petters nummer framme på en stor lapp. Och när det gått så långt att han började vandra som en osalig ande i lägenheten och det inte hjälpte med korsdrag och fri sikt, var det dags att rassla liv i det dåliga samvetet.

»Det går inte längre, Petter. Demonerna hittar in i mig … De hittar in fast jag låter bli att andas. De kommer in genom öronen också … Snart tar de över och då går det åt skogen …«

Det dåliga samvetet satte genast Petter i bilen för att hjälpa Mattias till vuxenpsyk.

»På med skorna. Jävlar vad du har kylt ut lägenheten. Kom igen nu, brorsan. Vi måste in så du får hjälp med det här. Jag ska hälsa på dig varje dag framöver … Det får inte bli så här … På med jackan.«

Redan i bilen in reviderade Petter det han sagt.

»Vi får se till så du har en aktivitet varje dag. Du måste ut bland folk. Jag ska ringa och kolla dig dagligen när du kommer hem.«

Och på väg hem någon dag senare verkade Petter inbilla sig att det hade hjälpt om Mattias haft en hög med pengar.

»Det är förjävligt att vi inte kan kliva ur huset, eller åtminstone ge dig hälften. Men vi skulle knäckas av lånen … Pratade du förresten med någon om att du behöver ta itu med din uppväxt? Att du har en syster du skulle må bra av att träffa igen …«

Mattias teg. Domedagen var långt borta, för han strävade åt motsatt håll. I den mån han tänkte på Anna sökte Mattias färdas bakåt, ända till den tid då han kunnat göra saker annorlunda.

Anna skulle ha suttit där den morgonen Charlie försvann. Om hon sörplat choklad vid köksbordet hade det inte hänt.

*

På nyårsdagens morgon faller snö. Inga stora lapphandskar. Det vita kämpar för att täcka trottoarer och vägar och gräsmattor. Ett nytt år, med nya tankar, och Mattias märker att han är rädd för dem. Han vet inte längre om vägarna leder framåt eller tillbaka. Vore det skyltat gjorde det ingen skillnad.

Anna och han går om varann i lägenheten. Till slut verkar Anna få nog av tystnad.

»Jag tänker läsa i dagböckerna igen.«

Hon sätter sig med det enda de har gemensamt. En bunt papper som minner om en barndom. Och snart är Mattias där också och flyttar runt några ark.

»Det saknas något. Jag har letat och letat efter brevet till moster Erika. Det sista brevet mamma skrev.«

»Men det är inte med här.«

»Varför inte det?«

»Det var inte till mig. Det är undanstoppat i Härnösand.«

»Vad stod det i det?« Mattias fråga kommer snabbt.

»Jag har aldrig fått läsa. Olivia och jag snokade, men vi hittade aldrig det brevet.«

Mattias hänger över bordet. Han rör varken papper eller dagböcker.

»Vi måste till Härnösand«, säger han.

Frampå eftermiddagen är världen vit. Mattias svarar knappt på tilltal. De få ord han lyckas prestera har en cynisk ton. Och det blir värre. Anna förföljer honom i lägenheten. Han vet att det är orättvist, men han behöver få vara ifred, få tänka, och det går inte med någon som baxar känslor överstyr hela tiden. Han tror att han hanterar det skapligt, att hon inte ser de nervösa rörelser han inte kan hejda, men strax före sex börjar hon ta på sig ytterkläder.

»Jag ska nog åka hem ändå. Hämta kläder och träffa Mirja.«

Mattias kommer på fötter. Vid dörren ber han henne sätta på mobilen.

Anna retas: »Du menar inte att du kanske tänker ringa?«

Mattias skäms. När hans lillasyster blir glad över det som bara påminner om en ömhetsbetygelse, är det nära att dammluckorna till det förgångna öppnas.

Hon hinner till busshållplatsen tre kvarter bort. Mattias säger inte ens hej.

»Ska du med till Norrland?«

Anna trycker mobilen hårt mot örat och frågar vad han sa.

»Jag ska till Norrland. Du måste med.«

»Jag hör inte riktigt vad du säger, Mattias.«

När hon för fjärde gången säger att hon inte hör, blir han tyst i andra änden.

Anna skrattar. »Där fick du igen. Jag ville bara lyssna på din röst. När du säger 'Norrland'.«

»*Pissråtta. Anna-pestunge.*«

Anna blir varm och lycklig, och först efter ett långt tag inser hon att han inte skämtar när han pratar om att fara till Norrland.

Barnet som inte var

Objudna hade drömmarna funnits så länge hon kan minnas. Omöjligare än Olivias eviga önskan om en egen häst, mer förbjudna än hennes kompisars romantiska fantasier om skådisar och artister.

Återförening. Syskonkärlek. Aldrig skiljas igen.

Det visade sig att Mattias funnits där hela tiden, som en skugga bakom Petter, som resonans i allt Anna gjort. Han fanns där utan att ge sig till känna, och gav henne Petter som ledtråd till sig själv. I höstas började pusslet hitta sina bitar.

Och nu har de kommit hit.

Utan att hon märkt det har det gått nästan en månad sedan hon var i Stockholm på nyårsdagen. Anna måste stanna tiden en aning. Hon vet inte vad som är fel, men hon vill sätta fingret på vad det är. Bara det är anmärkningsvärt. Mirja säger att Anna aldrig tagit tag i något i hela sitt liv. Hon tog inte heller tag i det här med bröderna. Det ramlade över henne. Och Anna kanske var medskyldig till sitt ovetande under uppväxten? Men tanken att hon skulle varit rädd för sanningen är nästan omöjlig att släppa fram.

När hon är med Mattias är världen liten. Den krymper till de rum de vistas i, där pratet om det som varit tar all plats och där ingen annan levande passar in. I det rummet vill Anna stoppa tiden och existera. Det är så problemet yttrar sig.

Allt hon hade innan känns overkligt.

Anna läste en krönika en gång om hur det är att få barn. Efter det omvälvande födandet, det som miljoner kvinnor varit med om innan, gick förstföderskan ut på stan och kände sig ensam om sin upplevelse. Alla andra satt med genomskinliga bubblor runt huvudena, medan hon som dagarna innan fött fram en människa gick omkring rå och verklig, med total insikt. Den nyblivna modern ville aldrig mer tillbaka till sin egen skyddsbubbla, men livet hade också blivit mer skrämmande, för nu fanns det någon som berodde av henne.

Tankarna om oumbärlighet hade gjort starkt intryck på Anna och blivit till en livssanning där det bara fanns en riktig mamma som hade möjlighet att nå ända in i barnets hjärta. Kanske Lisbeth själv kände hur hon mutade in det lilla utrymmet i Annas hjärta när hon födde henne. Anna har tänkt att även hennes far måste känt så. Han har alltid haft en självklar plats hos henne.

Anna har aldrig tidigare utforskat vad som finns på de där speciella hjärteplatserna, och vad som fanns där hos föräldrarna. Det är mellan raderna i Lisbeths dagböcker Anna börjar ana vad hennes mamma måste ha upplevt. Det är i Henriks dikter hon börjar se vad hennes pappa kände.

Lövträden är avrustade och tiden är slut

I strofer tyngda av naturen kan hon nästan höra andetag. Igår hade Mattias kommit fram till köksbordet och läst över axeln på Anna.

»Den där dikten handlar om Charlie. Pappa måste ha skrivit den någon av de första dagarna efter att Charlie försvunnit. Innan det blev rena dårhuset därhemma.«

Anna har inga minnen av ett dårhus.

»Charlie hade en annan pappa«, hade Mattias sagt och satt fingret på ett ord i slutet av dikten. »'Kärleksgåva', det var så mamma kallade det.«

Senare på kvällen hade Mattias upprepat den idiotiska idén. Sagt igen att han tänker ta sig norrut. Snart.

Anna går längs Folkungagatan. Hennes skor släpper in väta. Det är det värsta med läderskor, de spricker i sömmarna och man blir blöt om sockorna och det isar i fötterna. Anna hatar Stockholmsvintrarna. I Härnösand gav man bara upp och hade riktiga kängor.

Hon går in i en butik och vandrar runt ett slag. Vid ett bord med ljusstakar i svart smide blir hon stående. Anna har alltid fastnat för råheten i järn. Tyngden. Behovet av att ta i det och känna den underliggande kylan.

Hon funderar över hur Charlie skulle sett ut idag. Mattias förändring – hans *vuxenhet* – har varit svår att förlika sig med. Bara i hans ögon kan hon någon gång se rakt tillbaka till dåtiden. Charlie var ett stort leende och massor av mörkt hår, men sedan minns hon inte mer. Han har glidit längre bort. Anna undrar vad hennes pappa kände när Charlie föddes. Fick pojken ändå ett ointagligt rum i hans hjärta?

Det slår henne att Charlie och Petter var ganska lika till utseendet. När hon träffade Petter som trettonåring, vem var det hon egentligen sökte? Och vem famlade Mattias efter när han kom så nära Petter?

Anna kommer på sig med att undra vem hon är med Mattias. Hon har aldrig förr klarat av att stanna i rum där någon är obekväm med hennes närvaro. Med Mattias vältrar hon sig i det.

Plötsligt kommer Anna ihåg att hon lovat att Mirja ska få följa med till Uppsala över helgen. Och hon skäms över den spontana tanke som följer – att hon helst skulle vilja ha vattentäta skott mellan Mirja och Mattias.

Anna har förvånats över sin förmåga att kapsla in sig hos Mattias och strunta i resten av världen. I räkningar. I Mirja. Det som tillhörde Annas centrum har blivit remsor i marginalen.

Det flyger genom henne att det kanske är verkligheten med Mattias som är konturlös. Att hon håller på att tappa fotfästet utan att kunna se det. Trots att hon bedyrat motsatsen är Anna rädd att Mattias ska klappa ihop en dag. Låta henne ta hand om spillrorna.

»Men du måste väl inte bli polare med hela familjen! Jag fattar inte hur du väljer umgänge ...!«

»Inte jag heller! Jag är ju tillsammans med dig, till exempel.«

Anna står med nyckeln i hand och väntar hoppfullt. Om Franz är sur för att Mirja ska till Uppsala kanske det slutar med att hon inte åker.

När de slutat skrika så det hörs ut genom ytterdörren gör Anna entré. Det första hon ser är en helnäck Franz, utsträckt med en cigarrett i handen.

»Fan också«, fräser hon till. »Vem har gett dig lov att röka i soffan?«

»Sorry. Men det är så skönt med lite after-sex.«

Mirja skyndar fram och håller om Anna. Länge. »Jag har saknat dig. När kommer du tillbaka? Hur går det med studierna när du inte går på föreläsningarna?«

Anna ler och blundar. »Bra.«

»Lögnhals.« Mirja kramar henne igen.

Franz kommer fram och blåser rök över Annas huvud och fejkar en kindpuss i närheten av hennes hår. »Har också saknat dig, älskling.«

Mirja skärper till rösten. »Men gå och ta på dig något.«

Mirjas och Franz gräl brukar leda till att Anna inte kan sitta framför teven när de går och lägger sig. Återföreningen verkar vara enda syftet med bråket. Konstigt att hon inte sett igenom det förut.

Mycket riktigt. De fortsätter småbråka under kvällen men börjar sedan hångla framför teven. *Jävla, hycklande apor.*

När Mirja till slut ser att Anna sitter och håller för öronen går de in på Mirjas rum och stänger dörren. Det hjälper inte. I början när de bodde tillsammans tyckte Anna det var roligt när Mirja hade en kille på rummet. Hon fick höra henne njuta, och morgonen därpå var det bara Anna och Mirja igen. Med Franz är det annorlunda. Ljuden och sinnebilderna är omöjliga att stänga ute.

När Anna går på toaletten sent på kvällen kan hon inte låta bli att notera skillnaden i dramatik inne hos Mirja. Hon blir stående i den mörka hallen och hör vissa ord. ... *min längtan ... kyss mig ... i mina händer* ... Det är Franz, och Anna blir förvånad. Hon trodde inte den killen var kapabel till ömhet. Plötsligt kan hon se förbi

Franz oattraktiva yta och förstå att Mirja är förtjust i honom. En glimt av insikt som varar några sekunder.

Nästa gång Anna smyger till toaletten är det mitt i natten. Hon går i mörkret utan att tända i hallen. När hon lämnar badrummet hinner hon inte släcka innan hon går rakt in i Franz. Anna skakar bara på huvudet och försöker komma förbi. Men hon har redan fångat en glimt av hans ansikte och det får henne att vända upp huvudet och titta igen. En fördröjd reaktion.

Franz är blodig i hela ansiktet.

De tittar på varann några sekunder. Franz avslappnade leende gör att det sjunker in hos Anna: Han älskar verkligen hennes vän. Och hon känner ett stråk av samhörighet. Med Franz. Det är rubbat.

Som hon kryper ner i sin säng igen hör hon Mirjas röst lotsa sig fram genom lägenheten, över bruset från badrummet:

»Anna ... jag kommer nog aldrig att kunna göra slut med honom ... inte ens för din skull.«

»Gör inte det, då«, väser Anna tillbaka.

»Jag har kommit på varför jag älskar Franz ...«

Orden slår gong-gong i Annas huvud. *Jag visste inte att du älskade honom.*

Men hon kommer ihåg något från långt tillbaka, från tider då hon sökte visshet. Högt säger hon därför:

»För att han inte bryr sig om att du har mens.«

»Nej. För att ni två är så lika varann.«

Tystnad.

Mirja skrattar till. »Det är sant! Ni är lika. Du och Franz är inte rädda för någonting på hela jorden. Jag har aldrig fattat hur ni är funtade, men jag dras tydligen till ... dödsförakt.« Hon fnissar. Som om det skulle avdramatisera orden.

Anna hör Franz lämna badrummet och börjar tänka på slakt.

Det är avlägsna minnen som hälsar på. Porten till logen vidöppen. Anna i öppningen. Män i stövlar. De skär i stora köttstycken. Knivar som slipas med jämna mellanrum.

Anna håller upp händerna framför ansiktet. När hon sätter fingertopparna mot varann kan hon känna sig själv. Sina fingeravtryck. Hon blir nästan illamående av förnimmelsen. Det är så påtagligt att det nästan är härligt.

När de kommer till Mattias nästa dag har han varit ensam i ett dygn. Det räcker för att Anna ska känna sig stressad. Hon lyfter kursböckerna ur sin väska medan Mirja tar i hand och presenterar sig.

En leksak i mörkblå plysch landar på golvet utan ljud.

Mattias böjer sig ner mellan Mirja och Anna. »Mjuk och klumpig.«

Flodhästen får liv i Mattias händer. Den nickar och kliar sig bakom örat, sparkar bakut och trippar lyckligt genom luften. Verkligheten kantrar en aning. Anna inser att flodhästen sjunger på sista versen. Uttjänt.

»Den där betyder ingenting längre …«

Men Mattias ler knipslugt. »För mig betyder den något. Om du visste hur många gånger jag var inne i affären och letade innan jag hittade något att skicka. Till slut inbillade jag mig att du undermedvetet skulle förknippa just den här med mig.«

Det luktar mat och verkligheten kommer i balans igen. Mattias går omkring i ljusa kläder och de ska på fest. Kanske det blir en bra kväll.

Andrummet varar inte länge. Med en fördrink i handen måste Mirja tydligen småprata med Mattias. »Är det inte skönt att ha Anna här så mycket? Att ni kan ta hand om varann?«

»Anna och jag har olika bagage efter alla de här åren. Jag vet inte hur mycket av varann vi tål.«

Anna är stum.

Mirja är blind. »Vad tror du hände Charlie? Jag menar, är det verkligen säkert att Charlie är död?«

»Vi kan nog utgå ifrån att han är ganska livlös vid det här laget.«

Hur mycket tror de att hon klarar av?

»Men du dök ju upp! Något liknande kan faktiskt ha hänt Charlie. Och tänk om er pappa också lever!«

Nu måste väl Mattias reagera i alla fall!

»Jag tänker åka upp snart och träffa någon som såg honom. Med hjärnan urblåst.«

Medan Mattias säger något om att försöka övertala Petter att hänga med, går Anna in på toaletten och väntar tills det kommer upp. Två vodka med apelsinjuice.

Anna har undrat vad som händer om hon blir intresserad av en man någon kväll. Kan hon bara försvinna hela natten, eller måste hon förklara för Mattias? Och nästa dag?

När hon kommit fram till att det inte är värt besväret ikväll heller, ser Anna att det inte handlar om henne. Det är Mirja som är ute efter någon. Prettoförfattaren som har fest i sin tillkämpat sparsmakade lägenhet. Som inbillar sig att han är poet. *»Ungefär som jag inbillar mig att jag är tecknare«*, har Mattias sagt till sin kompis försvar. Anna ser Mirja intressera sig för en undanglidande mes med halvslutna ögon, och hon står ett längre tag och tittar på dem innan hon begriper hur det hänger ihop. *Mirja älskar inte Franz.* Vad hennes Mirja än säger, så var gårdagskvällen inte en återförening. Det var sista rycket.

Anna känner sig inte ens glad över insikten. Hon är bara avdomnad. Som om allt annat än Mattias är ointressant. Hon behöver träffa någon som gör så det känns, men det verkar kört på det här stället.

Hon går in i köket och plockar alla solrosskott ur salladen och tar sig därefter runt lägenheten och bekräftar att hon inte vill prata med någon enda person. Sedan står hon och hänger vid sideboardet som tjänstgör som bardisk.

Då händer det.

Anna vet först inte vad det är, det bara väller in. Lukten från köket hemmavid. Pappa i kökssoffan med gaffeln i hand och armbågen i furubordet. Mamma vid spisen på väg att lägga upp kokt potatis i en brunorange karott. Charlie som kommer in i grova byxor och luktar kyla och drar upp snor. Mattias som spelar Fia med knuff med sin lillasyster.

Plötsligt kommer Mattias emot henne i dunklet och ler. Säger: »Känner du igen den här? En gammal låt, morsans favorit. Blunda så minns du.«

Anna blundar inte. Det har aldrig hjälpt, och nu behövs det inte.

Hon dansar sakta med Mattias och det gör inget att hon fick tvinga honom. Avsaknaden av intressanta män gör heller ingenting. Anna behöver dem inte. Verkligheten har precis blivit mer påtaglig än på mycket länge.

Så drar Mirja i henne.

»Kan vi inte gå? Jag står inte ut längre.«

Hon ser dumpad ut, men Anna säger inget. Hela vägen tillbaka till Mattias lägenhet vinglar tjejerna överdrivet och pratar medan de delar det sista av romflaskan Mirja plockade med sig.

»Jag hade trott att jag skulle få träffa Petter ikväll.« Mirja balanserar fram på trottoarkanten.

»Petter får inte för sin fru. Han har bara permission för att gå till jazzklubben en gång i månaden.«

Mirja skrattar. Anna försöker haka på, men det vill sig inte riktigt. Hon försöker få det att kännas som innan Mirja började rota i historien med Petter. Men hon vill inte tillbaka. De går vägen fram i vinterjackor och ändå kan Anna se dem båda uppifrån. Det är märkligt. Samtidigt som Anna är inuti sin jacka flyger hon allt längre upp i atmosfären, och det känns som mycket länge sedan Mirja och hon tramsade som bästisar gör. Som om återföreningen är sista rycket.

De sista andetagen

Mattias tror att sanning är en myt. Man kan låtsas som om sanningen inte finns, på samma sätt som man kan förhålla sig till Gud.

Dimmor tar sakta över och minnet stöper om en smärtsam upplevelse. En dag fogar bitarna i varann utan obehag. Att de nödgas bli oigenkännliga på vägen är ett bevis för att sanningen är flyktig.

I minnet var Mattias själaglad varje gång hon såg honom. Med fötterna strax bakom mammas såg han världen genom hennes ögon. En värld där man skrattade och slogs för sitt hjärtas rätt. Var man förtvivlad skrek man ut sina drapor så halva bygden hörde.

Pappas värld var en igenklämd dörr. I den plitade man ner sina dikter och gick omkring och teg.

Mamma hade en gång sluppit ur sig att Charlie var henne närmast. Mattias visste att det inte var sant. Charlie fick mamma att skratta men hade ingen aning om hennes drömmar. Han såg henne som en utmaning medan Mattias kände hennes längtan. När de tjuvläste hennes dagbok var det helt olika rader de läste. Och Mattias var henne närmast, för han förstod henne.

Mattias tror på sin egen sanning mer än han tror på Gud.

Mattias har sett sin lillasyster när hon läser sin mors tankar för första gången. Det är med tvekan han låtit det ske utan skyddsnät. Kunde han, skulle han petat i henne ett par ångestdämpare. Hade han kommit åt skulle han bara ha bränt skiten.

Efteråt måste han erkänna att det var för egen del han var rädd för dagböckerna. Det egna minnet må ha skiktats tusen gånger, men några handskrivna rader plockar enkelt fram minnesstråk han sållat bort.

Där finns inget nytt. Men på samma sätt som Charlie och han en gång fastnade för olika saker, ser han nu raderna på nytt, denna gång genom sin lillasysters ögon.

Anna och hennes tjurighet och envishet. Ibland blir jag galen, men jag vet i alla fall en sak. Jag behöver inte ta hand om henne, jag skulle kunna sticka från alltihop. Det är en ventil att känna så, även om jag aldrig kommer att få resa. Det har gått för lång tid och de här åren har tagit bort det sista av min ungdom. Men jag tittar på Anna och hon är värd alltihop.

Alla våndor Mattias utsätter sig för, allt ömkande över Anna och att hon inte ska ta det på fel sätt, är det bara avundsjuka i taskig förklädnad?

Mattias har bett moster Erika skicka mammas avskedsbrev. Är det verkligen för att skydda Anna som han inte lät henne läsa de två breven? Är det därför de inte har kommit iväg norrut ännu? Han har halat på det för att få gömma sig lite längre.

Det som inte sägs. Ord som inte uttalas eller sätts på pränt.

Kan man stänga sina sinnen för sanning, när den börjar skönjas igen?

Församlingen är en annan. Det måste vara den fjärde i ordningen. Petter har börjat prata om att bli sjukhuspräst eller fängelsepräst. För att skilja på privatliv och jobb. Mattias tänker: *För att skilja sin fru från sitt jobb.*

Helst hade han sett att han kunnat haffa Petter innan högmässan, men han kom inte hit i tid. När han klev in i kyrkan hade klockorna redan börjat ringa och han var den siste att bänka sig. Blicken går runt. Det måste vara dopet som drar upp siffran.

Han har satt sig långt bak för att inte prästfrun ska upptäcka honom. I värsta fall skulle hon komma och sätta sig bredvid. Några bänkar fram ser han hennes nacke. I mörka stunder har han önskat livet ur människan. De två småflickorna har vuxit, Mattias kunde ha svurit på att de inte skulle synas ovanför ryggstödet på träbänkarna. Stackars satar, behöva gå i kyrkan när man inte kan sitta stilla. Hon kunde väl ha stannat hemma så de sluppit.

Mattias sitter själv som på nålar i kyrkbänken. Han vill komma iväg norrut. Han hade aldrig trott det om sig själv, han är ingen återvändare. Men Annas uppdykande har öppnat en dörr. Det är svårt att fortsätta blunda när det gamla väller över en.

Han går och sparkar vid den närmsta graven när kyrkan töms. Först när han hör prästens långa, säkra kliv i gruset vänder sig Mattias om. Petter tar fram handen från innerfickan på kaftanen.

»Du sa att du har läst din mammas avskedsbrev. Berätta.«

Mattias tar emot bilnyckeln. »Det var inget märkvärdigt. Ett avskedsbrev i två versioner, hon skulle alltid vara värst.«

»Är du säker på att det var så lyckat att läsa?«

Mattias tiger. I kanten av synfältet ser han vinden lyfta Petters hår.

»Kom ihåg att däcken är så gott som blankpolerade. Jag får körförbud om ni åker dit. Och det är Anna som ska köra.«

Mattias kan inte hålla tillbaka ett leende.

»Finns det soppa?«

»Du kommer till Gävle, skulle jag gissa. Nu måste jag gå. Dopkaffet väntar.«

Men han går inte, och Mattias står orörlig. Petter nuddar hans överarm.

»Du, jag är ledsen att jag inte kan hänga med på den här resan. Nu när du äntligen tar tag i det.«

»Ingen fara med det. Hoppas du inte får en massa skit för bilen bara.«

»Det är inte det jag är bekymrad över …«

Den här diskussionen tänker Mattias slippa för en gångs skull. Han nickar och tar sig förbi sin svartklädde styvbroder.

»Räkna inte med att se den igen«, mumlar han med ett hångrin.

Petter höjer rösten. »Ring när ni är tillbaka. Innan du lämnar av den!«

Anna kommer ned till gatan när han ringer och tjatar om att få ta med henne på en provtur. Hon hoppar in i framsätet på det vita raggaråket och Mattias kan inte låta bli att gunga med huvudet som en rallydåre och gasa på tomgången så det mullrar under huven.

»Åtta cylindrar. Hör du? Läckert, va!«

Han ser Annas huvud gå runt. Mattias vet att det är en riktig pärla. Han får inte nog av det själv: alla kromade detaljer på instrumentbrädan, den tunna, vita ratten, soffan de sitter på som sträcker sig över hela framsätet och saknar nackkuddar.

Anna petar på bunten med doftgranar som hänger från den breda backspegeln.

»Så inte Ulf skulle känna något när vi rökte holkar i garaget.«

Mattias känner sig barnsligt lycklig bakom ratten. Munnen bara går. »Jag fick tag i Petter mellan högmässan och församlingsfikat. Undrar hur han tänker förklara för sin fru att bilen är borta. Jag får en känsla av att hon inte kommer att få veta att garaget står tomt.«

»Du är ju svartsjuk!« Anna sitter på händerna, med sammanbiten min.

Mattias kommer av sig, men bara för någon sekund.

»Eller också ljuger han ihop något«, fortsätter han. »*Prästen* drar väl en vals. Han var på vippen att hänga med, men det kom nog lite oplanerat. Och man kan ju inte begära att prästen ska hoppa av påsken …«

De är tillbaka vid lägenheten innan han ger upp. »Vad är det, Anna?«

Båda sitter stilla i framsätet.

»Varför ska du norrut? Som en manisk idiot.«

»Anna, det är lugnt. Först stannar vi till i Härnösand och sedan kör vi upp till Ringarkläppen. Du ska se …«

»Jag ska inte se någonting alls! Jag vill inte åka med!«

Anna tittar ut på trottoaren på sin sida. På ingenting.

Först nu slår Mattias av motorn. Det blir tyst, så tyst som det bara är på vintern.

Tills Anna frågar igen: »Varför ska du norrut *nu*?«

»Därför att Petter erbjöd mig bilen idag.«

Erbjöd. Mattias hamnar långt ifrån sanningen när han försöker gå balansgång. Han skäms över sina ord när han ringde Petter: »*Om jag inte får låna bilen liftar jag, och då kommer Anna inte att följa med.*«

»Att återvända hem är väl alla flyktingars högsta dröm«, försöker han.

»Du åker i vilket fall som helst? Med eller utan mig, är det så?«

»Du ska se att när du känner igen dig uppe i byn …«

Anna öppnar bildörren.

»Känner igen mig … Jag känner igen en kris när jag har den för ögonen. Nu går jag och hämtar mina grejer. Du har varit på väg mot totalhaveri ända sedan jag träffade dig igen.«

»Vad är det för väg vi kör på, Mattias?«

De har kört någon timme i tystnad. Skogen ligger allt närmre inpå.

»Jag tänkte vi skulle köra över Dalälven på ett roligare ställe. Där det finns en skylt när man kör från andra hållet som säger: '*Ta ett djupt andetag. Du lämnar nu Norrland.*'«

Det är tyst några kilometer till.

»Var är den skylten någonstans?«

Mattias sneglar på henne. »Vi ska till Hedemora.«

»Kan vi äta där?«

»Det var det jag tänkte vi skulle göra. Slippa maten längs E4:an.«

»Och se på skylten. Om att lämna Norrland.«

»Jag har ju sagt att du inte ska tro på allt jag säger.«

Mattias stirrar rakt fram. Han kan tänka sig den blick han får. »Dessutom«, erkänner han, »känner jag mig inte längre som norrlänning. Jag är … ingenting.«

»Jag skulle vilja det. Vara utan bakgrund.«

Mattias kastar ett getöga på henne. »Är du galen? Jag häcklar norrlänningar som satan i mina serier, det är nog skottpengar på mig snart. Men egentligen är jag livrädd för att de ska säga att jag låter som en stockholmare när jag kommer dit upp.«

»Vem skulle säga det?«

»De jag kände … de vi ska träffa.«

»Vilka ska vi träffa?«

»Jag har inte tänkt så långt som till Ringarkläppen än … Men det får väl bli Bo-Anders, grannen. Och så ska vi prata omkull grisfarmaren, så vi kommer in i huset och kan titta lite. Lennarts pojke. Det är lustigt, jag kunde svurit på att Lennart inte hade några barn. Men den gamle skojaren har tydligen en son, och det är den killen som hyr hela rasket av dig.«

»Ska vi inte träffa Kajsa också?«

Då blir Mattias tyst. Ända till Hedemora.

»Hon drar soppa så in i helvete. Två liter milen«, säger han när de svänger in på en mack.

Stället är som hämtat från femtiotalet. Anna försvinner in. Mattias sitter med öppen dörr och fötterna mot betongkanten utanför. Kyliga bensinångor. Pustandet från pumpen. Minnen utan tankar gör det lättare att andas.

När pumpen slår ifrån går han in och betalar. Gubben bakom disken var säkert ung på femtiotalet. Nu har han stor mage och inget hår att kamma brylkräm genom.

»Snygg kärra«, nickar han. »Väcker ett visst intresse.«

Mattias vrider huvudet och ser mannen som går ett sakta varv runt den vita Buicken.

Anna står med chipspåsar och plockar i drickakylen när Mattias kommer tätt inpå. »Det står en snut vid bilen. Om du går ut och snackar oss ur det här, ska jag berätta vad som hände Charlie.«

Men det räcker att hon vänder upp huvudet. »Jag skojar. Tänkte bara se om du var vaken. Men gå ut nu. Och hala fram lappen om han frågar.«

»Va?«

»Körkortet. De är snällare mot en ensam tjej.«

Mattias blir kvar bland hyllorna. Anna tvekade knappt. De orädda, envisa takterna verkar sitta kvar.

När hon kommer tillbaka har Mattias hunnit märka att inget gör susen som lite nutidsfokus. Trycket över bröstkorgen är nästan borta.

»Det är väl bäst du kör en bit«, säger han och väntar ut polisen som grenslar sin motorcykel utanför. »Vad sa du till honom?«

»Att bilen tillhör en gammal präst i Härnösand. Jag ska bara köra upp den så han kan ha den i garaget på ålderns höst och minnas roligare dagar. Och så sa jag att jag inte hittade snökedjorna!«

Mattias flinar och trummar med händerna mot låren hela vägen ut till bilen. Han tror att det är ett leende som syns också i mungipan på Anna. Men när hon kämpar för att komma längre fram för att nå pedalerna, säger hon:

»Vi måste stanna och käka snart. Och jag ska läsa breven.« Hon greppar ratten och fingrar på spakar och reglage. »Jag tänker inte komma upp dit och vara den enda som inte har läst.«

Två ark papper. Anna vecklar upp dem. Det är två separata brev.

Jag känner ett tungt ansvar för Anna. Mattias klarar sig men jag vill att du tar hand om Anna. Jag känner mig så skyldig inför henne, det är en fruktansvärd skuld. Jag litar på att hon får det bra hos dig. Jag orkar inte längre vara med och därför sticker jag utomlands nu. Jag behöver fundera och vara ifred. Henrik har lämnat mig, det jag aldrig trodde skulle hända. Det omvända kanske, men inte att han skulle svika mig. Men nu har det hänt. Och mitt barn, min Charlie är förlorad. Krama Anna varje dag.

Anna gör en paus efter det första brevet. Hon sitter kvar i en bil som sakta kyls ned utifrån. Hon blundar och tänker på – absolut ingenting. När önskedrömmar försöker slå en snara kring henne låter hon det inte ske. När omöjliga möjligheter vill säga »tänk om …« biter hon ihjäl tanken direkt. *Hon är inte utomlands. Du såg henne. Hon låg i en kista.*

Anna tittar på texten igen. »*Henrik har lämnat mig* ...« Vilken omskrivning. Han lämnade henne inte, han –

Anna försöker tänka orden tydligt för första gången någonsin. Det går inte. Det känns så nära. Anna är hemskt långt borta från det, ändå är det för nära.

Pappa lämnade ingen, han tog ett gevär och stoppade det i munnen och –

Anna kan inte. Tanken upphör fast hon försöker tvinga fram den.

Mattias är bättre på att hantera det. Han kan skämta om föräldrarna. Både om döden och om hur de var. Han har vardagsminnen att frossa i medan Anna har retuscherade bilder. Det är bara det att hennes bilder är blodigaste allvar.

När hon tar fram det andra brevet önskar hon att Mattias inte suttit inne på bykrogen. Anna narrar sig att tro att han sitter och läser med henne, lutad över axeln.

Min lillasyster Erika.

Jag har drivit Henrik i döden och det kan jag inte leva med.

Det här brevet är bara för dig. Visa det andra brevet och bränn det här. Jag vill att du mörkar sanningen. Göm undan din förbannade ärlighet för denna enda gång, för Annas skull. Det är viktigt för mig att hon får tro att det som händer mig är en olycka när jag är på väg att resa utomlands. Om det går, låt henne också tro att Henriks död var en olyckshändelse. Kan man inte säga jaktolycka?

Jag kommer att köra av vägen vid dubbelkurvan. Det saknas räcke vid rastplatsen där en liten väg går ner till en sommarstuga vid stranden. Kör man fort åker man rakt fram och ut i havet. Ni kommer att kunna se spåren och tipsa polisen så de hittar mig. Säg att jag brukade köra för fort. Att jag var förtvivlad.

Jag ska erkänna att jag är rädd. Jag kommer att vara rädd när jag kör över kanten. Tro inte att jag är hur tuff som helst. Jag vet att du ibland tyckte jag var vårdslös med sanningen och hård mot Henrik. Men nu är jag så rädd så jag befarar att jag kommer att

ångra mig. Därför postar jag det här brevet. När jag lägger det
på lådan finns ingen återvändo.
Bränn nu det här och lova att ta hand om min lilla Anna. Det
är henne och Henrik jag ska tänka på när den stunden kommer.
För att det ska se ut som en olycka ska jag inte stoppa i mig sömn-
medel.

Lisbeth

PS. Du får inte berätta för någon om Charlies ursprung. Du har
lovat mig det en gång och det gäller fortfarande. Lennart har ald-
rig vetat.

Anna sitter med torr mun och en kyla som tränger sig på. Hon läser
igen, och igen. Hon kommer ihåg svamlet om att hennes pappa
råkat ut för en jaktolycka. Sanningen kom fram när Adrian och
hans kompisar började trakassera henne i sjuan. Petter var den som
berättat svart på vitt att hennes pappa skjutit sig.

Anna minns nattsvart kaos mitt i sin första förälskelse. För henne
var det en katastrof att pappa inte heller velat leva mer. Att hon haft
två föräldrar och att ingen av dem tyckt att livet var värt att ha.

Båda hade svikit henne.

Hennes mamma hade stängt in sig i en bil och kört ner i iskallt
hav. En droppe svett rinner nedför insidan av armen när Anna läser
de meningarna en gång till. För sin dotters skull avstod Lisbeth
från att droga sig.

Anna sitter i en nedkyld bil och kan se framför sig hur vattnet
kommer in genom dörrarna. Det flödar in på bara skinnet och sti-
ger. För hennes skull har mamma vatten över vaderna, upp till mid-
jan, ända upp till halsen –

Breven blir kvar på sätet när Anna tar sig in till Mattias i vär-
men.

»Ja.« Säger Mattias, och det är första gången Anna tänker att han
pratar som en norrlänning. »Då var det klart, va?«

»Jag visste det redan«, försöker Anna skaka av sig. »Mamma ville att det skulle se ut som en olycka. Det var därför hon skrev två brev ...« Hon avbryter sig. Hon brukar inte prata så här fort.

Mattias summerar lugnt: »Det ena till polisen, det andra till sin syster. Båda om dottern Anna.«

Så Mattias la märke till det. Hur han i avskedsbrevet viftas bort som någon utan behov, och sedan inte nämns igen.

»Det viktiga för mamma var olyckan. Det var både för dig och mig hon ansträngde sig. Hon ville att det skulle se ut som en olycka.«

Mattias sänker munnen till sin kaffemugg. Han släpper inte Anna med blicken medan han dricker.

»Och varför«, säger han sedan långsamt, »gjorde inte moster Erika som mamma bad henne?«

»Va?«

»Varför basunerade moster Erika ut att mamma tog livet av sig? Varför brände hon inte det ena brevet och lät folk tro att det var en olycka? Som mamma ville. Att hon var på väg utomlands.«

»Men det hade väl kommit ut ändå. Folk pratar ju ...«

»Folk kanske hade pratat, men mamma borde ha fått sista ordet. Moster Erika skulle bara ha visat brevet om utlandsresan.«

»Men det var ju en massa lögner i det ... Du menar att de skulle ha ljugit för alla? För polisen som bärgade bilen, och ... för mig ...?«

»Det var ju det mamma ville. Brukar man inte bönhöra en döende?«

Anna har inget svar. Frågan har aldrig uppstått för henne.

»När vi kommer till Härnösand måste du fråga dem«, säger Mattias. »Du har själv undrat varför de höll käften om var jag fanns. Det är inte rimligt att de gjorde det och samtidigt hade svårt att slänga ett brev. Det är allt de hade behövt göra. Inte ljuga, bara hålla klaffen om mammas andra brev. Varför gjorde de inte det? ... Jag har inte träffat dem på en helsickes massa år, jag kan inte börja med att anklaga dem. Men det här måste de svara på. Snälla Anna.«

Mörkret utanför restaurangfönstret gör att de kunde suttit varsomhelst. Anna ser på Mattias och försöker låtsas att de är på väg

hem tillsammans, men tanken kommer inte längre än så. »Hem«
har blivit ett komplicerat begrepp.

»Anna-gullunge«, vädjar Mattias.

De kommer fram vid åttatiden på kvällen efter att mestadels ha
kört på mindre vägar. När de svänger in på gatan på Bondsjöhöjden
pekar Mattias:

»Där har vi deras bil. Det var alltså här du bodde.«

Anna suckar. »Ja. Men det är den gamla Saaben som är deras.«

Mattias parkerar vid vägkanten.

»Moster Erika sa att Per-Arne skaffat ny bil. Midnattsblå med
ljusa säten.«

Det vrider till inom Anna. Erika har inte brytt sig om att nämna
den detaljen för Anna. Mattias har aldrig sett ens den gamla bilen,
men det är tydligen skillnad på tjejer och killar.

Per-Arne kommer ut och möter. Är det sättet han försöker så
mycket som gör att det känns överdrivet? Han tar Mattias i hand
med tjugo nickningar och en förlägenhet som om hennes bror kom-
mit direkt från fängelse. Eller är det att Per-Arne håller bilnyckeln i
handen och inte kan låta bli att klicka med låset några gånger?

Varför blir hon alltid irriterad så fort hon kommer hem? Är det
för att den gamla bilen också finns kvar? Skilsmässan är alltså på ta-
peten fortfarande. Till och med en sådan sak lyckas de mala på med
tills man bara är trött och inte tycker synd om dem längre.

Annas ilska släpper inte för att de kommer in. Erika och Oli-
via hälsar nyfiket på Mattias, utan pinsamhet, men det retar Anna
ändå. Endast sekunderna när Olivia hänger sig kring hennes hals
släpper hon efter och klämmer till lite extra i kramen.

De får sätta sig vid dukat bord, men Anna kan inte få det ur hu-
vudet. »Varför ska Per-Arne ha en ny bil, och du köra den gamla?«

»Det har väl bara blivit så.« Erika låter osäker.

»Men varför då? Varför ska kvinnor alltid ha det som är sämre?
Du har väl också jobbat i alla år? Men det är inte du som viftar med
nya bilnyckeln.«

»Per-Arne var och handlade förut idag. Hade jag handlat så hade väl jag tagit den nya bilen …«

»Hur länge har ni haft den? Har du fått köra den än?«

»Lägg av. Syrran.« Olivia biter ifrån.

Något med det där ordet får Anna att tystna.

»Berätta vad du gör i Luleå.« När Mattias vänder sig till Olivia är det inte tillgjort. Det han säger låter bara snällt. Anna blir alldeles stilla. Efter ett tag märker hon att hon tänker att *det är så här det ska vara.*

Bara så.

Och medan hon tittar på Mattias försvinner sakta känslan av att det är fel att vara häruppe.

Anna har studerat honom de gångna veckorna. I profil ser han lustig ut. Inte ful, men äldre och taggigare. En gång i tiden var han en pojke som bodde hemma hos mamma och pappa, och livet skulle just börja på riktigt. Några år senare, tillsammans med Petter i församlingsgården, hade han varit oklippt och skäggig. *Äcklig*, fast Anna vill inte längre tänka ordet. Hon vill tycka att han är fin. Fyrtio är gränsen, har någon sagt. Sedan spelar man i andra halvlek. Mattias har några år kvar, sedan är det utförsbacke.

Hennes bror pratar med Olivia på sitt korthuggna tappa-andan-sätt. Tömmer ur sig halvdjupa grejer och skämtar bort dem i nästa andetag. Precis som Olivia brukar. Vilket får Per-Arne och Erika att slappna av och börja konversera.

Ibland, istället för att humma med, kniper Mattias ihop munnen så stråna på den orakade överläppen står rakt ut. Från sidan ser det fjunigt ut, och han ser inte ut att vara mer än sjutton. En pojkvasker vid matbordet hemma, och det kommer över henne så verkligt att hon inte kan låta bli.

Anna tillåter sig att vara sju år. Ett litet slag sitter hon i en familj som finns igen.

Sedan måste hon lämna bordet.

Hon stänger in sig i badrummet. Vaggar runt, runt på badrumsmattan med händerna tryckta mot ansiktet. Undviker att lyfta blicken, rädd för spegeln.

Anna frågar samma kväll. När de sitter nere i gillestugan tar hon på sig rollen som idiot för Mattias skull. Hur var det egentligen med deras mammas sista ord? Varför blev det som det blev med de där breven? Sedan letar hon smulor i knät för att slippa Per-Arnes och Erikas blickar.

Sekunderna går. Och går. Anna tittar fortfarande ned på sina ben, på jeansen och den slitna sömmen som vrängt sig upp från insidan av låret.

Men ingen säger något. De fattar väl inte vad hon är ute efter. Hon måste vara tydligare.

»Det skulle se ut som en olycka … hon bad dig att bränna det ena brevet … Mattias undrar också varför det inte gick att göra så …«

Erika brukar vara den som kräver förklaringar. Anna har alltid fått stå till svars för det hon hittat på. Nu verkar rollerna ombytta.

Anna vänder blicken mot Per-Arne. Och ger sig inte förrän han talar.

»Det blev bara inte så …«

Men Anna är envisare än att hon nöjer sig med det. »Varför inte då?«

Det blir Erika som till slut förstår att det krävs mer information. Hon nickar igång Per-Arne.

»Men förklara då. Förklara varför vi inte brände det ena brevet, som Lisbeth ville.«

Nu när han har tillstånd, går det betydligt lättare för Per-Arne.

»Polisen initierade en förundersökning efter att ha bärgat Lisbeths bil. Det fanns en möjlighet att det inte var en olycka, sa de. Det var så otäckt att vi beslöt att visa båda breven, så de kunde se att hon planerat det. Så de kunde avskriva brott …«

Nu lossnar det för Erika också:

»Det kändes så fel mot Lisbeth. Hon gjorde vad hon kunde för att skydda er två. Hon ville att det skulle se ut som en olycka, och så kom det fram ändå att hon tog livet av sig … Vi ville göra rätt mot Lisbeth, men det gick inte …«

Erika sitter i fåtöljen bredvid Anna. Hon håller händerna hårt knutna i varann, och Anna får för sig att det hindrar dem från att fara ut i en kram. Att fara ut och bli avvisade.

Rollerna är precis som de varit i minst tio år.

»Jaha.« Anna reser sig för att avsluta samtalet. Gå och lägga sig. Hon hoppas Mattias har fått sina svar.

Det är då hennes bror öppnar munnen: »Varför inledde man en förundersökning om brott?«

»För att bilen var krockad bak. De tänkte att någon kunde ha rammat henne så hon körde av vägen. Men hon eller Henrik hade väl backat in i något.«

Mattias tiger.

Men när de ska sova viskar Mattias från madrassen på golvet, så hetsigt att Anna blir rädd att det hörs till sovrummet intill:

»Mammas och pappas bil var inte krockad, Anna. Det hade jag vetat. Det finns ingen chans att en av baklyktorna var trasig när jag klev ur bilen i Ullånger och satte mig på bussen till Umeå. Sista gången jag såg mamma.«

Tillbaka till Ringarkläppen

Mattias har aldrig trott på rättvisa. Han fick bli hemma medan Charlie hade egen yxa och plats för sin hand i pappas valkiga näve. När Mattias blev äldre fick även han följa med till skogen, men någon egen yxa blev det inte.

Det spelade ingen roll. Han inbillade sig att han kanske skulle göra likadant om han fick egna barn. Pappas kamp för att duga hade väl gjort honom blind. Eller också var det mamma som varit blind, och pappa som fått snedfördela lasset ordentligt för att hon skulle tycka att det vägde jämnt.

När mamma satt vid fönstret med en kopp kaffe och låtsades sticka medan blicken hölls vid skogsbrynet och den plats där mannen och äldste sonen skulle nalkas ifrån, gick Mattias undan. Det var ingen idé att störa hennes förmenta frid. Hennes längtan efter något annat än det som var.

Kanske det är han själv som dragit en gammal säck över huvudet. Skyllt på orättvisa i oförstånd. Som om det skulle finnas rättvisa någon enda stans.

Som om Gud vore rättvis.

Det är i det vägskälet han och Petter gått åt olika håll. Mattias har hävdat att Petter förleder människor eftersom det aldrig funnits en rättvis Gud. Petter pratar om människans fria vilja och Guds outgrundlighet. Han säger att det som skiljer honom och Mattias åt är visshet.

Det är sant. Mattias har saknat vissheten ända sedan de där veckorna i september för många år sedan, innan han lämnade föräldrahemmet. Vilken präst som helst borde förstå att man måste maka tron på rättvisan åt sidan för att överleva det.

Han har förvånat sig själv med att hantera Annas närvaro så bra. Mattias vaskar fram essensen av henne och blundar för resten. Ändå ställer han sig frågan ibland: Hur högt blir priset för deras rotande i gammalt?

I det tysta huset på Bondsjöhöjden plockar han undan frukosten och väntar på att Olivia och Anna ska bli färdiga. Igår satt Olivia fyrtiosju mil på buss för att få träffa honom en halv dag. Idag ska de vinka av henne på busstationen för återresan norrut. Fyrtiosju mil till för hans skull. Det är inte utan att Mattias tycker det känns bra med Olivia.

Men medan han gillar Olivia och kan stänga sinnena för Anna när hon blir för påtaglig, har Mattias svårare att parera närvaron av den som inte ens är bland dem. I bläck på linjerat papper finns hennes ord. De kunde lika gärna varit utmejslade i sten.

Avsaknaden av ord faller lika tungt. Att mamma inte skrev något mer än det han och Anna redan fått läsa är svårt att ta till sig. Men han måste. Och de ska till Ringarkläppen idag. Mattias är för gammal för att låta oförståndet hålla honom i ovisshet.

Medan det plaskar från badrummet reflekterar Mattias över den tid det kan ta för vissa att bli klara på morgonen. Han sätter sig till slut ned igen, med tunga tankar. En gång när hon var liten hade han varit förbaskat irriterad över att Anna aldrig blev klar. Det var dagen innan Charlies och pappas uppträde. Anna hade suttit till bords och han hade stått vid spisen.

Det är den morgonen som kommer till honom där han sitter i sin mosters kök. Dagen innan Charlie försvann i Ringarkläppen.

*

Mattias släppte henne knappt med blicken medan han rörde ihop kakao och socker och vispade ned i den kokande mjölken. Rörelserna var så häftiga att det skvimpade över och osade bränt.

Anna gjorde en grimas och gungade retfullt fram och tillbaka på stolen.

»Sitt still!« kunde han inte låta bli att säga, i ett eko av mamma en kvart tidigare.

Faktiskt lugnade Anna ned sig en aning. Och när hon bredde två limpskivor till och hyvlade ost måste han tvinga bort sin tidigare tanke att hon beställt en andra mugg choklad bara för att jäklas.

Han undrade om jaktlyckan skulle bli bättre idag. Om Charlie hunnit fram till sitt pass ännu, om pappa satt sig tillrätta med bössan laddad och radion ovanpå ryggsäcken. Han tänkte att det var en fin dag att jaga på och önskade att tiden kunde gå fortare så han själv fick promenera bort till sitt ställe vid fäbodarna. Och vänta.

Ett par dagar tidigare hade två fjolårskalvar kommit klivande ur skogsbrynet. Kanske tvillingkalvar. I en tio femton minuter hade Mattias iakttagit dem när de betade på fäbodvallen. En sällsam upplevelse under jaktveckorna när allt vilt var så stressat och lättskrämt. Bortstötta kalvar bar sig ofta förvirrat åt när mamman gjort plats åt årets avkomma. De här hade betat på som tamboskap med blommor hängande ur munnen ända tills han rest sig upp. Han hade varit i så nödgat behov att få pissa att föreställningen fått vara över.

När han berättat om fjolingarna på fäbodvallen och brett på med att de redan skulle ha fällt två älgar om han haft åldern inne för vapen, hade Charlie frågat om han var säker på det.

»Ja, jag kunde ju ha bommat på nummer två, men nog hade vi fått en i alla fall.«

»Är du säker på att du hade lyft bössan? Var de inte gulliga?«

Brorsan var en retsticka. Anna också. Hon blundade när hon fick den rykande muggen framför sig. Låtsades vara blind och letade efter mackorna genom att banka händerna i bordsskivan framför sig. Mattias ignorerade henne. Då började Anna göra ljud. Satte fram en trutande mun och sög i sig. Han gick ut från köket.

Mattias kom tillbaka från farstun färdigklädd. Med blicken på väggklockan försökte han konstatera att hon borde skynda sig, men Anna visste bättre. Det var en kvart kvar innan skolbussen kom. Hon grinade upp sig och doppade limpskivan i muggen tills osten simmade iväg.

»Du får torka upp efter dig.«

»Nähä, det får du göra. Det har mamma sagt. Du kan inte jaga, så du får ta hand om köket.«

Mattias gick ut i badrummet och satte sig ovanpå det nedfällda locket. Hur kunde en sjuårig unge vara så provocerande?

När han kom tillbaka till köket igen låg muggen på sidan och Anna drog streck med pekfingret så chokladpölen spred sig åt olika håll.

Han vände i dörren.

»Jag går.«

Anna flög upp från bordet och kom ut i hallen och bråkade och hotade. När han ändå drog på stövlarna gnällde hon och lovade bättring. Det sista han hörde när han stegade över gårdsplanen var hennes vrålande.

Anna klarar sig, sa han halvhögt. Och han hade varit övertygad om det. Hon var en tjurig bråkstake, men hon redde sig om hon var tvungen.

*

I köket på Bondsjöhöjden minns Mattias att mamma inte varit lika övertygad. Hon hade lyssnat till Annas beklaganden om att hon nästan missat skolbussen eftersom hon inte hittat läxboken. Och hon hade kommit till skolan utan fotbollsskor.

Mattias kommer ihåg skammen och genansen som bottnat i att han inte kunde delta i jakten på samma villkor som Charlie. Mamma hade påmint om att det var lika bra att han gick i skolan tills han fått sin vapenlicens om han inte tänkte hjälpa till där det behövdes.

Budskapet hade gått in. I själva verket hade han ångrat sig redan när han kom fram till fäbodarna, men det var så dags då. Vid det laget satt Anna redan på skolbussen.

Hade saker kunnat gå annorlunda? Mattias vet inte hur länge han suttit och väntat på Olivia och Anna, men duschen hörs fortfarande. Han knyter händerna några gånger och försöker få värme i dem, men om de är kalla av minnena eller av nervositet inför att snart återse barndomens trakter vet han inte.

Varför hade det urartat nästa morgon?

Charlie och pappa hade redan varit i luven på varann när Mattias vaknade. Han hade hållit sig i närheten av mamma. Ibland tog hon in honom i sin pakt och de löste bråken gemensamt. Men inte den morgonen. Mamma hade varit på dåligt humör och muttrat medan hon gjorde sig i ordning för arbetet. Egentligen var Mattias inte mycket att lita på. Om någon skulle ta hand om Anna fick hon tydligen göra det själv.

Anna hade varit snabb som en vessla när hon förstått att hon kunde få följa mamma till affären. Och länge hade Mattias inbillat sig att det var bra att Anna kommit hemifrån i tid. Att han var glad att mamma varit ute efter att straffa honom och därför tagit Anna med sig.

Men för sitt inre ser Mattias allt oftare en ensam yngling i köket, med lika bar överkropp som sin bror men betydligt tanigare. En vilsen kille utan uppgift, som förlorat redskapet för att mäkla fred.

Det var Anna som var redskapet. Det var han som var fredsmäklaren.

Och allt gick åt skogen.

Mattias ser ned på händerna och tänker på hur det varit att stoppa fingrarna i Charlies handskar. När de skottat på vintern, eller varit i skogen tillsammans, hade de ideligen bytt handskar. Charlie arbetade upp värmen i sina på nolltid, Mattias frös ständigt.

Det hjälper inte att tänka så. Händerna är evigt kalla. Mattias får aldrig en andra chans.

Det här är en andra chans. *Anna är hans andra chans.*

Mattias blir plötsligt medveten om var han är. Bredvid honom i köket står en stel Olivia och väntar. Han ser på henne och förstår hur idiotisk han måste verka. Han förstår att hon hört det han mumlat högt: »*Jag-ska-inte-skicka-iväg-dig-du-får-stanna-hur-länge-du-vill-jag-ska-inte-köra-ut-dig …*«

Det blåser ordentligt när de lämnat av Olivia. Båda känner det tydligt när de svängt ut på E4:an norrut och passerat Bondsjöhöjden, men vägen är bar och den stora bilen ligger tungt på vägbanan.

Någon mil senare ser Anna. Pylonerna på Höga kusten-bron stiger mot skyn bortom barrskogskammen. Ett människans verk i än mäktigare natur. Anna blir illamående av höjder, ändå kan hon inte låta bli att fascineras när de kommer upp på brospannet.

»Ser du, Anna, hur vattnet ser ut när det blåser?«

Mattias huvud går som en lärkvinge mellan vägen och vattnet. Det är tidig vår, men älven ligger redan helt öppen.

Den stora bilen jazzar till. Mattias rätar upp den. Anna håller sig i sätets framkant. Hon ser på Mattias att något är fel. Han tittar mer på henne än på vägen nu.

Så är de över Ångermanälven. En passage långt ovan vatten, från strand till strand, nästan som en rit.

Anna är torr i halsen.

»Jag blir rädd när du kör så här.«

»Jag ska sakta ner. Det går lite för fort. Vi ska inte tillbaka så fort. Jag får så förbannat ont i bröstkorgen. I hjärtat. Nej, den här gången är det fan i mig allvar.«

»Sluta andas så där!«

Bilen kryper in på nästa parkeringsficka. Mattias kravlar över ryggstödet, landar i baksätet. »Kör du. Jag repar mig snart.«

Anna tittar, tvekar, och studsar sedan över till förarplatsen.

»Okej. Den här är kul att köra. Jag har inte kört bil sedan jag flyttade hemifrån. Ligger du bra där bak?« Hon ställer in backspegeln och pratar till den: »Om du snöar in dig på vad mamma *inte* skrev när du var sjutton, så kan du lika gärna ligga där och dö.«

Sedan kör hon iväg med ett ryck.

Tillbaka i fädernes spår. Båda är tysta när de kör genom ett fruset Docksta. Mammas gamla arbetsplats mitt i centrum. Järnaffären mittemot, där pappa dividerat många gånger om leveranser av utrustning och verktyg.

Mattias pallrar sig tillbaka till framsätet.

»Det var utlämningsställe för bolaget också.«

Hon får fråga Mattias vad det betyder. Han förklarar att de flesta passade nog på att gå till Systembolaget när de var inne i Örnsköldsvik, men pappa hade utnyttjat servicen på järnhandeln ibland.

»Drack han hembränt också?« Anna vet inte var hon får det ifrån.

»Ingen aning.« Mattias låter förvånad. »Tror inte det.«

I Annas bakhuvud börjar minnen lösgöra sig. En man med orakat ansikte. Jämthundar som sprang och skällde i löplina. En gammal traktor utan störtbåge. Besök det inte skulle ordas så mycket om.

»Köpte han av någon?« Anna rynkar pannan och försöker komma på detaljer.

Hon svänger precis upp förbi kyrkan och det är brantare än hon minns. Hon skulle haft mer fart för att klara fläckarna från regnet som fallit under natten och frusit till.

»Håll dig bara lugn«, uppmanar Mattias. »Vi kan byta om du vill. Härifrån blir vägen bara sämre. Stanna ovanför kyrkan, på slättlandet.«

Det är riktigt busväder när de byter plats igen. Stora hagelbollar och en vind som kan skära genom märg. Anna låter bli att titta mot kyrkan och kyrkogården. Låter bli att tänka.

»Aprilväder«, säger Mattias och gör en medveten sladd när de drar iväg.

Efter några kilometer i slingrande uppförslöpa mellan gårdar och åkrar, lämnar de det öppna landskapet och kommer in i en sträcka skog. Det mörknar märkbart. Anna korsar armarna och stoppar händerna i armhålorna.

»Det är inte mycket norrlänning kvar i dig heller«, mumlar Mattias. »Som en äkta stockholmare verkar du tro att det enda man gör häruppe är att dricka hemkört.«

Anna tiger. Minnet har redan vuxit. Hon har sprungit runt på en gårdsplan med vedtravar under presenningar. Klättrat upp på den gamla traktorn och suttit i den skålade förarsitsen av rödmålad metall, mellan enorma däck. Avgasröret stack rakt upp från motorhuven och hade en större del nedtill, som en kamin. Hon låtsades köra. Mattias får tro vad han vill men hon har varit där flera gånger. Pappa pratade med en gubbe och de fixade med någonting. Flera lastbilar stod i rad på en sluttande plan. Gubben hade en rödrutig snusnäsduk som han ständigt torkade näsan i, utan att snyta sig på riktigt. Han skojade med Anna ibland, men hon tyckte inte om när han lyfte henne högt upp i luften. Det fick bara pappa och bröderna göra.

»Den där Lennart«, kan Anna inte låta bli att fråga. »Charlies ... pappa. Minns du om han var snäll? Skojade han med mig när jag var liten?«

»Jag minns att Charlie var minst lika arg på honom som på far-san. Men det var inget större fel på Lennart. Du måste bara komma ihåg att inte säga något dumt när vi är uppe i byn. Alla känner alla i hela bygden och killen som arrenderar hemmanet, *ditt* hemman, Anna, är som sagt Lennarts son.«

Det är fortfarande vitt på åkrarna. Byn ligger mindre än två mil från kusten, men de passerar minst en klimatzon på vägen. Stigningen känns i öronen på Anna.

Rätt vad det är får de möte med en timmerbil. Anna tänker först att lasten svajar, men det är släpet som följer sina egna knixningar när det närmar sig.

Mattias håller ut så långt det går. Det finns ingen avfart att ut-nyttja, så han får lägga sig så nära diket han vågar. Till slut stannar han och överlåter åt den som är yrkesförare att hitta marginalerna. Anna hör en tyst svordom när Mattias sneglar ut längs sidan på bilen då det tunga fordonet går förbi med endast några centimeter till godo. Gröna grankvistar har fastnat i kedjorna runt lasten, och stockarna är så nära att hon kan se mönstret i barken genom vindrutan.

Sedan kommer de inte ur hjulspåren, och när Mattias försöker backa går däcken bara runt. Anna får gå ut och skjuta på.

»Hade vi åkt en månad tidigare hade vi inte klarat det här«, säger Mattias när de är på väg igen.

De parkerar vid postlådorna. Mattias slår av tändningen.

»Nu går vi till Bo-Anders först och glor inte för mycket, så Lennarts pojke hinner komma ut. Vi tar honom senare.«

De går med händerna i fickorna och skallarna nedböjda, undan vinden. Annas huvud vill vrida sig mot huset, men att nyfiket se sig kring skulle kännas fel. Att tiga och lyssna på vinden räcker.

När de öppnat ytterdörren hos Bo-Anders, och går genom glasverandan, kan Anna inte låta bli att tänka att det var här pappa … men hon ser inga spår av det. En brandsläckare står i ena hörnet och en sop med skyffel i det andra. En död pelargon på en piedestal av trä.

De går in i farstun och knackar på köksdörren. Det är så man gör. Bara folk söderifrån står som idioter kvar utanför ytterdörren. En röst hörs inifrån och Mattias öppnar.

Bo-Anders känner inte igen dem förrän Mattias presenterar sig. Då kommer en överraskad svordom och han bjuder in med en armrörelse. De skjuter av sig skorna och bänkar sig i kökssoffan medan Bo-Anders fyller vatten i kaffepannan på vedspisen. Han måttar med kopp från en hink på diskbänken. För Anna kunde han vara en halvgammal bonde vem-som-helst.

»Har du problem med vattnet?«

Anna märker hur barndomens dialekt börjar återfå sin plats i Mattias mun.

»Det är nåt fel uppe vid källan. Jag var där i förra veckan men kunde inte se nåt. Nu har det smält undan så pass att jag skulle kunna ta en titt igen … Det måste va en råtta som kommit in och drunknat. Jag hoppas jag slipper tömma hela källan.«

Sedan börjar han svära igen. »Ja, jävlar. Det var inte igår. Du har hållit dig borta, om man säger. Fy satan, vad längesen man såg dig!«

Jag då, din bonntölp, tänker Anna. Bo-Anders är överviktig och har problem med andningen. Hur kan man missköta sig på det viset? Hon tittar runt i köket och kan inte finna en enda pryl som är köpt de senaste tjugo åren. Till och med mikron som han klämt in på en hylla mellan skafferiet och dörren in till kammaren måste ha ett par decennier på nacken.

Bo-Anders fortsätter sina funderingar på ett inåtvänt sätt som Anna känner sig välbekant med. Ändå hade hon inte kunnat härma det fem minuter tidigare.

»Det förstår jag ju, att du försvann från byn ... När farsan och morsan din gick och tog livet av sig. Det var ju en pärs för alla ... nog att du är tillbaks överhuvudtaget ...«

Mattias gör sig ingen brådska att svara. Och Bo-Anders väntar sig inte det heller. När vattnet kokar drar han kaffepannan åt sidan, skopar i strukna mått från en foliepåse på bänken bredvid och låter det koka upp igen. Han tar kopparna ur diskstället en och en, häller i kaffet genom en liten sil och ställer fram utan fat.

»Jag har ju undrat ibland om du tänkte komma tillbaks och bosätta dig ... du har ju hemmanet kvar. Jonas vill väl köpa, men ... du har det ju i släkten, om man säger.«

»Det är Anna som äger hemmanet.« Mattias nickar mot systern.

»Jaha. Ja, då blir det väl inget av. Tjejer är inte mycket för grisuppfödning.«

Jag sitter här, bonnjävel. Kan han inte prata direkt till henne?

»Jag tänkte stanna till och träffa dig, bara«, säger Mattias och sörplar lite kaffe. »Höra om den där dan. När farsan kom hit.«

»Vi« tänkte stanna till. Börja inte du också. Men det kanske smittar av sig. Dialekten gör det definitivt. Mattias låter precis som Bo-Anders nu.

Anna har iakttagit Bo-Anders för att se om hon kan känna igen något hos honom, men det är omöjligt. Runda kinder och buskiga ögonbryn. Det är en förgubbad, ölmagad fyrtioåring som sitter på andra sidan bordet. Som väser när han andas. Som låtsas som att hon inte finns.

Bo-Anders krafsar sockerbitar ur skålen. Släpper först i två, sedan två till. Annas kopp så kantstött att guldranden längst upp är bruten på flera ställen. Kaffet är svart som beck och hon hade föredragit te. Hur kan man bara anta att någon vill ha kaffe?

»Grädde? Socker?« Bo-Anders skjuter över skålen och lyfter hastigt blicken till Anna.

Hon skakar på huvudet. Det luktar illa i Bo-Anders hus. Inte hund, utan något annat. Gammalt linoleumgolv kanske, eller dagen-efter-fylla. *Hembränningsapparat?*

Bo-Anders plockar åt sig den enda kaffesked som finns på bordet. När han rört ett slag tar han till orda, saktmodigt.

»Henrik kom två gånger den dan. Första gången trodde jag det höll på att slå slint för honom, han pratade om planten och ungdomarna jag anlitat uppe på hygget. Men han gick på en gång.«

Han tar en slurk, grimaserar och fortsätter: »Andra gången … det var då det riktigt slog slint. Han bad att få låna mitt gevär och innan jag visste ordet av hade han blåst skallen av sig …«

»Varför skulle han ha ditt gevär?« frågar Mattias.

Bo-Anders reser sig och går de två stegen till skafferiet. Tar ut en flätad korg med kex och skorpor och ställer på bordet.

»Han skulle ju skjuta sig.«

Mattias sträcker sig efter ett kex och bryter itu för att kunna doppa.

»Men det sa han väl inte?«

»Nä. Det sa han inte. Då hade han inte fått nåt gevär.«

Mattias räcker korgen till Anna. Hon skakar på huvudet.

»Vad sa han då?« undrar han.

»Vad han sa? Han pratade om … plantsättarna igen, tror jag. Jag minns inte.«

»Vad sa han att han skulle ha geväret till?«

»Jaså, det. Ja … han hade blivit av med gevären, både sitt och Charlies. Och han behövde låna ett för att gå till skogs en sväng.«

Mattias och Bo-Anders dricker kaffe i tysthet. Anna undrar om Bo-Anders har alla hästar hemma. En sak står i alla fall klart för henne:

»Du har ingen familj.«

Bo-Anders ser henne hastigt i ögonen igen, men det är Mattias han talar till när han svarar.

»Farsan dog knall och fall för ett par år sen. Under jakten. Fick en hjärtattack i skogen. Vi höll fan inte på att hitta honom.«

Han reser sig abrupt och bjuder mer kaffe. Reagerar inte på att Annas kopp fortfarande är orörd.

»Har du Chevan kvar?« undrar Mattias.

»Nä … den sålde jag för säkert tio år sen. Behövde pengar till en baklastare. Jävla dumt köp. Sen såg jag den ett par år senare nere i Rimbo. Chevan, alltså. Jag fick ett tips av nån och körde dit. Jag försökte köpa tillbaks den, men det gick inte …«

Tystnad.

»Den var fin«, funderar Mattias.

»Jo … Den var det.«

Så blir det tyst i någon minut igen. Anna undrar hur länge de ska behöva sitta här.

»Varför gav du pappa ett gevär när han inte borde haft något?« frågar hon.

»Du är lika korttänkt som när du var liten, va? Han var less på att inte ha bössa, sa han. Han gick ju i skogen varenda dag. Skulle jag säga nej till en granne? Du snackar, men du vet inte särskilt mycket.«

»Men det var inte det du sa till polisen.«

Anna sneglar på Mattias. Vad vet han som han inte berättat för henne?

»Du menar det jag sa om att vapnet låg framme? Jag skulle rengöra det, tror jag att jag sa. Jag kunde ju inte säga att det stod i skafferiet. Att det bara var att ta för sig när jag vände ryggen till. Då hade jag blivit av med licensen …«

Bo-Anders är så oförskämd rakt igenom. Anna känner adrenalinet kicka in.

»Nyss sa du att du gav honom bössan. Och nu säger du att han tog den själv från skafferiet?«

»Inte fan kommer jag ihåg detaljerna! Han gick ut genom den dörren med bössan i hand. Jag kan inte säga om jag lånade ut den eller om han tog den själv, men hade han frågat hade han fått låna. Det är bara så! Han var en granne, och han var bra, Henrik!«

Anna undrar om det är meningen att hon ska bli rädd. Skämmas för att hon ifrågasätter honom. Men det är därför de är här. Och när det gäller pappa tänker hon inte skämmas.

»Har inte du vapenskåp, förresten, som alla andra?« Hon försöker låta som om hon också vet vad hon pratar om.

»Det är klart jag har vapenskåp! I källaren. Men under jakten ids jag inte ränna upp och ner hela tiden. Så då står det i skafferiet. Kom tillbaks i september så får du se själv. Det är inget konstigt med det. Fråga Mattias, han vet.«

Anna ser på Mattias. Brodern nickar. »Jo, det är nog sant. Våra vapen stod lika ofta i farstun som i vapenskåpet. Under första jaktveckan i alla fall, då vi gick ut varje dag.«

Bo-Anders skrockar till åt Anna. »Jävla ouppfostrad unge, du var. När du hade varit i närheten stod det 'KUK' i dammet på brandsläckaren. Både morsan och farsan levde på den tiden, så man fick ju passa sig.«

Mattias skrattar till. Anna gapar. Hade hon gjort det? Visste hon vad det var för ord på den tiden?

»Det var Charlie«, säger Mattias. »Som gjorde sånt. Inte Anna.«

Bo-Anders ändrar inte uppsyn. »Jävla idiot. Barnrumpa.«

Mattias bryr sig inte om hans muttrande. »Sa pappa nåt när han gick? Vad var det sista han sa?«

Faktiskt verkar det som om Bo-Anders tänker efter ordentligt innan han svarar. I en två tre slurkar kaffe funderar han.

»'*En jägare använder gevär*', sa han. Sen small det därute.«

»Varför gick han inte till skogs och gjorde det? Varför fick han så bråttom?«

Bo-Anders lutar sig bakåt på köksstolen.

»Jag tror han tänkte gå till skogs. Eller hem. Men jag ropade på honom. Varför minns jag inte, jag kanske hade tänkt gå med och jaga. Eller också fick jag för mig att det var nåt som var fel. Jag vet inte. Och då small det. Och det var väl lika bra, det.«

»Vadå?« Anna förstår inte.

»Att det gick fort. Henrik hade bestämt sig. Han hade skrivit sitt avskedsbrev och lämnat på köksbordet och på det här viset behövde

317

han inte plågas. Gå och tänka på saken. Och ingen behövde leta ihjäl sig när han inte kom tillbaks.«

»Hur vet du att det låg ett brev på köksbordet?«

Bo-Anders glor på Mattias. »Men jag gick ju dit. Jag var tvungen att se om Lisbeth var hemma.«

Mattias nickar sakta. »Och sen då?«

Bo-Anders stirrar fortfarande. »Jag letade efter telefonnumret till Lisbeths syster. Det var den enda släkting jag kände till.«

»Sen då?«

»Sen? Ja, jag ringde snuten också. Men det var ju inget bråttom med det. Det var kört, om man säger.« Bo-Anders blick går förbi Mattias. »Jag blev kvar nere hos er. Annars hade jag fått kliva över, där han låg.«

Anna ser glasverandan framför sig. Mattias tankar far tydligen iväg åt samma håll, för han tar chansen direkt:

»Ni stod på glasverandan. Du och Kajsa.«

»Va?«

»När Charlie hade försvunnit. Du snackade med Kajsa. Ni stod ute på glasverandan. Vad tog ni i hand på?«

»Men ingenting! Vad i helvete skulle vi ha tagit i hand på?«

Anna tittar från den ena till den andra. På något vis förstår hon att det här är en förlust för Mattias.

»Ja, vad i helvete skulle ni ha tagit i hand på …« mumlar han.

Bo-Anders följer med ut när de går, och står på stentrappan utanför med händerna nedkörda i fickorna.

De hinner ett tjugotal meter.

»Charlie! Fan, jag menar … Mattias! Ska du med till garaget?«

Mattias går tillbaka mot huset igen med Anna i släptåg. De följer Bo-Anders runt knuten till garaget. Sävligt tar han upp ena näven ur fickan och böjer sig fram. Han rycker häftigt i handtaget. Garagedörren hackar sig upp. Sista biten tar Bo-Anders i med båda händerna och spänner blicken i Mattias.

»Härinne ska du få se.«

Mattias höjer ögonbrynen när femtiotalskylaren kommer i blick-fånget.

»Du köpte en annan«, kommenterar han.

»Visst fan är det en annan. Det här ... serru ... är en Ford Fair-lane. Victoria. Från femtisex. Farsan hade en sån i ungdomen, men han sålde den.«

Mattias visslar lågt. Anna säger ingenting. Hon förstår inte språket. Men bilen är klart läckrare än den de själva kommit i, med en blank list som delar rött och vitt i en mjuk båge längs hela sidan av bilen.

»Men den här kör du inte med?«

»Nä. Inte än. Motorn är inte renoverad. Men det är original-lack.«

»Har du haft den länge?«

»Köpte den förra året. För pengarna efter farsan.«

Anna fångar Mattias blick. »*Idiot*«, mimar hon.

»Jag tyckte det var passande«, fortsätter Bo-Anders. »Han sa alltid att han önskade att han aldrig gjort sig av med sin.«

»Nu går jag«, säger Anna.

»Ja, snygg kärra, Bo-Anders, men nu måste vi dra. Du får ha det.«

Bo-Anders lyssnar inte. Han går runt och öppnar framdörren.

»Instrumenten är också original.« Så stor han är glider han vigt in bakom ratten i det trånga utrymmet.

Anna vänder dem ryggen. Mattias tar ett par steg runt kylaren, lutar sig mot väggen i det trånga utrymmet och kikar snett in i Bo-Anders Ford Fairlane.

»Du, Bo-Anders ... minns du om farsan eller morsan backade in i nåt dagarna innan? Så höger baklykta blev intryckt? Dagarna in-nan de ...«

Bo-Anders rynkar pannan. Han behöver en lång stund på sig för att färdas från sin glänsande Fairlane till Mattias föräldrars gamla familjebil.

»Nä, fan heller. Inte vad jag vet. Det tror jag inte.« Han slår på radion. Den raspar till.

Mattias klappar Bo-Anders på axeln. »Hoppas du blir nöjd med den.«

Anna har en fråga när brodern kommer ikapp henne på vägen. »Hur visste du vad Bo-Anders sagt till polisen?«

»Ulf begärde ut allt och läste igenom. Det var inget konstigt där egentligen …«

Anna tycker han ser ledsen ut, och håller upp ett smutsigt finger.

»Vad tror du Bo-Anders säger när han tittar på brandsläckaren nästa gång?«

Men Mattias skrattar inte.

När våren tvekar

Fågelkvitter har alltid gjort Anna stum. Hon står alldeles stilla och lyssnar under sina promenader norrut från Tuna backar, bort från stan. Hon andas regnblöta trottoarer och förra årets gräs, och undviker tankar på hur akut det börjar bli med studierna. Studielånen kommer att frysa inne till hösten. Mirja finns också i hennes samvete. Hon vill att Anna ska vara i lägenheten i Stockholm ibland. Anna tar den enklaste vägen, hon låter bli att åka dit.

Det löser sig, för hon har en storebror. Det löser sig, för löven spricker ut på björkarna i Uppsala.

Och det är en stor bluff. Ingenting kommer att lösa sig.

Anna tänker att hon inte vetat något om livet förrän i den stund Mattias började hyperventilera och inte kunde köra längre. När hon bet ihop och tog över ratten, tog drömmen om att få vara lillasyster slut.

Anna tänker på deras besök hemma i barndomens by. Våren hade inte hunnit så långt då, men på majpromenader i Uppsala kan hon tydligt se och känna doften av Ringarkläppen. Hur solen blir varmare och håller i sig några dagar. Det porlar under snötäcket i dikena, och den gamla snön drar sig undan med smutsiga kanter.

Smältvatten droppar från taken ned i förra årets gräs.

Minnet av vårens dävna lukt har hon inte plockat fram under hela uppväxten. Den korta unkna våren innan allt börjar spira. När åkrarna fortfarande är bruna. Det tillstånd då man ännu inte riktigt vet.

Men så kommer vårfåglarna. De förlitar sig på ännu en sommar på ett sätt människan aldrig är i stånd till efter en lång vinter. Anna befinner sig i Uppsala och lyssnar när fåglarna ljudar liv, och kommer ihåg det uppdämda tillstånd då man hoppas att svårmodet ska börja ge vika.

Tillståndet innan man blir viss om vart man är på väg.

När hon andas helt stilla och minns människorna de mötte på sitt besök i Ringarkläppen, är det inte Bo-Anders hon tänker på. Inte på fåordiga, grova bönder i allmänhet heller.

Anna tänker på den som bor i hennes hus. En fåordig, grov bonde.

De fick ännu mer kaffe.

»Tänk att jag har inget minne av att Lennart skulle haft barn.«

Anna hade bara lyssnat halvt om halvt när de redde ut det. Jonas var egentligen inte släkt med Lennart, utan son till hans sambo. Han hade en smilgrop på ena sidan när han förklarade att han varit »Lennarts pojk« sedan tioårsåldern.

Anna såg sig omkring, gång på gång. Köksinredningen hade inte varit ljus när de bodde här. Det hade suttit en spegel där kylskåpet nu stod. Och i hörnet, precis under väggklockan, hade kökssoffan stått. Anna kunde se det framför sig, trots att Jonas fult målade porslinsskåp tog upp all plats nu.

»Det luktar gris härinne«, kunde hon inte låta bli att säga. »Det gjorde det aldrig när vi bodde här.«

»Nähä.« Jonas strök den blonda luggen ur pannan. Den var spikrak och ramlade ner igen. »Ska jag duscha varje gång jag varit dit, menar du?«

»Pappa gjorde det.«

Jonas såg på Mattias, som om han inte trodde henne. Den där gropen satt faktiskt bara på ena sidan. Det var den Anna börjat studera. Inget annat.

»Hur länge har du bott här?« Mattias var på väg åt ett annat håll med sina frågor.

»Fem år. Arrendet blev ledigt när jag låg i lumpen. Pappa la ett ord för mig. Det följde ju jakträtt med stället, så det är klart jag var intresserad.«

Då så. Anna tyckte illa om folk som jagade.

»Så nu är ni i samma jaktlag, Lennart och du«, konstaterade Mattias.

Jonas nickade. Det var inte ens en riktig nickning, han bara sänkte munnen till koppen lite tvärare. Sörplade när han sög i sig kaffet.

»Jagar du själv?«

»Jag har inte hållit i ett vapen sen jag bodde här.«

»Du, då?« Jonas såg rätt på Anna.

»Aldrig i livet.« *Vem tror du att jag är egentligen?*

Jonas höjde bara ena ögonbrynet. »Jag känner flera tjejer som jagar.«

Det handlar om djurens rätt. Men av någon anledning ville hon inte säga det. Det irriterade henne, det där om tjejer han kände.

»*Coola* tjejer, menar du?« Hon hörde själv hur det lät, men det var försent.

»Det är inte coolt att jaga.«

Det där var hennes replik, hennes åsikter. Nu måste hon prata om något annat, snabbt. »Hur länge tänker du bo kvar här?«

»Så länge du tänker arrendera ut. Vill du tillbaka?«

»Hit ut till ödemarken? Aldrig.«

»Sälj till mig, då. Det är en fin gård. Och bra underhållen.«

Anna tänkte på de papper hon fick från Per-Arne varje år. Förvaltaren, en fastighetsägare i Docksta, gjorde av med hela årsinkomsten på sådant som asfaltbeläggning på gårdsplanen och förbättring av husgrunden. Och köksrenovering. Men han hade låtit avverka tillräckligt mycket för att det skulle sitta en slant på skogskontot också.

Mattias tog tillfället i akt. »Kan vi gå runt och titta i kåken?«

Jonas följde inte med. Anna beundrade honom för det, hon hade varit som en hök om det varit tvärtom. Bevakat sitt revir.

De gick upp till övervåningen.

Anna gick raka vägen in på sitt rum. Det hade inte fått nya tapeter såsom den övre hallen och det större rummet hon gått igenom, och det stod oanvänt. Inte en pinal någonstans, bara möbler i säll tystnad. Hennes gamla säng var kvar, med ett virkat överkast på den stumma sängbottnen, och bordet hon aldrig gillat eftersom det var för tungt. Hon hade aldrig lyckats flytta på det själv när hon behövt komma upp på linneskåpet och hämta ned en boll eller annat som hamnat fel när hon lekte. Också linneskåpet stod kvar på sin plats med dörren vädrande på glänt.

Hon satte sig på huk vid det låga fönstret. På den tiden hade hon aldrig brytt sig om utsikten. Den var milsvid. Man kunde se ända till kusten med de blånande bergen som rest sig ur havet efter sista inlandsisen för tiotusen år sedan. Höga kusten hade fått sitt namn av en orsak, insåg hon nu.

När hon reste sig slog hon huvudet i snedtaket.

Mattias var inne på sitt gamla rum. Han log mot henne när hon tittade in. Såg påkommen ut. Rummet var inte lika tomt som Annas gamla, och användes som förråd. Bananlådor och flyttkartonger och gamla mattor.

»Var är alla saker som var mammas och pappas?« frågade Anna.

»Det ska ligga i ett av uthusen, på vinden. Prydnader, böcker, rubbet. Moster Erika hade koll på vad som gjordes här, det fick jag klart för mig när jag skrev över allt på dig.«

»Jag vill inte äga allt själv. Jag vill att du ska ha hälften. Helst vill jag att vi har en tredjedel var.«

Då klev Mattias förbi henne och de gick vidare på rundvandringen. I mammas och pappas sovrum var dubbelsängen bäddad med ett överkast Anna vagt kände igen. Kanske ett gästrum. Anna försökte minnas om hon hoppat i sängen eller sovit mitt emellan dem när hon var sjuk, eller något annat ungar gör. Något av det Olivia gjort. Men minnet var tomt. Tre krukväxter i plast var utplacerade på jämna avstånd på fönsterbrädan.

Bakom hennes rygg knarrade golvet när Mattias gick vidare.

Inte så bråttom.

Anna kände sig lugn där hon stod. Kände att hon skulle kosta på sig att fundera över den familj som bott här, som tagit slut så plötsligt.

Inte plötsligt. Charlies försvinnande hade kommit plötsligt, men det hade tagit flera veckor att utplåna familjen. De hade slitit ont allihop under den tiden. Vad mamma och pappa gått igenom skulle hon aldrig förstå fullt ut. Men när hon stod i deras sovrum och såg solen i snödrivan på lägdan utanför, kände hon tydligt att de aldrig skulle gjort som de gjorde om de kunnat mäkta med livet.

Och då fick hon ta djupa andetag och gå ut därifrån.

Mattias väntade utanför Charlies gamla rum. När Anna kom öppnade han dörren. Det var tydligen Jonas sovrum. *Först Lennarts ene son, sedan den andre.*

De klev inte in över tröskeln.

När Mattias redan var på väg ned, ändrade sig Anna och gick tillbaka in i det stora rummet mot vägen. Genomgångsrummet för att komma till hennes gamla rum. Hon gick fram till det stora fönstret mitt på gaveln. Nio rutor, träspröjs mellan fyrkanterna. Med en kort nagel drog Anna sakta längs träet mellan fönsterrutorna. Minnet sa att färgen borde sprätta bort i flagor. Ögat såg att det var handmålat med tjock oljefärg i perfekta drag.

Som om tiden gått baklänges.

Nedanför Anna var den vita bilen parkerad, snett framför raden med postlådor. Bo-Anders hus längre bort, däremellan vit åker. I skogsbrynet borta vid bäcken stod alarna kala som pinnar. På vintrarna hade det aldrig varit roligt att vara utomhus. Glåmiga, kalla och korta var dagarna. Bara inomhus fanns värmen och ljuset. Språkandet och elden. Familjen.

Livet.

Vem skulle hon ha blivit om hon vuxit upp här, långt ute på bygden? Om hon fått bo kvar i den familj som en gång levde här? Anna sökte efter vemodet inom sig. Det som funnits bakom halva leenden och falska glädjeyttringar ända sedan hon tvingades härifrån. Men hon hittade det inte nu.

Vid trappavsatsen innan hon gick ner tog Anna i handtaget till den lilla toaletten med dusch. En nyfikenhetens handling. Dörren var låst.

Mattias väntade i köket. Jonas syntes inte till. De gick ett varv och letade, genom kammaren och storarummet och hallen, och Anna glömde bort att titta och tänka så mycket. Mattias hojtade i trappen ner till källaren.

»Kommer!« fick de till svar. Och när han kom upp: »La in lite ved i pannan.«

Sedan följde Jonas med dem ut och stod och pratade vid bilen ett långt tag. Anna hängde mot bilen med handen i håret och huvudet på sned. Synlig.

»Hur är det med Lennart nuförtiden?« Mattias kisade mot allt det bleka.

»Ja, han kör lite ibland, men han sålde åkeriet för flera år sen. Han är sjukpensionär, farsgubben. Ryggen.«

Annas pappa hade varit jämnårig med Lennart. Skulle han också varit sjukpensionär om han levt? Hon hade svårt att tänka sig det. I hennes sinnevärld var han fortfarande stor och stark och frisk.

»Jag funderar på att åka förbi och hälsa på honom.«

Nu räknades hon inte igen, men Anna brydde sig inte om att svära över Mattias mer. Istället synade hon Jonas uppifrån och ner, och nerifrån och upp. Förstod han sådana signaler? Han bara fortsatte titta under lugg och tala till dem båda.

»Farsan och morsan är i Thailand. De åkte i förrgår.«

Hon förstod inte själv, förresten. Jonas grova händer och ensidiga kindgrop. Var det bara för att han tillhörde barndomens land som hon ville in i hans synfält? Anna snurrade hår runt fingret.

»Lukrativt det där med sjukpension.« Hon brukade kunna reta de flesta.

Jonas verkade road. »Mer lukrativt än det här stället.«

»Lever du inte hyfsat på grisarna?« frågade Mattias.

Jonas skrattade till. »Vi har nog sidoinkomster varenda en här-uppe.«

»Vilka är dina sidoinkomster?« Anna ville inte hamna utanför samtalet.

Jonas svarade med att spotta i marken och titta bort. Hans leende retade henne. Hon skulle vilja gå fram och ställa sig i vägen och *ta plats*. Men hon gjorde ingenting. Och snart skulle Mattias sätta sig i bilen.

Lennart hade varit åkare. Minnet från en gårdsplan med lastbilar och en gammal traktor kom tillbaka.

»Jag kommer ihåg den röda traktorn«, kastade Anna fram. En chansning.

»Vi hade ingen röd traktor …«, sa Mattias.

Men Jonas öppnade munnen, och nu var det Mattias som helt hamnade utanför: »Den står kvar hos farsan. Vi kan åka dit nästa gång. Kom tillbaka i sommar.«

När de rullade iväg vågade Anna inte vända på huvudet och se på gården och Ringarkläppen en sista gång.

Var det så pappa hade varit när mamma först träffade honom? Stor och tystlåten och med glimten i ögat? Jonas hade inte sagt stort mer än Bo-Anders, men han hade ögon som fastnat på Anna gång på gång, och han bjöd henne socker innan han tog själv. *Civiliserat.*

Anna gjorde en grimas och försökte få bort det hon kände. Jonas hade förflyttat sig ungefär två mil från sin mamma och pappa. Han kunde inte vara intressant för henne.

Hon var säkert lurad av de där händerna.

Men det var något annat också. Anna hade känt sig lugn hela tiden med Jonas. Fast hon försökt stressa upp sig. Han jagade. Dödade djur. Luktade gris. Bodde i hennes hus.

Det hjälpte inte. Det var något med Jonas som fick henne i balans. Jonas var så omedveten om sig själv och hur han såg ut med den där fula luggen. Han hade haft ögonen på henne flera gånger. *Och han bodde i hennes hus.*

Ambivalenta känslor. Det uppdämda tillstånd innan man blir viss om vart man är på väg.

»Vi säljer gården, Mattias. Och så delar vi på pengarna.«

De var på väg genom ett landskap av övergivna gårdar och igensnöade infarter. Sommargardiner som väntade på nästa säsong. Långt mellan upplysta fönster. »Det går inte att vara häruppe i alla fall. Jag vill inte ens ha stället som sommarstuga. Jag skulle inte stå ut med alla som är som Bo-Anders och inte hälsar på en. Som låtsas att man inte finns bara för att man är tjej.«

»Det är för att han inte känner dig.«

»Känner han dig, då?«

»Han gjorde väl det en gång. Och jag kanske har känsla för hur man passar in. Du beter dig som en storstadsbo. Tar med dig väskan in och sånt.«

»Men det är ju där jag har alla papper från mamma och pappa. Ska det ligga öppet i bilen?«

»Och vem skulle ta det? Särskilt som du låser bilen också.«

Mattias satt och flinade för sig själv. Körde med bara en hand och hade den andra klämd mellan knäna. »Nej, du ska nog tänka dig för innan du säljer.«

Ibland såg han för liten ut för den stora bilen.

»Är det inte lika bra att passa på när man har en intresserad köpare?«

De hade kört igenom Docksta och låg i den smutsiga snöröken efter en långtradare. Mattias försökte komma förbi på uppförslöpan. Svaret dröjde.

»Då skulle vi kunna resa ett helt år. Innan jag börjar plugga igen. Vad säger du?«

»Jag har ett bättre förslag. Jag vill kunna besöka gården. Återuppleva barndomens somrar. Och du behöver aldrig plugga meningslösa ämnen mer. Du går till lagårn morgon och kväll, och däremellan kan du sticka. Eller väva mattor, du såg väl att vävstolen stod kvar?«

»Vad menar du?«

»Du behöver säkert inte laga mat heller, han verkar huslig. Bullarna var hembakta. Det kan i och för sig vara hans morsa som fyllt frysen, men det kanske hon fortsätter med även när han är gift …«

»Lägg av.«

»Det vore skitbra för mig också. Jag kunde få ägg när jag kommer och hälsar på, och skinka till jul. Och på hösten plockar du väl svamp. Torkad karljohan är hur dyr som helst …«

»Håll käften.«

»Och sen blir det några kottar att ta hand om. Men lugn bara, morbror Mattias kan avlasta er mellan varven ...«

»Varför skulle jag vara intresserad av Jonas?«

Mattias skrattade elakt. »Jag sa inte att *du* var intresserad. Det är Jonas som är såld ...«

När han en stund senare tittade på henne var allvaret tillbaka. »Anna, du ska akta dig för honom.«

Hon hann inte ens ställa frågan.

»Han är bara ute efter din skog.«

Anna står i regnet vid brandstationen nära Uppsala garnison och lyfter ansiktet. Vad får henne att gråta? Är det verkligen tårar? Det är så länge sedan att hon är osäker på om det är så här det känns. Är det mammas och pappas sorg hon delar? Eller är det med Mattias hon känner, och allt han gått igenom? Är tårarna för att hon är ensam?

Hon har alltid varit ensam.

Anna tänker att ensamheten är självvald. Hon har valt bort att träffa Mirja och prata av sig. Hon har valt bort Erika genom att vägra svara på hennes sms.

Hon tycker inte om sms längre.

Dagen efter besöket i Ringarkläppen kom ett meddelande, utan att hon kunde se avsändarens nummer.

Ditt fula tryne kom tillbaka snart

Annas första tanke var *Franz*. För det fick inte vara Jonas, kunde inte vara Jonas. De hade inte bytt nummer. Sedan insåg hon att det var för långsökt att skylla på Franz. Och att Jonas lätt kunnat hitta hennes nummer på nätet. Hon knäppte bort meddelandet direkt. Så attraktionen var ensidig ändå. Det var bara hon som undrade hur grova händer på mager kropp kunde kännas. *Jonas grova händer på Annas magra kropp.*

Ett par veckor senare kom ett sms till:

Saknar dej idiot vart tog du vägen

Av någon anledning gör det ont. *För lång väg att gå*, det är så Anna tänker när regnet renar ansiktet. Hon har svårt att jämka ihop den taffliga texten med en pojkaktig huvudrörelse för att få bort en blond lugg. Med händer som borde vara för stora för att knappa sms. En ung kille som frivilligt bor ensam långt från enstaka kurser och kollektivtrafik och bruten svenska. Som pratar en dialekt som får det att röra sig långt upp under revbenen på henne.

Som sitter och skickar anonyma meddelanden som en perverterad enstöring.

Är inte vägen alltid för lång? Kan någon i exil någonsin komma hem?

Mattias tar varje tillfälle i akt att teckna, så Anna ger sig ut på ännu en promenad senare på eftermiddagen, den här gången utan att stanna och sätta upp plytet mot varenda regnskur och fundera så mycket.

På väg tillbaka kommer ännu ett sms från okänd avsändare.

Din perversa slyna, nu ger jag upp på dig

Anna promenerar så länge att hon hinner bli blöt innanför jackan och genom skorna innan hon är tillbaka igen.

Hon smyger för att Mattias inte ska se hur hon mår. Tassar in i köket.

Kylskåpet är oinspirerande. Köksskåpen likaså. Hon öppnar och stänger dörrar upprepade gånger. Och så är Mattias där, fast hon gjort allt tyst och försiktigt.

»Jag tänkte hitta något att göra middag av.« Hon står med ett mjölkpaket i handen.

»Går dåligt, va?«

»Jag ska koka choklad. Medan jag kommer på något.«

Mattias tar paketet ur hennes hand.

»Jag fixar det. Sätt dig och vila. Jag fattar inte hur du orkar promenera i det här vädret.«

Orkar promenera? Näsan ovanför ytan är vad det handlar om.

Mattias har en kastrull framme på ett ögonblick. Potatisar trummar ner i diskhon medan han konverserar sin syster i samma ton man talar om väder.

»Vi får besök nästa vecka. Dina svärföräldrar.«

Anna sitter tyst.

»Jag skämtar, men de kommer faktiskt. Lennart och hans sambo Ritva.«

Anna förstår fortfarande inte. Varför skulle de komma hit?

»Ritva ringde alldeles för en stund sen. De vill förklara nånting. Som hände den dagen mamma tog livet av sig.«

Anna säger fortfarande ingenting. Men nu vänder sig Mattias om från spisen.

»Jag tror sanningen har börjat röra på sig.«

Att ge igen

Delat ansvar.

Det hade aldrig varit någon idé att springa och skvallra. *»Ni är med på det som händer, båda två.«* Att vara mindre betydde bara att man fick ge igen på andra sätt. Att ta till husgeråd eller verktyg kom man inte undan med. *»Ni slåss inte med tillhyggen.«* Det ledde till påföljder. När Charlie fick åka och sy ögonbrynet fick Mattias inte se barnprogram på tre dagar.

Då var det bättre att sabotera. Rasera storebrors legotorn. Trampa sönder snötunneln han gjort. Sno delar från modellflygplanet han hållit på att bygga. Eller nyckeln till lådan han låst in porrtidningar i.

Med åren jämkade de ihop sig, misshälligheternas utveckling till trots. Föräldrarnas åsikter blev ett ramverk där de tryggt visste hur man bråkade. När Mattias tänker tillbaka fanns inga konstigheter i deras uppfostran. Men det förekom ett inslag, en färdighet han och Charlie och Anna fick lära sig, och som Mattias upptäckt saknas hos de flesta andra.

Att kunna använda ordet »förlåt«.

Han hörde det sägas mellan mamma och pappa. Det var inget märkvärdigt med det. Man gör fel, och då rättar man till det. På skuld följer önskan om förlåtelse. Men Mattias har märkt att flertalet människor går omkring och är felfria.

Därför förvånade det honom när Jonas mamma ringde.

Hon har något hon inte vill tiga om längre.

Hon har en fråga hon vill klara upp.

Hon har en sak hon vill rätta till.

Det är bara andra ord för att säga att man behöver förlåtelse. Det är ord för att säga att man bär på skuld.

Anna och Mattias sitter tysta på ena sidan av bordet. Mittemot sitter de nära varann. Mattias känner igen Ritva, som någon man inte riktigt kan placera. Hon säger att hon var på besök en gång hemma hos dem i Ringarkläppen. Mattias tittar på de ljusa skissdragen runt hennes ögon. Hon har kisat i solen nere i Thailand. Hon kan vara kring de femtio. Det skulle göra henne femton år yngre än Lennart. När hon talar glittrar ögonen, men Mattias tänker att det är hennes kroppsspråk som gör henne snygg. Sättet hon rör händerna med de rosa naglarna, långsamt i hårfästet och på näsan och längs käkbenet. Medvetenhet som attraherar. Men rörelserna innehåller något omedvetet också. Det spiller över. Det skvallrar. Hon är nervös.

De är inne på andra koppen kaffe innan paret avhandlat väder och vind och lagt fram svepskälet för att råka vara i närheten av Uppsala. När de språkat färdigt sinsemellan om sonen Jonas och hur bra det vore om han kunde stadga sig snart, istället för att träffa nya flickor hela tiden, börjar de skruva på sig.

Det är hon som börjar.

»Jo, Lennart och jag har pratat länge om att berätta …«

Och han som korrigerar: »Vi har väl inte haft nån att berätta för.«

»Men det känns viktigt att inte ni … att ni inte går och tänker på det som hände Lisbeth, och …« Hon sneglar på Lennart igen.

»Det är väl bara att berätta, då.«

»Jag har ju sagt att du inte får lämna det enbart till mig. Du får berätta din del.«

»Det är väl inte mycket med det …« Rösten rinner bort.

Minnet vandrar bakåt.

*

Det såg ut som om vädret tänkte bli bättre. Sedan gårdagen hade det inte regnat, och nu var himlen ljus igen. I vanliga fall betydde det att de fick jakten att fungera bättre. Alla var ivriga att gå ut och det var lättare för hunden att få upp ett spår. Älgen stod inte och tryckte utan rörde på sig och spred vittring. Men det skulle väl inte bli någon jakt.

Sedan flera veckor rådde undantagstillstånd. Lennart vågade inte slå en signal till Henrik, och nu hade han hört på byn att den yngre pojken också försvunnit. Det var bäst att hålla sig undan. Att han aldrig i sitt liv varit vidskeplig hjälpte inte här. Det var som om själve fan hade slagit klorna i den familjen.

Skulle man jämföra så hade Lennart det inte så pjåkigt ställt, när det kom till kritan. Visst var det slitigt att hemmet var i förfall igen, men han hade ringt Ritva igår och bett henne komma tillbaka. Det hade blivit ett längre samtal än han haft med någon på många år, men hon hade lovat att fundera på saken. Han hade sagt som det var, att han inte varit så lycklig sedan tjugo år bak i tiden, ja sedan han och Lisbeth var ett par, och han hade sagt att han kunde ta sig an pojken som sin. Jonas var en härlig grabb, och det hade han menat. Han var beredd att göra allt i sin makt för att hon skulle bli nöjd. Han tänkte inte flytta från gården, men han kunde överväga att göra sig av med firman och ta anställning på varvet eller på fabriken.

Det sista menade han förstås inte. Han skulle dö förr än han stod och pliggade skor och tillverkade läst, eller hur i helvete det gick till nuförtiden. Antagligen var det ännu mer monotont, man satt väl fastnaglad vid en maskin hela dagarna och fick dålig syn och ont i ryggen. Och ett kackel utan like skulle man få stå ut med. Det var på skofabriken rallet föddes.

Men det var en senare fråga. Han hade i alla fall lovat att sluta med långkörningarna. Han fick väl sälja lite mer bränsle svart eller göra andra affärer vid sidan av. Om det blev svårt att få det att gå ihop.

Nu var det bara att vänta. Han ringde inte en gång till. Krupit hade han inte gjort när Lisbeth lämnat honom heller. Då hade han bara bitit ihop och tigit och han var stolt över att han aldrig sagt ett ont ord om henne. Det fanns förresten inget att säga. Hon hade varit ärligare än han begärt.

Det var inte lika lätt när han blev insyltad i hennes nya familj efter några år. Lisbeth hade tydligen haft dåligt samvete eftersom de bjöd in honom att jaga så snart de tagit över gården. Henrik hade kommit och varit reko när han fått veta att Lennart inte längre jagade med Näskelaget. Och Lisbeth hade låtit bli att nämna det de haft en gång.

Enstaka gånger hade hon förstås syftat på det som varit. Det var när hon kom och ville ha hjälp och ställde sig in. »*Du Lennart som är van vid elektronik, kan du titta på teven?*« Eller »*Jag vet ju att du är duktig på att hantera folk, gå och prata med Bo-Anders och se varför han och Charlie inte kommer överens.*« Och då var det svårt att neka.

Det var inte bara som hon krusat, förresten. Lennart hade fått höra samma sak från Ritva också, att han var bra på det där med relationer. Att det var konstigt att Lisbeth övergivit honom för den där stöten Henrik. Det var skönt att få det från någon som var vackrare än Lisbeth. Som varit villig att ha honom i säng och som kanske kunde tänka sig att komma tillbaka. Som hade en grabb, dessutom.

Han försökte städa upp utomhus. Komma ihåg vad Ritva sagt om gårdsplanen. Det var en av anledningarna till att hon blivit less. Hon måste få göra det till sitt hem också. Det var inte bara i köket och sängkammaren han skulle tillåta att hon ställde efter eget huvud.

Det mesta var förstås inte så lätt att ordna. Veden ville han ha nära huset, för inte tänkte hon bära in på vintern. Men däcken som låg invid farstukvisten kunde han flytta på. Lägga på andra sidan om traktorn. Ja, den hade hon också haft åsikter om. Men inte kunde han göra sig av med sin morfars första traktor, bara för att hon inte ville ha den i blickfånget? Där gick gränsen. Fast om han var tvungen att välja, nog vore han obotligt dum om han valde att dö ensam för en traktor.

Han rullade det sista av däcken förbi knuten när han hörde motorljud. Jädrar i det, om det inte var hon. Skyndsamt tog han upp näsduken för att torka bort droppen som envist hängde från näsan så fort höstvindarna kom. Ja, han hade inte skaffat någon ny snusnäsduk ännu, så det var bara den där biten hushållspapper han fick tag i igen.

Men det var inte Ritva. Det var Henriks bil. Lisbeth som satt bakom ratten. Hon tvärnitade, som om hon aldrig varit här förut och blev förvånad över att vägen tog slut.

När hon klev ur och kom emot honom var hon mörk i synen. I ett slag kom han ihåg en annan gång, för tjugo år sedan, när hon anklagat honom för att ha hållit en annan för nära när han dansade. Han hade inte förstått vad hon pratat om, men hon hade varit lika svart i ögonen som nu.

Lisbeth behövde man inte fundera två gånger över var man hade. Var hon arg så syntes det. Många gånger under åren hade Lennart förstått att något pyrde mellan henne och Henrik, och någon gång hade han väl önskat att det skulle skära sig dem emellan. Så pass att hon skulle behöva vara otrogen.

Men nu när hon kom emot honom över gårdsplanen och var uppbragt, var det länge sedan han funderat i de banorna.

»Du tog min pojke ifrån mig.«

Hon hade stannat två meter bort. Bara sättet hon höll händerna spikrakt ned från kroppen räckte för att han skulle förstå att det inte var en fråga.

»Jag förstår att du menar Charlie. Det är inte mycket annat att gissa på. Men du har fel, Lisbeth. Var du än fått en sån tanke från, så är den fel.«

»Henrik. Han visste. Det var du.« Hon kunde inte prata i hela meningar.

»Vad har Henrik sagt?«

»Han har inte sagt något. Han skrev ner det. Att det var du.«

Lisbeth upprepade anklagelsen ett par gånger, tills Lennart mulnade till.

»Vad är det för dumheter! Tala om var Henrik är så vi får reda ut det här!«

Lisbeth öppnade munnen på vid gavel. Och stängde den.

Så började hon backa. Efter några steg sa hon högt och lugnt:

»Jag ville bara att du skulle veta. Att du har mer än Charlie på ditt samvete. Det går inte att leva när man vet vad som hänt ens pojke.«

Så vände hon sig om och sprang.

Lennart tog några steg efter henne. Tankarna var bly innanför pannbenet. Lisbeth satte sig bakom ratten och det mörka håret föll fram. Han hade aldrig förut lagt märke till hur gråstrimmigt det blivit, och det gjorde honom ställd. Hon hade blivit gammal på de här åren och han hade inte sett det förrän nu. Och när han inte kunde få syn på hennes ansikte igen, för att bekräfta faktum, for det för honom att han sett Lisbeth för sista gången.

Ritva fick möte när det bara var några hundra meter kvar till Lennarts gård.

Till deras gård.

Om hon skulle bosätta sig där och satsa på det här förhållandet, så måste hon börja betrakta gården som sin också. Hon skulle få rollen som hushållerska annars.

Hon hade väntat på Lennarts samtal i över en månad. Varit på vippen att ringa själv, eller helt sonika åka tillbaka för att få en familj som höll samman. Hon hade kommit fram till att det inte var mer komplicerat än så. Jonas behövde en far som axlade rollen. Och för egen del ville hon bli tagen på allvar.

Det hade inte varit lätt att börja relationen med att få serverat en historia om en gammal flamma som han aldrig glömt. Och att dessutom behöva träffa henne! Mellan Lisbeth och hennes make fanns det fortfarande en passion kvar efter tjugo år, det syntes långan väg. Om Lisbeth haft den dragningskraften på Lennart en gång så vete sjutton om han kommit över henne.

Att Ritva inte hittat på en ursäkt för att besöka Lennart igen, var förresten inte så mycket en ovilja mot att vara den som kom krypande tillbaka. Det var hennes egen fantasi som avskräckte henne.

När hon lämnat Lennart i augusti, i upprördhet över att all tid ägnades åt förberedelserna inför jakten, hade hon knappt hunnit inrätta sig i Bredbyn igen förrän hon fått obehagliga idéer om den andra kvinnan. Hur Lennart sökte tröst hos Lisbeth och den gamla åtrån sipprade tillbaka.

Det var en orimlig tanke att hon skulle hitta Lisbeth hemma hos Lennart om hon kom oannonserat. Ändå var det den skräckbilden som avstyrt henne.

Men så hade han ringt, och nu var hon på väg.

Hon är bara ett stenkast från gården när en okänd bil dyker upp bland skuggorna. Hon bromsar och håller ut mot kanten. Vägen är inte gjord för möten, inte den här biten i alla fall, som bara leder till Lennarts gård. *Deras gård.*

Den mötande bilen saktar inte in, utan far förbi så den studsar mot stenarna vid dikesrenen och ojämnheterna på vägen. Förvånat ser hon in i den andra bilen. Ansiktet på föraren är mindre än en meter från hennes.

Hon ser.

Och i detsamma vet hon. Allt ramlar över henne.

Någon med det självsäkra uttrycket har aldrig fått nobben. Har aldrig förlorat något i sitt liv. Har precis haft en kärleksstund med en man och bemödar sig inte om att hälsa på den ratade kvinnan.

Det var alltså därför det tog så många veckor för honom att be henne komma tillbaka! Han har inte behövt henne. Han har aldrig slutat träffa Lisbeth. De har träffats i hemlighet i tjugo års tid. Under den där middagen, då satt både Lisbeth och Lennart och njöt av vetskapen om vad de hade tillsammans.

Klumpen i halsen och magen är svartare än hat när hon rullar den sista biten till Lennart och vänder bilen. Hon ser inte ens att han står böjd borta vid den trasiga presenningen.

Hon vet inte vad hon tänker göra, men att bli så hånad klarar hon inte. Här har hon blivit utnyttjad i sin utsatthet som ensamstående mor, men hon är inte någon man ser ned på. Hon ska bort från Lennarts gård och hon ska ta itu med det här på något sätt.

Ritva kommer ikapp Lisbeth efter mindre än en kilometer. Blinkar med hellyset för att hon ska stanna. Inget händer.

Hon kommer närmare inpå Lisbeths bil utan att få stopp på henne. Tänk att den jävla människan bara tänker ignorera henne! Hon tänker inte ens ge henne chansen att säga ett och annat. Hon bara fortsätter köra!

Då trycker Ritva gasen i botten. Den satmaran ska få för att hon jävlas. Med den här framgrillen är det den andra bilen som får ta smällen. Hon hinner tänka att det kommer att kosta pengar, och att det skiter hon i.

Hon flyger fram i bältet när hon brakar in i Lisbeth bakifrån.

*

»Hon bara fortsatte köra. Det var det som var så ofattbart. Som om hon inte brydde sig om det. Senare förstod jag ju, men då blev jag rädd. Det tog mycket hårdare än jag trott. Jag körde på så hårt att jag först tänkte att hon kanske bröt nacken ...«

»Nja, nu överdriver du väl ändå. Du sa ju att baklyktorna fungerade när hon försvann i kröken. Så väldans hårt kan det väl inte ha varit ...«

»Jag körde in i bilen hårt. Och jag såg bara ena lyktan.« Hon tittar på Lennart, sedan på Mattias. »Jag blev så rädd att jag backade hela vägen tillbaka till gården, och pratade med Lennart om det. Och han var ju lika upprörd han ...«

Hon lägger en hand på Lennarts lår. Mattias tänker att det är ingen som gör det i deras ålder. Har de haft den här händelsen som bindemedel? Precis som mamma och pappa har de haft en hemlighet ihop under alla år tillsammans.

Lennart är tvungen att säga något, men det är tydligt att det här besöket inte är hans idé. Det är ett kvinnopåfund att bikta sig så många år senare. »Jo, det var nog ett gemensamt beslut att inte säga nåt. Vi ville inte bli indragna, och ingen av oss hade med det där att göra ...«

»Det som hände Lisbeth«, förtydligar Ritva. »Fast innan vi fick höra att hon kört ner i vattnet så låg vi två nätter och väntade på att bli hämtade av polisen ...«

»Så drastiskt var det väl ändå inte ...«

Lennart och Ritva tittar på varann, men klarar inga långa stunder. Blickarna hakar i varann och släpper taget, gång på gång. *Är du nöjd nu?* säger hans blick. *Ser du nu att det inte tjänar någonting till?*

Mattias tänker först samma sak. Varför komma med det efter mer än sexton år, bara för att de hört att han frågat om baklyktan? Men när de börjar samla sig för att gå har han hunnit smälta det nya.

»Varför sa mamma att du haft att göra med att Charlie försvann?«

Lennart ser honom inte i ögonen, men han stillnar i stolen igen.

»Henrik hade skrivit nåt ... ett citat från Bibeln. Lisbeth sa att det betydde att det var jag.«

Orden blir tunga såsom han lägger dem, tänker Mattias. Som om mamma stått kvar och anklagat honom i tjugo års tid.

»Vad exakt hade pappa skrivit?«

Ritva blir engagerad igen. »Det vet inte vi. Lennart fick aldrig läsa något.«

»Nä, hon sa inte ens att det var ett avskedsbrev.«

Anna har sparat rösten tills nu. »Om du inte vet vad pappa skrev, hur kan du då säga att det var ett bibelcitat?«

Lennart sitter tyst. Handfallen. Ritva ser lika ställd ut hon.

»Men Lisbeth sa väl så?« resonerar hon. »Att det lät som ett bibelcitat, det Henrik skrivit?«

Lennart ser på henne. *Det är du som har dragit in mig i det här. Det är på tiden att du ger dig.* Sedan behöver han ännu en stund för att bestämma sig för vägen ut.

»Lisbeth citerade det ordagrant«, säger han till slut. »Och det var från Bibeln, tyckte jag bestämt.«

»Du har aldrig berättat för mig att hon citerade det ...«

»Nä. Och nu har det gått så lång tid att jag glömt vad hon sa. Helt och hållet.«

Därefter kniper båda ihop munnen.

Sommar

Tunnelseende

Anna har lånat Mattias månadskort och åkt med lokaltrafiken ända sedan morgonen. Bussen rör sig i vågor. Ibland är de ute på motorvägen, ibland matar de sig fram i innerstan. Tankarna flyger och far i allt vidare cirklar. Människorna bär färgglada plagg och nu frampå eftermiddagen börjar de bli vackra.

Stockholm är vackert.

Två gånger har hon sneglat på bergväggen vid tunnlar och undrat om han kommer att stå just där så småningom.

»Det får inte vara sekventiell konst«, har Mattias förklarat. »Då kör de in i berget.«

Anna har inte orkat sätta sig in i förutsättningarna för Mattias jobb. Han ingår i en grupp tecknare som ska måla graffiti på tunnelmynningarna i Stockholm. Bara några veckor, men ändå. Anna tvingar sig att vara exalterad för hans skull. I alla fall den här första dagen.

När bussen rusar fram över Skanstullsbron tittar hon ut mot vänster. Därnere ligger Eriksdalsbadet. Vatten som kobolt. Människor som rör sig längs utebadets kanter. De måste haft öppet i över en månad, reflekterar hon. Veckorna har gått så fort, midsommar kom och gick för flera veckor sedan. Anna låg dunderförkyld framför teven medan Mattias skissade på idéer för tunnlarna.

Tankar på Erika och åren i simhallen i Härnösand far förbi. Hon kommer aldrig att doppa en fot i en bassäng igen.

Vid nästa hållplats hoppar Anna av. Hon går längs Ringvägen och dyker plötsligt in i en affär. Utan att tillåta sig att tänka står hon och sorterar bland baddräkterna. För ljus, för opraktisk, för ful, för skrikig, för stor.

Hon köper en handduk också innan hon beger sig till badet. Hon ska bara testa en enda gång. Så hon vet.

Innan hon simmat ens en längd erkänner hon saknad. Anna saknar sin mamma Erika. Tårar i bassängen spelar ingen roll när hon skjuter fram som en säl i sin svarta baddräkt.

Efter några längder kan hon inte låta bli att hålla ögonen öppna. Hon tänker inte komma hit igen så hon måste passa på att se och minnas allt. Det är annorlunda utomhus. Kaklet som dansar i olika mönster när solen blänker på vattenytan. Ljuset som gör gräset grönare och vattnet blåare och Anna svartare.

Sakta repar hon sig. Känner att det här var en bra idé. Något hon kan göra fler gånger i sommar. Hon tar tag i kanten och andas. Hon ska simma långsamt så det känns ännu mer.

En kille gör en förfärligt oteknisk vändning några meter bort. Anna skymtar hans rygg när han simmar iväg. Full med finnar. Precis som Franz.

Är det Franz?

Många tankar travar genom Annas huvud. Hur ofräsch han är. Och totalt utan omtänksamhet. Han har inte ens rolig humor. När Anna tänker på att hon egentligen inte behöver bekymra sig över honom längre, så kommer nästa tanke. Mirjas sorg över att det är på upphällningen. Och hennes försök att engagera sig i den där misslyckade poeten. Har Anna skuld i att Mirja känner sig övergiven? Borde Anna tillbringa tid med Mirja? Men så försvarar hon sig med att det inte går när Mirja redan åkt till landet. Så fort föreläsningarna tog slut för terminen åkte hon hem till sina föräldrar och sin lillebror. Hon kom inte ens förbi Uppsala och sa hej.

När killen är på väg tillbaka igen sjunker Anna ned i vattnet ända till näsan. Hon flyttar sig i sidled så hon kommer närmare. Hon måste få veta om hennes misstanke stämmer. I så fall vill hon hålla sig borta.

Killen saktar märkbart in och simtagen blir ännu fyrkantigare när han lyfter ansiktet för att kanten närmar sig. Visst är det Franz!

Anna ler skadeglatt åt hans icke-befintliga teknik. Vilken misslyckad simmare han är.

Det skuttar till i kroppen på henne, och hon kan inte låta bli att dyka under ytan och skjuta ifrån. Hon simmar lätt ikapp och lägger sig jämsides. Han vänder ansiktet åt hennes sida för att andas mellan simtagen. Anna får tvinga sig att inte skratta. Hon ligger precis före.

Det tar ett tag innan han upptäcker henne, men så börjar Franz simma fortare. Han tar kraftigare tag och sparkar ifrån ordentligt när han vänder. Det var många år sedan Anna simtränade, men det här är lätt och krafterna rinner till när hon märker att han kämpar. *Vilken nolla.* Kan inte låta bli att tävla bara för att det råkar ligga en tjej i banan bredvid.

Tre längder senare ger Franz upp. Han saktar in långt före vändningen. Anna ligger och flinar i vattnet och andas utan att flåsa när han kommer i mål.

»Inte illa«, blir hans första kommentar.

»Du som är läkare borde göra något åt det där problemet«, säger Anna. »Med ryggen.«

»Ett år kvar, min älskade. Acnekursen kommer sist.« Franz räcker ut tungan åt henne, men inte som Anna gjorde som barn. Franz vickar på tungspetsen med öppen mun. En vulgär gest. Sedan kommer han på något: »Ska du hem sedan? Jag behöver hämta lite grejer hos Mirja.«

Anna har inte tänkt så långt, men hon har varken tvål eller schampo med. För att slippa ha sällskap med Franz säger hon att hon precis ska gå, men att han inte behöver ha bråttom. Bara han kommer inom ett par timmar så är hon kvar.

Anna har inte tänkt åka tillbaka till Uppsala ikväll. Hon ska ut på kvällen, men det behöver inte Franz veta. Mirja ska inte heller få veta något. Hon är så glad att Anna inte längre har kvar »det där ångestbeteendet«.

När Anna duschat och torkat håret och hittat ett par gamla kanelbullar i frysen och satt in dem i mikron – så hör hon ett ljud från hallen. En hostning avslöjar honom. Anna vrider på timern.

»Har du nyckeln kvar? Varför i helvete skulle jag vara hemma och öppna då?«

Som svar dyker Franz upp i köksdörren som ett pizzabud med två kartonger. Och en systempåse. Anna rynkar pannan.

»Mirja är väl på landet?«

»Jag ska käka med dig.«

»Kan du inte bara ta dina prylar och sätta dig på gården? Pizza kan man äta med fingrarna.«

»Varför är du så arg? Har du pms?« Franz tar fram en näve bestick. »Tror du Mirja blir glad åt din attityd? Jag kommer med pizza och vin och du vill slänga ut mig.«

I dörren till vardagsrummet vänder han sig om. »Kom och ät. Du har aldrig förut tackat nej till rödtjut. Mirja skulle bli glad om vi käkade och snackade som vänner. Tror du att du klarar det?«

Över axeln fortsätter han:

»Om du inte *jevlas* alltför mycket så ljuger jag gärna och säger att du var jättetrevlig.«

Anna går efter och kastar sig ner på vardagsrumsgolvet. »Det är du som brukar jävlas. Jag ger bara igen.«

»Okej, vi säger så. Och eftersom jag har slutat *jevlas* så behöver du inte ge igen.«

»Dessutom ljuger Mirja och jag inte för varann.«

Att Franz slutat jävlas är en sanning med modifikation.

Anna vet det när de sitter på golvet framför teven, så långt ifrån varann det går om man ska äta från samma soffbord och dela samma flaska vin. Franz jävlas inom de nya råmärken han precis dragit upp.

Först försöker han få Anna att prata om sin bror. När hon sagt »jag vet inte« och »skiter jag i« och »det har jag inte tänkt på« ett antal gånger ger han upp.

Nästa ämne får Anna att bli ännu mer på sin vakt.

»Ingen blir vacker av att bli misshandlad.« Franz gapar runt pizzan med sin stora mun. När han tuggat ur hälften fortsätter han med maten fullt synlig: »Jag vet att jag sagt en massa saker om din kropp. Att du är benig och ful. Och ditt stripiga hår …« Han gör en grimas innan han ser Annas ögon smalna. »Ta det inte så. Du och jag måste väl kunna vara ärliga utan att ryka ihop. Och det är sant att jag aldrig har tänt på din kropp.«

»Det är också sant att Mirja inte tänder på dig längre. Konstigt bara att du som är så kroppsfixerad inte börjar träna förrän det är försent. Det hjälper liksom inte när man redan är dumpad.«

»Det finns förklaringar till varför man är som man är. Det var det jag menade. Du kan ju inte vara vacker när din kropp får utstå våld. Sånt sätter sig i själen. Jag vet av egen erfarenhet.«

»Ansträng dig inte. Jag vill inte höra.«

»Men snart slipper vi se varann så vi kan väl åtminstone försöka.«

»Försöka vadå?«

»Jag vill kunna säga till Mirja att jag gjorde mitt bästa för att du inte skulle hata mig. Det är väl det minsta man ska göra när en relation tar slut. Jag älskar henne fortfarande, gör inte du det?«

Som alltid är de rivaler om samma kvinna. Anna säger ingenting.

»Jag kan berätta om mig själv«, fortsätter Franz. »När jag var liten var jag bäst i klassen och bra i idrott också. Kanske inte simning, men allt det andra.«

Anna känner till hans uppblåsta ego så väl, men Franz struntar i hennes miner: »Men jag dög aldrig för pappa. Han gav mig stryk regelbundet.«

Anna känner igen delar av det han berättar. Mirjas sätt att rationalisera sina känslor för en idiot, har hon tänkt. Att det ska vara synd om Franz. Anna kan inte tycka det, men hon fortsätter lyssna på hur han kämpade för att lyckas med allt. För att knäcka gubben bestämde han sig för att utbilda sig långt över sin pappas förmåga.

»Det har du väl lyckats med nu?« Anna tänker att det kan vara lämpligt att bidra med något till försoningsstämningen.

»Nej. För gubben dog när jag var sexton. Jag förlät honom aldrig för det … Bungyjump är nästan som att dö, förresten. Har du prövat?«

»Nej.«

»Man stirrar döden i ögonen bara för att komma undan med en hårsmån. Kan du tänka dig hur skönt det måste vara efteråt?«

»Jag har aldrig varit intresserad av döden.«

»Jag trodde att det kanske är det du pysslar med. När du raggar upp killar och utsätter dig för …«

Anna öppnar munnen.

»… skit samma«, fortsätter Franz, »det var inte det jag tänkte på. Utan på den där känslan precis när man hoppar. När man faller mot sin död. Då drar det ihop sig mellan pungen och anus. Drar ihop sig som en sträng. *Jevla* otäckt. Det är samma känsla jag får varenda gång jag ser dig. Alltså sekunden innan jag kommer ihåg att det inte är dig jag är ihop med.«

»Just nu«, säger Anna sakta, »är du fan inte ihop med någon annan heller.«

»Okej, okej. Jag ville bara vara ärlig. Det kan väl du också vara? Du är glad över att det i princip är slut mellan Mirja och mig, men du sitter här frivilligt och hinkar vin som en svamp. Då kan du lika gärna erkänna att jag inte är helt värdelös.«

Anna har nästan aldrig varit stum med Franz, men allt han säger får en cynisk vändning förr eller senare. Hon borde köra ut honom.

»Du förnedrar dig själv. Låter idioter märka dig för livet …« Franz skrynklar ihop hela ansiktet i en stor grimas.

Anna reser sig abrupt från golvet. Franz är efter, omedelbart, och står i vägen.

»Du åker ut om du fortsätter snacka skit!« Anna är konstigt nog inte särskilt arg. Mirja har också kastat in handduken. Snart är han historia för dem båda.

»Vad jag försöker säga är att … du tycker så illa om mig att det måste vara förnedrande att bara vara med mig. Du behöver alltså inte gå till puben ikväll. Och jag har en vinare kvar i köket.«

Franz ler mot Anna. Det retar henne inte längre. Han håller fortfarande ut armarna för att hindra henne att lämna rummet.

»Tur för dig att det finns en flaska till. Ska du stanna här ikväll vill jag bli full«, säger Anna och sätter armarna i kors. Hade det varit någon annan än Franz hade hon kunnat dra på munnen nu.

Flera timmar senare har de inte lämnat golvet framför teven. De har precis sett en film, halvliggande mot soffan, och Anna hoppas att Franz ska gå utan att hon behöver be honom. Hon vet inte varför de haft den här försoningsövningen, men kanske Mirja blir glad. Det kanske till och med leder till att Mirja och Franz hittar tillbaka till varann. Vad var det Mirja sagt? Att förhållandet med Franz vittrade sönder när Anna började sova i Uppsala? Att det var obalansen som utgjort spänningen.

»Berätta om första gången för dig«, ber Franz och det låter nästan snällt. Anna måste påminna sig om att de är i krig med varann. Alla medel tillåtna.

»Berätta själv«, säger hon snävt.

Franz sätter sig upp mot soffan. »Jag blev förförd av en mogen kvinna. Jag var arton, kunde ingenting. Hon öppnade mina ögon för sex. Jag trodde jag hade hittat den rätta.« Franz flinar åt sig själv.

»Men hon blev förstås less?« I samma stund som Anna ställer frågan hör hon att det låter elakt. Men Franz bekymrar sig inte.

»Ja, självklart. Vi hade inget gemensamt mer än sex. Men det var bara hon som insåg det. Den människan utnyttjade mig för min kropp tills jag var helt slutkörd. Sedan övergav hon mig. Jag grät i ett halvår.«

Det sitter långt inne, men Anna måste säga det:

»Jag tror att Mirja är ganska ledsen nu … Det handlar om mer än sex för henne.«

»Mirja älskar dig«, säger Franz allvarligt. »Du tror att vi är konkurrenter om henne, men du har fel. Hon är så genomärlig och snäll och vill dig så väl. Om du bara visste …« Franz skakar sakta på huvudet.

»Vadå?«

»Hon skulle göra vad som helst för att hjälpa dig att komma över dina problem. Hon vet vad du behöver. Annars skulle hon inte …«

»Vadå?«

»Hon har sagt flera gånger att jag borde ta hand om dig.«

Anna nyktrar till lite. *Det är Mirja som behöver tas om hand.* Men småleendet är inte långt borta. »Har hon sagt att du ska ligga med mig?«

»Hon har sagt att det skulle vara bra för dig, inget annat. Och så har hon sagt att hon skulle bli glad om du mådde lite bättre …«

Anna harklar sig, men är tyst. Hon sitter med dåligt samvete för att hon inte haft tid med Mirja på sistone. Men att ge Franz förtroenden vore världens största misstag.

Franz fortsätter, med lugn röst: »Du har fel om du tror att jag inte kan ge dig det du behöver. Mirja vet precis vad du behöver.«

»Du. För det första kvittar det vad Mirja skulle ha sagt. För det andra har jag svårt att ens tänka mig dina händer på min kropp.«

»Jag lovar att inte använda händerna. Och inte munnen heller, mer än så här …«

Franz hänger sig fram över Anna och öppnar munnen mot hennes kind. Hon lutar sig ifrån honom med blicken irrande runt i rummet. Vad tänker han sig egentligen?

Han biter henne i kinden. Sedan närmare örat. Medan Annas blick blir mer och mer stilla och hon trycker nacken hårdare mot soffans framkant, biter Franz henne i ansiktet. Anna kniper ihop munnen när han kommer nära läpparna, men han nuddar dem inte. Han fortsätter runt hela ansiktet och tar lång tid på sig.

Anna tittar upp i taket och försöker tänka. Har Mirja regisserat det här? Hon vet hur dåligt Anna kan må, och hur illa hon tycker om Franz. Ändå litar hon på hans omdöme.

Litar Anna på Mirja?

Hon känner sig fullare än tidigare. Varm och full. Franz nafsande i ansiktet är både obehagligt och upphetsande. Hans hår luktar klor. Det var länge sedan Anna låg med någon. Lusten har varit nedbäddad så länge att hon börjat undra om den gått i permanent ide. Men det här kan aldrig funka.

Hon måste till slut gripa tag i Franz tröja för att inte ramla åt sidan och få honom över sig. Fingrarna krokar fast i maskorna. Han har samma grå tröja som på tågresan norrut i vintras. Det är sommar och helvetiskt varmt och han har en stickad tröja på sig.

»Inga händer«, säger hon. Varför vet hon inte. Vad det skulle ge att ha sex med Franz vet hon inte heller.

Han sätter ansiktet mitt framför hennes, så nära att de kan se varann i ögonen. Ur det här perspektivet har Anna aldrig sett honom. Ögonen är grå och näsan stor.

»Och inga tänder«, fortsätter hon. Hon kan inbilla sig att det är någon annan. Utnyttja honom och sedan kasta ut honom.

Franz skrattar och borrar in näsan i hennes mage. Får tag i kanten på hennes t-shirt och dyker under den. Anna kiknar och försöker vältra sig åt sidan.

»Lägg av. Du menar inte att det är sånt här Mirja tänder på?«

»Håll käften, jag tvingar ingen.« Franz tar fram huvudet. »Passar det inte är det bara att gå.«

Anna ser på honom i två sekunder. »Fint. Jag tror jag gör det.« Hon börjar sätta sig upp.

Franz trycker ned sitt knä över Annas lår och håller fast hennes arm.

»Lägg dig ner.«

Anna möter hans blick. Den är envis, men inte farlig. Ögonen glittrar. Anna tränger bort ett skratt och lutar sig tillbaka igen, mån om att inte visa förtjusning.

Franz följer efter och tittar henne i ögonen. Femcentimetersperspektivet igen.

»Ingen mun alls i så fall«, viskar hon och kisar allvarligt.

Franz ögon vandrar uppifrån och ned längs hennes beniga kropp som han alltid haft synpunkter på.

»Vill du att jag ska duscha först?« frågar han och Annas tankar flyger till sist hon sov över i lägenheten. Franz röst är lika mjuk som när han låg med Mirja den gången.

Hon håller fortfarande fast i hans tröja. »Nej. Men ta av dig den här. Den stinker.«

»Då får du låta bli min rygg. Så du slipper spy.«

Han har rätt, det här är förnedring. Inte hennes grej, men so what.

Medan han drar av henne jeansen och trosorna i ett svep försöker Anna inbilla sig att hon är Mirja. Det är svårt, och hon kommer på att hon aldrig velat vara Mirja. Är det ett bra eller dåligt betyg till en kompis? En kompis som hon misskött, men som ger henne sin kille för att hjälpa. Franz, som är så bra i sängen. Franz som kysser så speciellt. Som kan saker han lärt sig av en äldre kvinna. Ville Mirja att Franz skulle svälja halva Annas ansikte? Det har han gjort redan, fast i bitar. Annas hud pirrar i kinderna och på halsen.

När Franz drar tröjan över huvudet försvinner pirrandet. Under den grova tröjan är han barbröstad. Fjunlös.

»Det kommer inte att funka. Fin tanke, men det funkar inte«, säger Anna och får armbågarna under sig. Hon får lust att skratta, men försöker hejda sig. De är någorlunda sams för allra första gången och då är situationen så absurd. Hon ligger på mattan nedanför hennes och Mirjas soffa, med Franz på knä bredvid. Skulle hon vrida huvudet kunde hon se dammråttorna under soffan.

Kanske hon inbillade sig att hon skulle komma närmare Mirja på det här viset. Det är i alla fall den förklaring hon tänker ge sin vän. Att hon försökte men att det blev så löjligt. Att hon inte kan tända på Franz.

Plötsligt upptäcker Anna att hans huvud vaggar fram och tillbaka med en löjlig mössa på. Brunt hår sticker ut från två stora ovala hål. Som Musse Pigg-öron. Det är hennes trosor han trätt över skallen. Han ler fånigt.

»Är det meningen att jag ska skratta nu?« Anna ler inte.

»Skratta. Gråt. Gör vad du vill.« Franz viker upp hennes ena ben och sträcker ut det på sin andra sida. »Idiot«, lägger han till och sitter och fnissar mellan låren på henne.

»Lägg av«, ber Anna och sätter sig upp igen. Försöker trycka bort Musse Pigg-huvudet som är på väg ned mot hennes mage. »Det här är det minst sexiga jag varit med om. Det här får Mirja ha för sig själv.«

Franz hinner före när Anna försöker sätta händerna för könet. Hon förstår inte sig själv när hon börjar skratta istället för att bli vansinnig.

»Vad är det här?« ler hon. »Vad håller du på med?«

Franz placerar hakan på hennes blygdben. Han flinar brett.

»Jag ska bevisa att jag inte behöver använda vare sig mun eller händer. Ville du förresten ha min kuk? Jag behöver inte den heller.«

Anna skrattar högt. Hon kan inte låta bli. Det här är så roligt. Vidrigt och roligt.

»Det är bäst du tar av dig brallorna«, säger hon när Franz dyker tillbaka mellan hennes ben. »Det här kommer inte att funka för mig.«

Men hon ligger kvar. Franz trixar ned sina jeans med huvudet fastkilat mellan hennes lår. Det är skönt och Anna väntar med att försöka sätta sig upp igen. Tills det är så akut att hon med en kraftansträngning trycker bort Franz och kravlar över honom.

»Inbilla dig inte att jag kommer att tycka om dig bara för det här«, säger han leende när Anna sätter sig på honom.

»Detsamma.«

Och Anna överrumplar sig själv. Hon tar för sig medan Franz bara ligger där och skrattar. Hon ser honom i ögonen och känner sig nästan nykter.

Men det är andra insikter som sveper över henne.

»Vad sa du?« undrar Franz.

Anna ruskar på huvudet.

Franz nickar. »Jo, du sa 'glädjeknull'.«

Hon visste inte att hon sagt det högt.

Det hon tänker när hon kommer är att Franz ser konvulsionerna i hennes ansikte. Så här groteskt naken har hon aldrig varit. Hon undrar också vad han får ut av det hela, för det tar slut här. När Anna stillnar gör Franz det också. Han håller upp händerna i luften och vinkar. *No hands.* Anna kliver av, plockar åt sig sina jeans och drar trosorna från hans kalufs. Ler och skakar på huvudet.

Franz tar sig upp och släntrar mot Mirjas rum medan han håller jeansen hjälpligt uppe med ena handen. Vänder sig om i dörren.

»Du håller käften om det här till Mirja, va?«

Tystnad. Stillhet.

Franz breda leende.

När Anna senare nuddar vid tanken på det som hände kommer hon inte att bekymra sig över vad Franz fick ut av det. Hon kommer att undra när han bestämde sig för att förföra henne.

Franz suckar. »Inte fan trodde du väl att Mirja har bett mig vara otrogen med hennes bästa kompis? Så tänk dig för innan du säger något. För det här …« Han gestikulerar mot mattan framför soffan. »… händer inte igen. Men det var rätt skönt, va?«

Anna rycker till och flyr in på sitt rum. Hon stänger om sig men hittar ingen nyckel till rumsdörren. Hon har aldrig behövt någon.

»Jag tänker inte komma efter dig om det är det du tror!« gastar Franz genom två rum och en stängd dörr.

Strax efter sticker han in huvudet i alla fall. Han håller fortfarande en hand om de oknäppta jeansen. »Jag ville bara se till att det blir ordentligt slut med Mirja. Vad tyckte du förresten om mina kärleksförklaringar? Mina små sms de senaste veckorna?«

Sedan flyr han innan hon hinner reagera.

Mitt i natten piper mobilen till. I mörkret under täcket läser Anna ett sista anonymt sms.

Jag har näsa för det där va

Visshet

Mattias har gått på kyrkogårdar. Han har upplevt hur fridfullt det kan vara när man tror på döden. Han har känt sig lugn bara när han tillåtit sig att tro att Charlie verkligen dog. Avståndet till brodern har då blivit oändligt stort och helt försvunnit. Som om Charlie funnits i närheten och i evigheten, på samma gång.

När han försökt förklara för Anna, för att också hon ska kunna släppa hoppet och känna frid, har hon blivit upprörd.

»Jag har aldrig känt det så. Då skulle jag ha trott att du också var i evigheten. Charlie kanske lever någonstans.«

Och nu har han själv kommit till en punkt där han börjar ifrågasätta allt. Också pappas död. Vad som egentligen hände.

När han kommer gående från tunnelbanan står Anna och väntar vid båten. Den är permanent förtöjd vid Slussen, på Mälarens norra sida. Det är här de bestämt möte.

Hon har fått vänta. Han hade trott att det var lugnt, att hon skulle sätta sig ned med en öl när han fastnade på t-banan, men hon ringde honom direkt. Hon har promenerat hela förmiddagen, gata upp och gata ned. Den sista timmen i Gamla stan bland horder av turister. Feta och fula, och då förstod Mattias att det var allvarligt. Han hoppas bara att det inte är hans fel. Att hon inte ska säga att hon stannade i stan igår för att hon kände sig utkastad. Eller för att han skaffat ett jobb.

De hittar platser längst ut mot vattnet. Mattias hinner inte ens före med sitt ärende.

»Vad får dig att skämmas?« frågar Anna medan de sätter sig med sina öl.

Mattias gungar bakåt och rufsar om håret med båda händerna. Sträcker på sig innan han ser ut över relingen mot Söder.

»När man inte har några föräldrar behöver man inte ha några hämningar. Jag skäms inte inför någon.«

»Då borde det gälla mig också.«

»Det verkar inte så.« Mattias kniper ihop ögonen mot solen. »Vem skäms du för, Anna?«

»Jag låg med min bästa väns kille.«

»Han tysken? Den där läkaren du tycker så illa om? Det kan du inte mena!«

»Käften! Han är inte läkare ... han är en äcklig ... *wannabe.*«

»Så äcklig att man får lust att ligga med honom?« Sedan höjer Mattias ena ögonbrynet. »Har du glömt att det var jag som ville träffa dig? Det är jag som är upprörd över en sak. Men i sammanhanget är det inte viktigt alls. Inte i jämförelse med ditt sexliv ...«

»Jag vill bli nunna. Aldrig behöva tänka på sånt igen.«

»*Tanken* går inte att kväva. Det är naivt att tro att den som inte har sex aldrig tänker på det. Det är precis tvärtom, det är då det riktigt ansätter en.«

Han ser ut att fundera över sina egna ord, innan han byter ämne: »Har du hört vad USA har gjort? Den rätta anledningen till att man inte skickar kärnavfall rätt ut i rymden har kommit ut nu. Det handlar alltså inte om att få upp skiten på ett säkert sätt. Och det är inte en etisk fråga.«

Anna tittar på honom. »Vad handlar det om då?«

»De är hotade. USA har kontakt med liv på andra håll i rymden. Det är så uppenbart att det är pinsamt. Vi styr inte våra egna liv längre ...«

Anna blir inte längre arg när hon förstår att han driver med henne. Hon bara avbryter:

»Franz använde mig för att hämnas på Mirja. För att hon gjort slut. Hon förlåter mig aldrig. Jag har ingen bästa kompis längre.«

»När världen går under spelar det inte så stor roll ...«

»Allvarligt. Jag kan förlora henne nu.«

»Pratar du verkligen om Mirja? Som du skiter blankt i sen du träffade mig?«

»Du är vidrig.«

»Gör som alla andra, blunda för verkligheten så slipper du bry dig. Det är ju inte direkt att ljuga om man bara håller tyst.«

Anna vet inte hur hon ska ta orden.

»Men det där är oviktigt«, fortsätter Mattias. »För det har hänt en grej. Det var jag som bad dig komma in till stan, remember?«

Anna varken svarar eller blinkar. Hon tänker inte säga något förrän han tar till orda igen. Det dröjer, för först ska Mattias vika en servett som han plockar upp från däck.

»När Lennart kom så svamlade han om ett bibelcitat pappa skulle ha skrivit. Och då bestämde jag mig för att jag ville se pappas avskedsbrev. Det han lämnade på köksbordet.«

»Men Erika läste ju upp det för dig i vintras. På telefon. Han skrev att han skulle ta livet av sig.«

»Jag behövde se det med egna ögon. Jag har funderat på det Lennart sa, och jag tyckte inte att det lät så rakt på sak längre. Så jag bad henne posta det.«

Mattias lyfter ned den tunna jackan han lagt över relingen.

»Det kom igår, när du var i stan och hade kul med medicinalskrået. Läs.«

Pappret Mattias räcker henne är inte som de Anna sett sin pappas dikter på de senaste månaderna. Det här är utrivet från ett spiralblock och linjerat i tunna, blå streck.

Jag vill inte berätta vad som hänt Charlie. Det ger oss inte
pojken tillbaka. Det ger endast smärta och jag orkar inte.
Härifrån finns ingen väg att gå.
En jägare skjuter sig och jag älskar dig Lisbeth.

Anna håller pappret länge innan hon säger något. Och när hon gör det ser hon inte på Mattias.

»Jag önskar att du aldrig hade visat mig det här. Det kan faktiskt betyda att han var skyldig. Att det kanske var en olycka, men att det var han som tog ihjäl Charlie ... Det var min mardröm under tonåren.«

Anna minns Petters förflugna ord om hennes pappas eventuella skuld. Ord som måste kommit från Mattias.

»Jag gick också vilse i de funderingarna när jag var yngre. Men jag tror det är tvärtom. Jag tror att pappa precis har fått veta vad som egentligen hänt när han skriver det här.«

Anna känner sig matt. »Varför ringde han inte polisen i så fall?«

»Ser du att en bit av pappret är avrivet nedtill? Det kanske var på den biten pappa anklagade Lennart för att vara ansvarig.«

»Varför skulle pappa välja att skjuta sig själv om han fått veta vad som hänt?«

»Tänk om han inte gjorde det, då?«

Anna lägger ned lappen. Hon försöker blinka bort trötthet.

»Varför ville du träffas här och prata? Varför väntade du inte bara tills ikväll?«

»Jag visste väl inte hur många nätter du tänkte tillbringa med tysken. Men Anna, självklart därför att jag vill åka norrut så fort som möjligt. Och jag ska övertala dig att följa med.«

»Du har ju ett jobb.«

»Jag säger upp mig.«

»Varför skulle vi åka norrut igen? Jag vill inte.«

Mattias tar en klunk och funderar.

»Du får träffa Jonas igen.«

Anna lyckas få upp smilbanden. »Jonas har tjejer så det räcker. Enligt hans far och mor.«

»Ah. Det var alltså därför du tröstade dig igår.« Sedan fortsätter han: »Jag bara skämtar. Du borde aldrig ha sagt något till mig. Jag är en retsticka av rang.«

Så lutar han sig fram över bordet och pekar. »Läs det där igen. Titta på stilen. På den meningen.«

Anna tittar på pappret.

En jägare skjuter sig och jag älskar dig Lisbeth.

»Vad menar du? Den lutar lite mer. Han var stressad.«

»Farsan skrev inte den meningen.«

Det tar någon sekund innan hon greppar vad Mattias säger.

»Men ... han var väl på väg att gå ... och stod upp när han skrev det sista. Vad fan är du ute efter?«

»Jag kanske aldrig kan bevisa det, men pappa skrev inte den meningen. Det har någon annan gjort.«

Anna ser honom sitta där, fortfarande med jackan i ena handen. Han är en enveten jäkel i all sin skyddslöshet. Annas huvud står helt stilla. Hon har nästan inte kunnat sova alls under natten.

»Vem skrev den då?« frågar hon dumt.

»Den som såg brevet först var Bo-Anders. Han ringde efter mamma. Och sedan polisen ... Det kom dit en präst också, tror jag. Men när polisen och prästen kom stod den meningen redan på pappret.«

»Så om inte pappa skrev dit den, så var det Bo-Anders. Är det så du tänker?« Anna orkar inte med Mattias vilda teorier just nu. »Det kan ju ha varit mamma också«, säger hon trött.

»Följer du med tillbaka till Ringarkläppen igen?«

De sitter tysta. Länge.

Anna ser Bo-Anders framför sig. En rödbrusig karl som serverar kokkaffe och slår ifrån sig all skuld. Som tilltalar henne bara när han är tvungen. Som är inbilsk och snarstucken och som far ovarligt fram med sanningen.

Som kanske rentav ljugit om det som hände.

Mattias lutar sig fram igen. »Om det inte blir något med Jonas kan du alltid köra en repris med doktorn sedan.«

»Jag följer med. Om du lägger av med det där, följer jag med. Jag har väl inget val.«

»Du har inget vettigare för dig, menar du?« Mattias ser lättad ut. »Då måste vi fixa bil. Du får gå och hyra en.«

»För att du inte har något körkort.« Det är ingen fråga, men Anna ser att gissningen är rätt. »Och jag tänker vara lite mer vuxen än du är. Jag följer med bara om du jobbar klart med graffitin.«

»Det är ju tre veckor till. Ska vi vänta så länge?«

»Till hösten har Charlie varit försvunnen i sjutton år.«

Mattias stänger munnen. Öppnar den igen efter någon halvminut.

»Det enda som är bra med ditt förslag är att jag får ihop lite pengar till en hyrbil.«

»Kan vi inte ta Petters?«

»Knappast. De åker nästa vecka. Hans fru gillar att glida runt i den gamla skönheten på semestern.«

»Men de har två bilar …«

»Livet är inte rättvist.«

Det får Anna att resa sig upp och gå av båten. Ta en kort, spänd promenad längs kajen med mobilen mot örat. När hon kommer tillbaka har hon gått via baren och har två nya öl i händerna.

»Vi kan hämta bilen när vi vill. Ditt vita raggaråk. Och jag ska köra!«

Mattias ansikte får Anna att börja skratta. Där fick han så han teg. Och distansen till Petter är skön. Han är bara en figur i periferin numera. Inte någon hon haft att göra med. Absolut inte någon hon har hemligheter med.

»Vad är det för hållhake du har på honom?« funderar Mattias, men får bara ett malligt leende till svar. När det plingar till i mobilen Anna lagt ifrån sig på bordet struntar hon i den också. Hon blickar förnöjt ut över vattnet och låtsas inte se att Mattias plockar upp den.

Högt läser han:

Du är värdelös som kompis bara så du vet det

Hon måste kasta sig fram och slita mobilen ur hans hand. Det kan ju vara ett av hans morbida skämt.

Sedan sitter hon bara där och stirrar.

Franz ville verkligen se till att det blev ordentligt slut. Mellan Mirja och Anna.

Mirja har en gång sagt att Anna är en sådan som bränner relationer. Anna har tänkt att hon aldrig haft några.

Höga kusten

Han finner att tanken tar honom åter till skogarna nästan varje möjlig stund. I tre veckor nu har han frågat sig om sanningen skulle kommit fram om han bara hade tagit beslutet att åka tillbaka och gå i sina egna fotspår. På samma sätt som han en gång försökte förstå Charlie, och hittade hans bössa på passet. Pappas bössa. Kanske kunde han kommit ihåg mer av vad som hände den dagen Charlie försvann om han inte hade väntat så här länge.

Att han aldrig tidigare varit i ett skick som gjort det möjligt att återvända gör att han inte behöver förebrå sig. Men det har aldrig hindrat tanken.

Så icke heller nu.

Anna sitter bredvid honom med pappas avskedsord framför sig. Tallarnas skuggor faller snett över vägbanan i den sena eftermiddagen, och tanken drar iväg. Mattias rattar norrut längs småvägar och funderar över sig själv. Blir sjutton år igen och vandrar bland skuggorna mellan träden, på väg till sitt tillhåll vid fäbodarna ... Bär han något över axeln? Är han kanske på väg till Charlies pass, för att lämna ryggsäcken brodern gick ifrån?

Så talar Anna och tar honom tillbaka till bilen igen:

»Pappa verkar ha vetat vad som hände Charlie när han skrev det här. Men kan han verkligen ha vetat?«

Mattias är så djupt inne i sin vandring genom skogen att det är med fördröjning det går in, det hon säger. Han måste skärpa sig för att släppa känslan av att återskapa det som hände den dagen.

»Kan pappa verkligen ha vetat vad som hände?« upprepar Anna.

Om igen känner Mattias hur tiden slukas. All tid som förflutit sedan deras far höll i pennan och skrev. Mattias ser pappa när han nedtecknar orden på pappret som Anna håller i handen. Nej, han ser honom inte. Han *är* Henrik när han skriver att han inte vill berätta. När han skriver att Charlie är förlorad och han inte kan se någon framtid.

Pappas mest pressade stund. Han har fått veta vad som hänt Charlie. Han vet inte var Mattias är, men han förstår nog att Lisbeth har kokat ihop något. Det gör saken värre, för det betyder att han förlorat den kvinna han älskar. Och blivit förlorad för henne. De har övergivit varann.

Och i pappas stund, där och då, sitter han med en vetskap som knäcker honom. Vad är det han fått veta? Något som inte går att ta sig ur. »*Det ger oss inte pojken tillbaka.*«

När Anna säger att han kör för fort lättar Mattias på foten. Andas djupt och funderar högt: »Pappa var i kris. Det är det enda man kan säga säkert. Och det går inte att förutsäga hur en människa i kris kommer att reagera. Tro mig.«

När de stannat vid en sjö i närheten och köpt munkar i en liten servicebutik, går Mattias iväg en bit för att kasta macka. Stenarna studsar en, två, tre, fyra, fem gånger innan han tappar räkningen. Varje gång. Annas fråga från den dagen de satt vid Slussen och hon läste lappen första gången spökar i hans huvud. *Varför sköt sig pappa om han fått veta vad som hänt?*

Mattias har aldrig haft svårt att förstå det förut. När mörkret kommer är livet så litet. Men nu öppnar sig dimensionerna. Om pappa trodde att Lennart var skyldig till Charlies försvinnande, så kanske han kände sig ansvarig för att ha dragit in Lennart i jaktlaget?

När han kommer tillbaka till Anna sitter hon på marken, lutad mot en tall. Det finns inga munkar kvar när han böjer sig ner och vittjar papperspåsen.

Lite längre bort har en sliten pickup stannat vid vägrenen. Två tjocka män i brynjor kliver ur på varsin sida.

Mattias sätter sig på huk och lägger rösten någon oktav lägre:

»*Ska pissa.*«

Männen möts framför motorhuven.

»*Nä*«, härmar Anna på ännu bredare norrländska. »*Ska kolla motorn. Han koka'.*«

»*Jamen, vi pissa på'n.*«

Men ingen av dem orkar skratta, och de har drygt tjugo mil kvar till Nordingrå.

Hjärtat av Höga kusten har Nordingrå kallats. Denna vidunderligt sköna jordbruksbygd nedan berg, ovan havsytans linje. Trolska sänkor och mjuka dalgångar. Strandmark täckt med vass eller bergiga knallar mellan tall och vatten. Nötkreatur som betar i sluttningar ned mot bräckt vatten. Hästar, överallt. Mattias kan inte minnas att det fanns så många hästar förr. Det var tio poäng för en häst, kossor bara en. Numera borde mjölkkor ge tjugo poäng.

Men Anna vill inte. Och när han tänker efter är det inte en lek han minns att hon fick lära sig. Det var han och Charlie som satt och tävlade om vem som kunde samla flest poäng på sin sida av vägen.

Det är augusti och fullt dagsljus när de framemot tio på kvällen kör förbi det moderna tunnbrödsbageriet och svänger in på den lilla vägen, tvärs över åkern, som ska leda till Olivias stuga.

I ett av fönstren lyser en fotogenlampa, som en ledstjärna. När de parkerar ser Mattias att det är en elektrisk lampa i gammal förklädnad. Han slår av motorn men det blir inte tyst. Ett pustande stänk från maskinerna i bageriet stör kvällen. En signal om en bygd med hopp.

Nyckeln ligger på den smala kanten ovanför fönsterljuset, som hon lovat. Mattias tänker att Olivia lika gärna kunnat lämna stugan olåst, det är det första ställe någon skulle leta på. När hans farfar var liten, har han hört berättas, fanns det ingen på landet som låste en dörr utan att hänga nyckeln på en spik bredvid. Att vrida om låset var bara ett budskap om att ingen var hemma.

Det finns tre sängar och två extramadrasser i de två minimala rummen. Det är allt stugan är till för, sovplatser. Olivia har berättat att den brukar hyras ut per natt, eller som mest veckovis. Ett ställe för turister att tillfälligt slå läger på i vacker bygd. Då kan man stå ut med utedass. Hon har hyrt den hela sommaren för en spottstyver.

Frampå morgonkvisten ligger Mattias och Anna fortfarande och säger saker till varann då och då. Långa tystnader som skulle kunna betyda sömn bryts av strödda kommentarer om myggen de fick med sig in, lukten av nyslaget genom det nätförsedda fönstret och ljuset som redan kommit tillbaka och inte går att stänga ute.

De hör inte Olivia när hon trampar sin cykel uppför vägen över åkern. Nattskiftet på bageriet har precis slutat.

När de vaknar är hon inte där. Mattias och Anna går ut och det faller sig naturligt att de tar sig ned till vattnet längs stigen. Folket i gården har antingen inte vaknat eller också redan åkt.

Olivia ligger på mage på bryggan, naken på en handduk. Hon är blöt.

»Jag kunde inte sova längre«, säger hon utan att vända upp ansiktet. »Jag är alltför exalterad av era planer. Vart ska ni idag?«

»Vi ska installera oss och köpa mat. Duscha. Slappa.«

»Finns ingen dusch. Ni får bada härnere. Och jag gillar att ni ska ta det lugnt. Jag försöker få själsfrid. Spännande händelser får ni bara komma med i små doser.«

Olivia sätter sig upp och drar med sig handduken som förkläde. »Visst har jag det härligt här?«

Mattias ser ned på sina nakna fötter, ovana vid annat än strumpunderlag. Det känns redan som en sticka i ena stortån. Sommarens första, när sommaren nästan är över. Barn börjar höstterminen i dagarna och skörden är inkapslad i vita bondeägg av plast på åkrarna. Om ett par veckor är septemberjakten igång. Älgjakten.

Men nu står Mattias med fötterna på en brygga och lyssnar på mås och vind, med lukten av dy och halvrutten vass i näsan, och det är först nu sommaren börjar.

Han lyfter blicken. Mittemot, på andra sidan viken, ligger ett falurött hus med fönsterkupor och vita knutar. Det vilar på en åker-lapp under ett skrovligt berg. Två barn springer ned mot ett båthus i vasslinjen. Småpojkar i tioårsåldern. En vuxen kommer efter, med ett mindre barn vid handen.

Det kunde ha varit han och Charlie som jagade varann en gång, på väg ned till bäcken med metspön i nävarna. Pappa och lillasyster Anna i makligt följe.

Sommaren är här, och det var mycket länge sedan sist.

Och snart är den slut.

Den klarast lysande stjärnan

»Ska vi åka på auktion, då?«

Ingen svarar.

»Vi måste hitta på något«, fortsätter Olivia. »Det behöver inte vara en intelligent aktivitet, bara det är något annat än att bada och sola.«

När de var mindre var det Olivia som kunde ligga och pressa hur länge som helst. Nu rör Anna inte en fena på filten. Stress kan rinna ut genom porerna och avdunsta, även när vinden fått ett kyligt stråk och solen är på väg mot sydligare breddgrader.

Hon vänder sig på mage. Flyttar armen när den nuddar Olivias ben. De har helt tagit över bryggan med nakensolandet. Familjen i gården vågar inte komma ner, och ingen säger något. Två gånger när regnet hållit i sig har de satt sig i bilen och kört upp till Ringarkläppen. Däremellan har rörelserna varit långsamma och orden få. Endast Mattias har haft behov av att tala om det förgångna. Då ligger han på rygg och pratar rätt upp i himlen. När Mattias minns, är han tillsammans med pappa och ska sätta ut saltsten åt älgen, eller på jakt efter en bäver med Charlie.

Mathållningen är rudimentär även med Annas mått mätt. De har bidat sin tid i ett par veckor. Vad annars kan det kallas? Semester är ett ord Anna aldrig förstått.

Bo-Anders var inte hemma, någon av gångerna.

Till Annas förtret var ingen hemma i hennes hus heller.

Olivia sätter sig upp. »Om vi käkar nu kan vi åka nånstans sen.«

Hon tjatar. Hon är nyfiken. Anna har låtit henne följa med till Ringarkläppen, som en snäll storasyster. Men varken hon eller

Mattias orkar kliva upp nu. Tystnad är ett svar Olivia fått många gånger de här dagarna.

»Hur är det att sitta på dårhus, egentligen?«

Där fick de. Båda två. Mattias studsar upp och går fram till kanten av bryggan. Det är för att han inte kan hålla sig på ett ställe tillräckligt länge som han aldrig strippar mer än till kalsingarna. Olivia har varit kvick att förse honom med ursäkter.

Så kommer orden. Forsande som ur den där uppdämda bäcken när han och Charlie äntligen fått död på bävern och sprängt bygget i luften. »Vet du, ibland blir jag så jävla rädd att det var jag som tog ihjäl Charlie. Att jag höll i bössan.«

Anna lyfter huvudet från filten.

Mattias har blicken vänd mot skogen på andra sidan viken. »Jag kan nästan se det framför mig … men det är som ett töcken och jag får inte ihop det.«

Det där säger han för att skrämma Olivia. När Anna frågat om psykvistelsen har han pratat om att inte få ta egna beslut. Att inte behöva. Hur normalt det känts till slut. Nästan tryggt.

»Det enda jag hört om psyket förut«, säger Olivia, »är det mamma berättat om Övik. Hon praktiserade där en gång.«

»Jag hörde också de historierna när jag var liten«, mumlar Mattias.

»Det som är skrämmande är att människor kan bli tokiga. På riktigt. Och att en del av dem inte får hjälp, utan går lösa. Mitt ibland oss.«

»Jag önskar att pappa och mamma hade sökt hjälp istället för att göra det de gjorde.«

Anna är tyst. Mattias erfarenheter har då inte gjort att hon skulle söka sig till psykvården om hon mådde dåligt *på riktigt*. Att föräldrarna skulle mått dåligt *på riktigt* har hon aldrig ens tänkt. I hennes värld valde de bort livet och valde bort henne. Hon har inbillat sig att hon kommit över det.

Men hon vet i så fall inte varför hon bidar sin tid. Och varför hon i natt mötte en av dem i drömmen.

»Det kanske finns en psykopat någonstans. Som tog ihjäl Charlie.« Det är Mattias som håller på med en ny utvikning.

»Är det därför du vill träffa alla ni kände?« Olivia drar på sig en t-shirt.

»Det tjänar nog inget till«, säger Mattias. »Den enda som berättat något frivilligt är Lennarts sambo. Ritva. När de hälsade på i våras. Minns du, Anna? Hon som såg så ung ut.«

»Ung? Kring femtio.«

»Det är väl ungt. Och hon är lika svarthårig som mamma var i trettioårsåldern.«

»Hör du, Olivia? Mattias tror tydligen att hon är naturligt svarthårig. Men den tanten har en son som är vitblond.«

»Som Anna är tänd på«, fyller Mattias i.

Hon ser rörelsen. Olivia vänder huvudet för att få veta vad det här handlar om. Det har varit så ända sedan tidiga tonåren. Anna skyndar sig:

»Jonas är i alla fall samma generation som jag. Men Mattias är förförd av en morsa med läderjacka och tio akrylnaglar. Och ser inte två centimeter råttfärgad utväxt.«

Inför sin lillasyster är Anna till slut alltid naken. Men ett tag till tänker hon behålla det sista lagret kläder. Därför säger hon: »Vi åker väl en sväng till Ringarkläppen, då.«

Fördelen om Olivia följer med är att de kan svänga förbi macken. Hon är den enda som tjänar pengar.

De håller på att låsa ytterdörren till det lilla torpet när en bil kör upp bredvid deras vita Buick. Olivia springer fram.

»Kommer du redan? Du sa ju lördag!«

Det är Erika. Hon kliver ur den nya bilen och möter Olivia med ett leende. Anna står kvar på farstutrappan och känner lugnet komma.

I natt drömde hon om sin mamma.

Oro. Så stark att hon hade ont i magen. Men i drömmen var det viktigare att hitta mamma, vem hon än var, än att bry sig om krampen i magen.

Sömnens landskap är bländande. Allt är vitt, ljuset smärta. Anna måste se in i det brännande vita. Hon drömmer att en ljusgestalt rör sig i skenet. Hon famlar.

Så stryker någon henne över huvudet och armen. Anna vänder sig om och ser en kvinna rakt i ögonen. Det är första gången hon drömmer om mamma Lisbeth.

Hon ser ut som på ett av fotografierna Anna har. Mamma försöker le, men tårarna rinner på henne när hon berättar för Anna att hon har en sjukdom i bröstet och är döende. De sätter sig ned och Anna håller om sin mamma. Håller hennes huvud emot sig och pratar med henne. »*Du är den klarast lysande stjärnan, mamma. På den enda natthimmel jag känner.*« Hon upprepar orden flera gånger medan hennes mamma dör i hennes armar. Allt blir ljusare än vitt.

Hon vaknade ihopdragen som ett nystan, med smärtan kvar i magen. När hon vred huvudet rann vätska ned över ansiktet. En pöl av tårar som samlats i ögonhålan. Känslan av katastrof var så påtaglig att hon väckte Mattias. Han bad henne gå ned till vattnet och doppa sig, sedan stängde han ögonen igen.

Känslan av att någon närstående ska dö. En förlust hon inte kan hejda. Det har alltid varit så. En gång var hon för liten, den här gången var det försent. Anna satt med mobilen nere vid vattnet och förvånades över vetskapen att Erika var den enda som skulle förstå. Men hon kunde inte gärna ringa hem klockan tre på natten.

Istället gick hon tillbaka till huset och la sig och knäppte händerna. Och till en Gud hon inte vet om hon tror på bad hon att Erika skulle komma.

Den klarast lysande stjärnan. Anna vet inte var orden kom ifrån. Men nu är hennes mamma här.

Medan de kör över åkern och bort från havsviken lutar sig Anna framåt så att hon kan se den smala gestalten i sidospegeln. Mitt på gräsplätten framför den lilla stugan. Hela vägen nedför backen står hon kvar. Det är Olivia som tjurar. Sedan kör de förbi samhället och in i skogen och Anna glömmer bort hur domedagsaktigt det sett ut. Som om de aldrig skulle ses igen.

»Olivia kommer att vara sur i flera dagar om Bo-Anders är hemma den här gången. Fast det var hon själv som valde att stanna och underhålla mamma.«

Så smärtar det till i magen igen, och Anna ber att de ska köra förbi apoteket i Ullånger. Det måste vara mensen som är på gång. Det känns som länge sedan hon blev påmind om den verkligheten. Nästan som att vara på semester från det också.

Hon försöker räkna efter, men får inte ihop det. Hon hade mens i midsomras, men hon måste haft det en gång till, annars har kroppen hoppat över en gång. Det har aldrig hänt förut.

Som tanken kommer, svär hon för sig själv.

Man blir yrkesskadad av sina föräldrars jobb, det har hon alltid tyckt. Anna får en absurd tanke om att vara gravid bara för att hennes mamma ägnar dagarna åt att skriva ut p-piller och sätta in spiraler. Men hon har inte legat med någon på över ett halvår. Förutom den gången med Franz. I bakhuvudet hör hon Erikas uppmaning att aldrig lita på avbrutet samlag och att alltid använda kondom för smittoriskens skull. Visserligen inga råd Anna någonsin ville visa att hon ens hörde, men visst vet hon att möjligheten finns.

Helvete vad Franz har konsekvenser för hennes välmående! Som om det inte räcker ändå. Hon kan inte längre ha det sex hon vill, inte ens fantisera om det, för Franz verkar ha botat henne för evig tid. Varje gång hon börjar fundera på starka män och vad de kan tänkas göra med henne, känner hon sig skärskådad. Naken. Franz har sett långt in i henne, och all upphetsning avdunstar. Kvar blir ett huvud och en kropp som inte hänger ihop längre. Hon kanske aldrig kommer att få känna sig verklig igen. Sjunka in i sig själv.

Anna hajar till när hon på en av glasdörrarna i apoteksentrén ser en affisch med en höggravid nunna. Var det inte nunna hon sa till Mattias att hon ville bli? Franz har gjort henne till nunna. Sedan inser hon att det är en bild av en muslimsk kvinna i helsvart.

Mattias kör fort. De kan vägen nu. De har redan åkt den ett par gånger i full sommar och nyhetsvärdet är borta. Ingen av dem kommenterar gården med fyra timrade friggebodar på tomten, de sexton bilvraken i olika stadier av slakt på ett annat ställe, upplaget av skrot på ett tredje eller brädgården på ett fjärde. Mattias skämtar inte när de ser någon som vädrar alla möbler (som antagligen ställts ut inför en dödsboauktion), eller när folk gått man ur huse för att göra upp om gammalt groll (vilket i själva verket är folksamlingen på en annan auktion), och Anna pekar inte mot vartenda oljefat, förfallet hus, raserad veranda eller upplag av gamla traktordäck hon ser.

Mattias bekymrar sig inte längre över hur hästar istället för kor tagit över landskapet och betar i hage efter hage. Anna skrattar inte och kallar folk rallare, svartjobbare, bidragstagare, original. De vänder inte huvudet mot någon enda företeelse.

De vill bara att han ska vara hemma så de får det överstökat.

»Varför måste vi träffa Bo-Anders igen?«

Mattias svarar inte förrän han kört flera kilometer till och de passerar ett hygge som någon gång under de senaste åren klätt av sluttningen. Som låter honom fokusera blicken på exponerade klippblock och småbäckar.

»Det är den där jaktdagen. Det pappa skrev och det Lennart berättade är … ekon av något som hände den dagen. Det de tror hände. Eller det de vill att vi ska tro. Men det är den där jaktdagen som är nyckeln till allt. Charlie gick till skogs, och sedan hände något. Och grejen är den att …«

Anna ser på honom. Den smalnande blicken. Bettet som sluts.

»Vadå?«

»Ibland är jag på väg att komma på det … som om jag egentligen vet vad som hände, men det är lögn att få fram det … jag kan inte förklara.«

De kör i tystnad genom den sista sträckan skog innan Ringarkläppen kommer i sikte.

»Ska du ställa Bo-Anders mot väggen om pappas avskedsbrev?«

frågar Anna när Mattias ökar farten ännu mer för att ta den sista, sega backen. »Har du en strategi för vad du ska säga?«

Mattias har så hög fart när de kommer till vändplatsen vid postlådorna att han får stå på bromsen innan han kan ta svängen och parkera.

Allt går på lösa boliner. Det är svar nog.

»Jaså. Ni är tillbaka.«

Bo-Anders kommer från logen. Mattias och Anna stannar upp framför glasverandans öppna dörr. Därinnanför surrar spyflugor i rutorna. Bo-Anders kliver före dem in i farstun och köket. Anna dröjer kvar. Allt ser så annorlunda ut på sommaren. Ljuset är ett annat, hela verandan har fått liv. Trasmattan ligger lös och solkig på linoleumgolvet. Det låter i plankorna därunder.

Genom fönstren är allt det gröna strimmigt. När Anna flyttar huvudet en aning i sidled upptäcker hon något hon inte tänkte på i vintras. Det sitter gamla, handgjorda glasrutor i fönstren. Världen utanför ser ut att sakta rinna nedåt. Hon minns att hon tyckte det var fult när hon var liten. Defekt. Nu ser det fantastiskt ut.

Hon snurrar ett halvt varv. Ett panorama av rörelse. Utom på ett ställe, bredvid ytterdörren. Där har man satt in maskintillverkat glas istället. Livlöst, dött.

När hon kommer in i köket står Bo-Anders med näven på kaffe-pannan och väntar. Han är skitig och ser trött ut. Mattias har inte satt sig, utan står bredvid soffan och ser ut genom fönstret bort mot den andra gården. Den som var deras hem.

»Såg du Charlie den där morgonen? Härifrån?«

»Jag står väl inte bakom gardinerna och glor.«

Nej, du har ju inte gardiner. Anna sätter sig utan att vara ombedd.

»Jag tänkte att han kanske stack till Docksta ändå. Att han gick längs vägen.« Mattias nickar nedåt vägen till.

»Knappast.«

»Det andra jag kan tänka mig är att han blev vådaskjuten i skogen. Att någon såg fel när han kom vandrande och brände av ett skott.«

»Men ingen av oss var väl blind. Charlie gick ju omkring som ett stoppljus.« Bo-Anders verkar tänka efter. »Och ingen var väl i skogen när han stack. Han försvann ju innan vi hade samlats på morgonen.«

Bo-Anders måttar upp kaffe och lägger på pannan. Avslutar tankegången: »Och det hördes inga skott förrän Lennart fick korn på sin älg.«

»När farsan kom och pratade, vad sa han?«

»Den dan han tog ihjäl sig?« Bo-Anders lyfter kaffepannan tillbaka på plattan och väntar återigen med handen på handtaget. »Jag minns inte. Han pratade om plantsättarna. De hade gömt plant borta på hygget och fått betalt för ingenting. Det var det han ville prata om. Men han gick igen.«

»Och han kom tillbaka igen.«

»Han gjorde ju det.«

»Vad sa han andra gången han kom?«

Först när han dragit kaffepannan av plattan igen, verkar Bo-Anders fundera över frågan.

»Jag minns inte. Du frågade i vintras också. Jag satt där.« Han stöter i luften med pekfingret mot soffan.

»Bad han att få låna geväret?«

»Du frågade om det i vintras också. Det är en helvetes massa år sen. Läs förhörsprotokollet hos polisen. Jag kommer inte ihåg.«

»Blev du förhörd?«

Bo-Anders kommer av sig med kopparna. Rörelserna blir långsammare, men han ställer fram två stycken.

»Ja, vad kallas det då? De kom och ställde frågor och skrev. Och jag sa som det var. Ska du ha fram den exakta sanningen är det nog det du ska läsa. Du ska inte ha, va?«

Anna ruskar på huvudet. Så han minns det i alla fall. Men han erbjuder inget annat istället. Och tar inte fram något skorpfat.

»Berättade du om lappen på köksbordet hemma hos oss?«

Anna ser på Mattias. Han är tuff som ger sig in i det här.

»Den låg där när polisen kom. Det behövde inte berättas nåt om den.«

»Jag menar det du skrev.«

Anna sitter blickstilla och ser Bo-Anders arm i ögonvrån. Han är på väg att sätta sig på hennes sida av bordet, men kommer av sig. Armen svänger lite fram och tillbaka. Den är brunbränd.

»Det står stilla i huvet nu.«

»När vi var här sist pratade du om att pappa ville låna bössan. Sen gick han, och det small ute på glasverandan. Var du där när skottet gick av?«

»Nej, för helvete, jag satt ju härinne.«

»Och när du kom dit ut, så var han redan död?«

Bo-Anders hänger över bordet. Petar upp skafferidörren med fingret och lutar sig ännu längre fram innan han får tag i något. När han dunsar ned i stolen har han ett kexpaket i handen. Med tumnageln mot plasten trycker han upp några stycken. Biter av dem på mitten. Efter en kaffeslurk försvinner också resten in.

»Han dog direkt.« Han pratar i mungipan, och så fort han tuggat ur trycker han till med tummen på paketet igen.

»Varför berättar du inte vad som hände istället?«

Anna ser handen som håller kexpaketet. Den darrar lite grann, vilande med handloven mot bordsskivan. Hon sneglar på Mattias. Han fortsätter, som om han aldrig sagt det sista:

»Det var ganska många kvällar vi satt och spelade kort med Kajsa och Charlie på den tiden. Eller hur?«

Bo-Anders rycker till. Anna ser det tydligt.

»Jovars.«

»Kajsa, förresten. Har du nån kontakt med henne?«

»Nä. Ingenting.«

»Du vet inte var vi kan få tag i henne? Jag hittar inte nåt telefonnummer. Är hon gift?«

Bo-Anders frustar till. »Knappast. Hon är flata.«

Anna förstår direkt var den nästan omärkbara darrningen kommit ifrån. Det är Mattias som suttit och skakat med benet under bordet. Nu blev det stilla.

»Så du vet var hon är?«

»Hon bor utanför Kramfors nånstans. Med en dotter. Och en massa hästar.«

Flata eller *dotter* eller *hästar.* Något är fullständigt uppåt väggarna i Kajsas liv, att döma av Bo-Anders sätt att uttala orden.

»Minns du att vi spelade Chicago rätt mycket? Försten till femti, köpstopp på fyrtitre?«

Bo-Anders flinar till, men det försvinner lika fort.

»Vet du«, fortsätter Mattias. »Jag kan be nån analysera handstilen på lappen pappa lämnade. Och från vinden på uthuset kan jag gräva fram nåt från den tiden. Det var alltid du som skulle skriva protokoll.«

»Vad i helvete menar du!«

»Allt är kvar. Moster Erika packade undan precis allt.«

»Jag menar vad i helvete anklagar du mig för!«

»Den sista meningen på pappret. Det var du som skrev dit den. Vem skulle det annars ha varit?«

»Du menar det där om 'den som ger han tar'? Att det var jag som skrev det?«

Mattias blinkar till, men finner sig direkt.

»Du skrev *'En jägare skjuter sig och jag älskar dig Lisbeth'*. Ska vi ta det hos polisen, eller tänker du berätta varför du skrev dit en sån sak?«

Bo-Anders börjar gräva i jeansfickan. Får fram en astmapump och drar i sig ett par puffar. Håller andan.

I många sekunder. När han pustar ut blir hela kroppshyddan mindre.

»Vad får dig att tro att jag skulle hitta på en sån grej att skriva? Vad är logiken i det?«

»Det får polisen avgöra.«

»Du menar … att jag skulle ha skrivit det för att tala om att det inte var jag som sköt Henrik?«

»Ungefär. Var det så?«

Bo-Anders kopp står halv och orörd sedan länge. Och längre blir det.

Tills han ser Mattias rätt i ögonen.

»Ja. Jag skrev dit det. För det var så din farsa sa innan han tog ihjäl sig. Han sa här inne i köket att en jägare behöver gevär. Sen gick han. Och jag gick efter. Och det var ute på glasverandan jag hörde det andra. Han sa det flera gånger. Innan han snodde runt bössan och sparkade av sig träskon. Att han … älskade Lisbeth. Flera gånger.«

»Och varför höll du inne med det?«

Bo-Anders flackar inte längre med blicken. Den går rakt genom Mattias och tillbaka i tiden. Tillbaka till en gång när andra ord sagts i köket, andra ljud hörts på glasverandan.

»Kanske för att jag borde ha fattat vad han höll på med när jag kom dit ut. Kanske för att jag inte hann koppla. Kanske för att jag var rädd efteråt.« Han blinkar några gånger. Kniper ihop ögonen och fokuserar på Mattias ansikte när han spärrar upp dem igen. »Det var det jävligaste jag varit med om. Men jag ville i alla fall tala om vad Henrik sa. Hans sista ord.«

Det blir tyst kring bordet. Bo-Anders känner sig manad till en fortsättning: »Alla har ju sina sätt. Det där var mitt.«

Mattias avbryter med snäv röst. »Jag tror dig. Det är självklart att jag tror dig.«

»Varför är det självklart?« Anna är tvungen att fråga.

»Det är ingen som kan hitta på en sån sak. Pappa sa så om mamma. Garanterat. Och vi ska gå nu.«

Anna är alltför uppskakad för att komma ihåg att se efter om Jonas är hemma.

Hon sätter sig i bilen och Mattias sitter också bakom ratten innan Jonas hinner dyka upp vid knuten. Mattias sticker tändningsnyckeln i låset och vevar ned rutan.

»Ska ni inte in?«

Anna ser in i hans navel. Han har jeans och bar överkropp. Han är lite fetare än hon minns, och när han lutar sig ner för att prata veckar sig den bruna huden i flera lager. Från linningen och nästan ända upp till bröstvårtan löper ett rivmärke i bruten linje. Bara halva ansiktet syns när han lutar sig fram. Som den målning av Dardel som Mirja har i billig reproduktion på väggen: ett öga, halv näsa, halva läppar. Men tittar man igen så finns hela ansiktet där, med den andra halvan flytande som en dröm. Jonas ansikte är lika oåtkomligt. Han ser annorlunda ut mot i våras. Anna försöker passa in honom i en vision hon haft sedan sist, men det går inte. Istället gör sig hennes mage påmind.

»Vi tänkte åka till farsgubben din.«

Medan Mattias pratar kliver Anna ur bilen med apotekspåsen i handen.

»Jag lånar toaletten, bara.« När hon ser på Jonas rätt framifrån går det upp för henne. Det är luggen. *Den blonda luggen som hänger ned i hennes ansikte, stripig av svett, och hans kropp som täcker hela hennes.* Men han har snaggat sig kort, luggen är borta och visionen far all världens väg.

Vid brunnen ser hon tillbaka mot bilen och Jonas. Han har rätat upp ryggen och kliar sig i nacken och tittar på henne. Anna har hoppats på att få träffa Jonas igen. Nu står hon här i sensommarsol och fryser. Det sista hon vill göra inför en kille är att slå ned blicken, men hon är fortfarande skakis av sin pappas sista ord och blicken åker obönhörligt i backen. Hon vänder hastigt runt knuten.

Inne i hallen lyssnar hon några sekunder medan hon ser sig om efter något man kan låsa upp en toalettdörr med. Hon drar ut en låda i hallmöbeln. Hundkoppel av läder och en hylsnyckel av något slag. Nästa låda är full med spikpaket och skitiga arbetshandskar. I den nedersta finns verktyg. Anna rotar lite och hittar en skruvmejsel som hon tar med sig upp till övervåningen. Hon är däruppe i fem minuter, kanske lite mer.

När hon kommer tillbaka ut är Jonas borta. Anna sätter sig i bilen och stoppar undan apotekspåsen i handskfacket.

»Vad ska vi prata med Lennart om?«

»Vi får se.«

Halvvägs till Docksta funderar Anna högt:

»Kan inte Charlie bara ha stuckit till Umeå, precis som du? Eller någon annanstans. Han kanske flyttade utomlands?«

»Anna ... Jag vet att Charlie är död.«

Mattias biter samman läpparna så stråna på överläppen pekar ut.

»Hur vet du det?«

»Jag har insett att jag vet det. Charlie är död. Jag vet inte hur jag kan veta det, men jag känner mig så jävla säker. Och det hände den där dagen. Samma dag han försvann.«

»Du har aldrig sagt så förut.«

»Jag säger det nu.«

Annas mage drar ihop sig igen.

Kapen är igång. Han matar in stocken och klingan skriker sig gång på gång igenom den färska kärnan tills bara en armlängd återstår. Också den hamnar i högen på marken. När Lennart vänder sig om för att lyfta nästa stock, ser han att han fått besök. En vit amerikanare står på gårdsplanen. Ingen bakom ratten. Han vänder sig sakta ett halvt varv, och då ser han två ungdomar vid den gamla traktorn. En tjej med läderväska på axeln, och en aningen kutryggig kille som satt upp foten mot fälgen. De måste ha gått förbi alldeles bakom ryggen på honom.

Han trycker på en grön, gummerad knapp och sliter av sig hörselskydden innan motorn ens hunnit tystna. De och handskarna lägger han ifrån sig på vedklyven intill. Det är lika bra att köra igång den härnäst, det är ändå dags att se till att få allt travat så det inte blir liggande.

Lennart känner igen ungdomarna när han kommer närmare. Han nickar till hälsning och stryker med armen över ansiktet och ser sig om, som om han funderar över hur stället ser ut i deras ögon.

Anna följer hans blick runt.

De går in. Anna får syn på en utsträckt svart hund på taket till en hundkoja. Den är inrymd i en stor hundgård som är ihopbyggd med husgaveln. Hon visslar lågt, men det enda som syns är en liten ryckning i ena örat. Hunden verkar inte bry sig om vare sig främlingar eller sågmaskiner.

»Ska inte såna där skälla?« undrar hon, men ingen lyssnar.

Rätt länge sitter de och tuggar i sig bröd och sköljer ned med lättöl. Anna brer messmör på tunnbrödet och skivar på tomat. Hon stoppar i sig saker hon aldrig skulle köpa i vanliga fall. Det är gott.

Mattias tar bara smör på. Det är riktigt smör, som Lennart förvarar i en kylväska i farstun så det ska vara bredbart, förklarar han. Själv lägger han kalla, halva köttbullar mellan två bitar tunnbröd.

»Har ni varit uppe på gården?« Han slickar sig om tummen var och varannan tugga.

»Bara som hastigast.«

Anna sitter och pillrar på den virkade duken. Den har en dassig vit nyans. Hon har fått för sig att Lennart tittar på henne, men hon förstår inte varför, så det är säkert inbillning. Hon skulle själv vilja syna honom ingående och leta efter likheter med den bror hon bara har fläckvisa minnesbilder av.

Medan hon håller sig utanför samtalet och driver iväg i tankarna, går blicken runt i köket. Stor kopparkåpa över vedspisen och husgeråd som hänger i en stång därunder. Någon har tittat i inredningstidningar och fått för sig saker. Skåpluckorna är mörka, säkert ek. Fint värre på breddgrader där eken inte växer. Annas blick stannar ovanför skänken i hörnet, där en affisch från gamla tiders byskolor hänger. Stenåldern och hur man levde då. Tre män håller på att hänga upp ett stort byte över öppen eld. En kvinna sitter på huk i förgrunden med endast en kort läderklänning på kroppen. Hon bearbetar något i en stor mortel. Två små barn springer nakna intill. Längre bort syns en annan kvinna och hennes barn. Kärnfamiljen i stenålderstappning. Männen i gemensamt arbete och kvinnorna vid varsin härd, var och en med sina barn.

När Anna känner efter är hon illamående. Det är i det här köket Jonas suttit varenda morgon sedan han var tio. Ätit middag varje dag. Med idealfamiljen på väggen, rakt framför ögonen.

»Du sa att mamma anklagade dig för att ha … för att vara ansvarig för att Charlie försvann.«

Anna andas djupare och försöker lyssna på Mattias röst. Han vill ännu en gång gå igenom det som hände när deras mamma kom körande till den här gården och Lennart stod ute och pratade med henne. Innan hon körde rätt ut i havet.

»Hm.« Lennarts tillknäppthet beror på den fulla munnen.

»Hon sa att pappa hade skrivit nånting …«

Lennart sköljer ned med öl. Kväver en rapning. »*Fadern ger och fadern tar.*'«

»Ordagrant? Det kom du inte ihåg i våras, när ni var på besök i Uppsala.«

»Det var blankt just då. Jag blev ställd. Men det var så hon sa.«

Mattias funderar vidare.

»Bo-Anders såg också de orden. Han berättade det idag. Att det stått nåt sånt längst ned på lappen. Så mamma måste ha rivit av den biten.«

»Men varför trodde mamma att det betydde att du …?« Anna hör sin egen röst och avbryter sig. Plötsligt förstår hon koden. Det mamma läste in i pappas ord. Deras hemlighet, och symboliken i ordet »Fader«.

Lennart ser henne rätt i synen.

»Jag vet inte varför hon trodde det.«

Det är klart han inte förstår. Och samtidigt som Anna tänker att han är uppriktigt oskyldig, ser hon det igen. Hur Lennart skärskådar henne sekunden innan hon möter hans blick. Han undrar vem hon är. Det är ömsesidigt.

»Det enda jag har kommit fram till«, säger han till slut, »är att hon hade stirrat sig blind på nåt. Och hon fick det till att det skulle vara jag. Det är ledsamt, är det.«

I den stunden hör de en bil utanför och strax därpå skjuter Jonas upp dörren och stegar in med två plastkassar. Han ställer dem på diskbänken och slår sig ned bredvid sin styvfar. Nickar åt Anna och Mattias. I den ordningen.

»Jaha.« Lennart sneglar på kassarna. »När plockade du lingon?«

»Igår. Jag gick på sörsidan när jag kom från stan.«

»Jakten börjar på lördag. Och du har inte fixat passet ännu. Du kommer att slå ihjäl dig om du tror att det där schabraket ska hålla ett år till.«

»Jag var tvungen att ha foder.«

Jonas plockar köttbullar med fingrarna och stoppar direkt i munnen. »Priserna har gått upp igen.«

»Det var ju det jag sa. Du skulle köpt på dig i förra månaden. Man ska aldrig vänta till sista dan.«

»Man ska väl inte det.«

»Du har bara tjejer i huvet. Det är därför du inte kan planera.«

»Jag har planerat för bären. Mamma får göra sylt. Jag har slut på fjolårets.«

Mattias knä kommer farande under bordet och skänklar till Anna. Som om han anar det, ser Jonas rätt över bordet på Anna.

»Det är festival i Övik i helgen. Börjar imorgon kväll nere vid hamnen.«

På väg därifrån passar Anna på att se sig omkring ordentligt. Längst bort nära infarten står en tradare i lätt uppförslut. Intill den finns en stor dieseltank, och då ramlar minnet på plats. Hon har varit här med pappa. Han fyllde bränsle. Och betalade från sin stora plånbok. Det känns som en pusselbit mindre varje gång hon kan bekräfta att hon har egna minnen från sin korta barndom.

När hon får syn på Mattias bredvid sig, kommer hon ihåg att han också kämpar för att greppa saker som hände. Han biter på tumnageln, nästan oroligt.

»Kom du på något nytt när vi pratade med Lennart?«

»Jag tror inte det.«

»Vad är det, då?«

»Ingenting. Det är det som är problemet. Så gott som allt är inringat från den dagen. Det finns inget nytt. Lennart skadsköt en älgko direkt på morgonen. Bo-Anders fällde den med två skott ganska snart efteråt. Inga andra skott hördes. Alla i jaktlaget var upptagna med älgen resten av dagen. Vi var alla där. Jag också. Det var bara Charlie som fattades.«

Han låter som om han kommit till vägs ände. Anna borde känna lättnad, men det gör hon inte.

Hon säger det uppenbara. »Det finns en till som inte var där. Kajsa.«

Mattias kommenterar inte det förrän han svänger in framför stugan en dryg halvtimme senare och de får en skymt av Erikas ansikte när hon petar gardinen åt sidan. Då vänder han sig mot Anna och avslutar samtalet:

»Vi tar Kajsa imorgon.«

De sitter nere vid bryggan på kvällen. Erika och Olivia väntade med pastasallad och en flaska vin när de kom tillbaka. Mattias sammanfattade besöken de varit på med ett utdraget »äähhh«, sedan ställde inte Erika fler frågor. Anna förvånades en aning, sedan började hon njuta av utrymmet det skapade. Och nu gör vinet och den sköna kvällen att dagens samtal känns bortkopplade. Dagens försök till samtal. Med människor som endast motsträvigt velat försätta sig sjutton år tillbaka i tiden. Hon tänker på hur det ska bli att träffa Kajsa, om de ens kommer att hitta henne. Sedan sköljer hon bort tankarna på morgondagen. På resten av livet.

Flera gånger under kvällen lyssnar Anna till Erikas skratt. Det nästan kluckar när det sätter igång, ända nerifrån magen, och har en överton hon inte tänkt på tidigare. Eller också har hon aldrig brytt sig. Hon vill fråga om Per-Arne och om de fortfarande tänker bryta upp eller försöker lappa ihop, men hon låter bli.

När Mattias och Olivia bär upp disken kommer Erika och sätter sig bredvid. De dinglar benen över bryggkanten och anar varann i tysthet tills Erika harklar sig:

»Jag vill berätta en sak. Det betyder säkert ingenting, men ... du och Mattias kan ju tycka annorlunda ...«

Anna säger ingenting.

»När du kom med Lisbeth den där dagen ... när hon lämnade dig till oss. Då berättade du vad Henrik hade sagt till er när ni åkte. Han hade sagt att han inte skulle svära sig fri ... jag vet inte vad han menade och det kanske inte ...«

»Det där tror jag inte på.« Anna vill inte rucka på balansen men hon måste få säga det uppenbara. »Jag kan väl inte ha redogjort för en sån grej när jag var sju.«

»Du redogjorde inte. Du frågade vad det betydde att svära sig fri. Och jag ... frågade väl vem som hade sagt det. Jag ville väl veta i vilket sammanhang ...«

»Du ville snoka, menar du.«

Redan när Erika reser sig ångrar Anna det sagda. Men hon öppnar inte munnen för att mildra orden.

När de ska sova får Anna anledning att reta upp sig igen. Erika insisterar på att sova på en madrass på golvet. Ingen ska behöva lämna sin säng för att hon kommer objuden. Anna hinner bli riktigt arg innan saken är färdigdiskuterad och Erika har vunnit.

Hon ligger och tittar på väggen och låter tankarna fara. Är Erika nöjd med henne? Det var länge sedan hon tänkte så. I många år har hon envist bara funderat över om hon själv är nöjd med den mamma hon fick. Den hon aldrig bad om. Men ingen får någonsin välja mamma, så det är inget konstigt med det. Det unika är att Erika och Per-Arne ville ha henne. För det är något hon alltid varit viss om. Erika har alltid älskat henne. Trots Annas tonårsbeteende och lögner, trots hennes tjurighet och ständiga, elaka kommentarer åren innan hon flyttade hemifrån. Det måste ha tärt på familj och äktenskap att hela tiden vara otillräcklig för den dotter som behövde så mycket. Som berövats så mycket.

Har Anna utnyttjat det? Varit ful och dragit fördel av att kunna slå ur underläge? Olivia tycker det.

Är det svårare att förstå ett barn man inte burit på själv? Hur kan man förresten stå ut med att något växer inom en? Att något kräver nyttjanderätt till ens kropp?

Anna vänder huvudet mot sängen mittemot och ser på Olivia. Varför är de så olika? Det slår henne att Olivia antagligen skulle behålla barnet om hon blev gravid, och att det är därför hon skiter i att skydda sig. I alla fall att Olivia *tror* att hon skulle behålla ett barn. För det är något Anna varit på det klara med ända sedan hon först hörde Erika förklara vad en abort var: *Man vet inte förrän man är där.*

Anna tänker att hon inte kan veta vad hon kommer att göra om hon blir med barn om tio år. Nu vet hon precis vad hon skulle göra. Hon varken vill eller kan. Hon vet bara inte vem hon skulle kunna ta stöd hos. Vem kan hon prata med när Mirja inte längre vill – *inte längre finns där* – och Olivia skulle bli avundsjuk?

När Anna vaknar i morgonljuset har hon varit långt bort i drömmarna igen. Mamma Lisbeth ville ta hennes hand, men var så ivrig att Anna fick springa efter utan att de fick fatt i varann. De sprang förbi potatislandet och ned mot bäcken bakom ladugården. Anna slår upp ögonen med bröstet fyllt av hopp. Hela livet finns framför både henne och mamma.

En liten stund ligger hon kvar på sidan och ser ut genom den oputsade rutan. Grenarna rör sig sakta i tystnaden och förstärker livshoppet som brukar tyna bort redan de första minuterna av vakenhet. Först inser hon inte heller hur absurd känslan av liv i själva verket är. Hon förvånas bara över att hon har varit hemma igen.

När hon vänder sig faller blicken på Erika. Hon ligger med öppen mun och ena handen ovanför huvudet, på kudden som hamnat utanför madrassen. Spetsen kring urringningen i hennes nattlinne rör sig lite med andhämtningen, upp och ned. Brunt, matt siden. Anna känner inte igen det. Men hon känner igen sin ställföreträdande mamma, som finns i vägen för händer som sträcker sig ut från gamla minnen. Hon som funnits där längre än de första årens mamma. Och självklarare.

Som Anna tänker det sista kommer en bild av ett rum och en

känsla för henne. Det enda minne hon har från tiden alldeles efter katastrofen. Anna hade inte gått i skola i Härnösand mer än några dagar, och klassen skulle ha roliga timmen. Några av pojkarna hade förberett en pjäs. Deras mammor var med i publiken och satt tillsammans med de övriga barnen på golvet framför bänkarna. Anna satt och sneglade på den närmaste av dem. Hon hade brunt hår i tunna testar ned till midjan. Hon var solbränd. Anna skärskådade hennes ansikte och undrade hur det var att ha henne som mamma. Som om mammor plötsligt blivit utbytbara. Hon satt och undrade om det där ansiktet alltid var nyfiket och ögonen jämt lyste.

Det gick en liten stund. Anna vet inte hur länge, men plötsligt vänder kvinnan på huvudet och ser ned på henne där hon sitter intill. Ser henne rakt i ögonen och Anna kommer på sig med att bara sitta och gapa. Hon har glömt bort var hon är någonstans och tankarna har vandrat till hennes egen mamma. Hennes riktiga mamma. Hur annorlunda hon sett ut den sista gången.

Den solbrända höjer ögonbrynen och Anna vet att hon måste sluta stirra. Men ögonen vill inte, de kan inte slita sig från tantens ansikte. Som om Anna håller på att reparera allt, men inte riktigt får ihop det, och nu vågar hon inte titta bort för då går det sönder.

Mamma Lisbeths ansikte hade inte varit hennes riktiga. Det hade sett konstigt och fult ut, och Anna hade tyckt synd om henne. Hur skulle pappa känna igen henne när hon inte såg ut som vanligt? Tänk om de inte hittade varann i himlen? Kanske han också såg annorlunda ut? Anna måste hjälpa dem, och hon fick inte för sitt liv ta blicken från den okända mamman, för då skulle hennes egen mammas ansikte för alltid vara borta.

Någon tog om hennes arm, och Anna lyckades tvinga blicken bakåt. Det var Erika som smugit fram mellan raderna av barn och föräldrar och strök fingrarna längs Annas arm och klämde sig ned bakom.

Anna andades ut. Hon kunde till och med blunda när hon lutade sig bakåt.

Nu stänger hon inte längre ögonen. Saker är som de är. Mamma Erikas sovande ansikte och bröstkorgen som lovar att hon andas är verklighet.

Någon gång under månaderna med Petter bändes Annas ögon öppna och har aldrig gått att sluta igen. Sanningen han sargade henne med för att hon bad om det. Verkligheten i brutala klipp hon aldrig skulle göra sig av med.

Glasverandan. När alla rutorna var levande.

Varför hon inte fått se i den andra kistan.

Insikt

Revan mellan mor och son. Mattias kan inte blunda längre. Han har hört om överbeskyddande mödrar som inte släpper taget. Hans egen försökte istället värja sig. Det är först nu Mattias låter bli att finna ursäkter åt henne. Först nu han börjar skaka av sig skuldbördan för den ständiga uppslutningen och lojaliteten som måste varit kväljande, som hon inte klarade att mota bort med vassare klövar och hårdare sparkar.

Klyftan mellan mor och dotter. Mattias blir långsamt varse hur djup den kan vara. Anna har klivit ur tonåren men inte landat som vuxen ännu. Det är med möda klyftan ska överbryggas. Schackrandet är en ojämn kamp. För Anna handlar det om rättfärdighet. I hennes ögon handlade Erika orätt när hon teg om sakernas tillstånd. För Erika var det en fråga om rättrådighet. Hon gömde sanningen och tog beslut som gick emot hennes systers sista önskan. För att skydda Anna betalade hon ett moraliskt pris.

Men Anna godtar bara rätten att få uthärda sanningen.

För den som inte längre har en mor att avvisa, men fortfarande kan bli bortstött, är sanningen aldrig uthärdlig.

Det bådar bråk.

Mattias trodde att det var annorlunda den här gången. Anna verkade lugnare och gladare med Erika än de andra gångerna han sett dem ihop. Men när han kommer från sitt morgondopp – det börjar bli kyligt i havet nu, nästan självplågeri att gå i, men snart är det dags att packa ihop och då lockar det där vattnet med krusningarna vid vassen intill bryggan – så förstår han att det drar ihop sig.

Olivia sitter på den låga farstubron. När Mattias kliver förbi lyfter hon inte blicken. Armbågarna på knäna och de knutna händerna hon lutar kinderna mot är övertydliga. De ber honom fråga varför.

Han går in.

Moster Erika står med ryggen till vid kylskåpet i hörnet. När Mattias hörs i dörren lutar hon sig än längre ned och kämpar för att få plats med frukostmaten i det lilla utrymmet. Hans huvud vrids mot det andra rummet. I skräddarställning på sängen vänder Anna sidor i en veckotidning.

Mellan de tre kvinnorna i stugan sjuder det. Saker har dryftats. Just nu ligger locket på. Som en osynlig betraktare när det sakta börjar koka upp igen, står Mattias alldeles stilla innanför tröskeln.

Han har varit med förut.

När Erika kommer med blicken i golvet och stannar i dörröppningen in till Anna, öppnar Mattias munnen av ren instinkt: »Så här kan vi inte ha det! Nu får vi hitta på nåt. Olivia! Du är också less på att bara vila, eller hur?«

Men orden faller döda mot golvet, utan eko.

»Vad tycker du att vi skulle ha gjort istället, då?« Moster Erika talar lågt.

»Ingenting. Det blir väl jättebra som ni har bestämt.« Blanka blad smäller när Anna vänder dem.

»Du tycker ju inte det. Hur skulle du ha velat haft det?«

»Rättvist, kanske.«

»Vi tänkte bara att den som bäst behöver en sak … Du har ju möjlighet att låna.«

»Mattias och jag hade behövt den bättre!«

Det knakar i gistna brädor när Olivia reser sig och likt en vessla far förbi in till köket. Anna tittar fortfarande inte upp från tidningen.

Inifrån köksvrån, med huvudet i kylskåpet, kommer Olivias beska grävande i gammalt. »De kanske äntligen har kommit till insikt om alla orättvisor när vi växte upp. Hur du fick allting men ändå aldrig var nöjd.«

»Käften, unge.« Annas röst, låg och automatisk.

Moster Erika står handfallen mellan de två rummen. Mellan två döttrar. Och Mattias har aldrig medlat mellan två kvinnor förr. Han hinner inte tänka färdigt.

»Jag fick ärva gammal skit av dig. Du gjorde av med pengar som om det fanns hur mycket som helst. *Olivia* fick inte samma månadspeng som Anna, men det var bara *Anna* som hördes jämt. Ditt gnäll.«

»Olivia.« Erikas stämband har återfått styrkan. »Anna hade avkastning från gården hon ärvt. Det hade varit orättvist om hon inte fått använda en del av det i tonåren …«

Olivia kommer ut från köket. Bakom henne är kylskåpet lämnat på vid gavel.

»Om det hade varit så ändå. Men ni krävde väl inte ut de pengar ni strödde över Anna? Eller bad ni någonsin om utbetalningar från den där förvaltaren av Annas gård? Jag vill minnas att det inte var så lätt att få ut något.«

»Det där har Per-Arne och jag diskuterat färdigt.«

»Det kanske är så att det blir rättvist nu för en gångs skull. Att jag får bilen för att den *ska* vara min.«

Anna har lyft huvudet.

»Om du tar bilen kommer jag inte hem och hälsar på igen. Jag sitter inte fyrtiofem mil på buss medan du kan köra bil.«

»Hota du, som du brukar. Och du får säkert igenom det. Innan dagen är slut kommer mamma att ha bestämt att du får bilen istället. Men jag struntar i det. Jag är bara glad att det blev en bil över. Att de har rett ut sina problem och ska fortsätta bo ihop. Jag vet att du skiter i det, så ta du bilen som plåster på såren för att du hade en så taskig uppväxt.«

Mattias stirrar. Inne på sängen verkar Anna ha hittat ett intressant reportage. Olivia kämpar för att få igen remmarna till sandalerna. I ansiktet är fräknarna redan blöta.

Är det så här diskussionen ska sluta? Är det så här den alltid har slutat?

Moster Erika drar ett djupt andetag alldeles intill Mattias.

»Per-Arne och jag har bestämt att Olivia ska få den gamla bilen, och det är ingenting ni flickor kan ändra på.«

»Så du vill att jag ska vara beroende av en präst för att kunna åka på semester?« Anna är uppe ur sängen och klämmer sig förbi i den lilla hallen. »Jag var liten, och i beroendeställning ... Ni valde att blunda ... Och du vill att jag ska tillbaka till det igen!«

Och så är hon borta.

Mattias står kvar och andas ut, som om han precis kommit undan med livhanken. Eller som om han just stått framför sin egen mamma igen, uppstigen ur graven.

Anna ligger på rygg med armarna över ansiktet när prasslandet hörs i gräset. Snabba steg nerifrån båtarna vid vassen. Brant uppförsbacke, som varje gång de träffas nuförtiden.

Olivia sätter sig bredvid. Hon säger det igen, att Anna kan ta bilen.

Anna tar bort armarna. »Jag vill inte ha en bil. Man behöver inte bil i Stockholm.«

»Fattar du inte att de bara vill att jag ska komma hem oftare? Så de kan hålla koll på mig.«

»Så fort jag träffar mamma blir det så här. Precis som när jag bodde hemma. Det verkar inte som om jag någonsin kommer ifrån det.«

»Men igår var det ju annorlunda. Du sken upp när hon kom. Mamma kunde inte prata om något annat när du och Mattias hade åkt: 'Anna verkar så harmonisk. Vad jag är glad att se det. Hon är så lycklig över Mattias.' Mamma fattade inte ens att det var på grund av henne du var glad.«

»Och det upplyste du henne inte om, förstås?«

»Nej, aldrig!« Olivia säger det utan att tveka. Sedan börjar hon skratta. »Jag är så vidrig att jag höll tyst om det. Så hon inte ska tro att hon betyder något.«

Anna skrattar också, men det är inget äkta skratt. »Jag borde låta bli att komma hem så ofta, jag gör henne bara ledsen.«

Olivia lutar sig tillbaka mot gräset. »Ja, håll dig undan.«

Efter någon minut fortsätter Olivia: »De ursäktar vad som helst från dig, men jag får inte ens skämta om att jag är med barn. Mamma tar illa upp och pappa tycker det är dålig smak.«

»Men det är ju dålig smak.«

»Du kan ha vilket kinky sex du vill, och det är ändå synd om dig. *Anna* gör aldrig några riktiga dumheter.«

»Vad har du sagt till dem egentligen?«

När Olivia inte genast svarar, sänker Anna rösten. »Olivia«, är det enda hon behöver säga.

»Jag har sagt vad jag tror! Att du sökte dig till Petter för att de svek dig när det gällde det som hänt din familj. Och att han utnyttjade situationen och låg med dig …«

På insidan av Annas mage börjar kylan rinna. Den hinner ända ner i underlivet.

»… och att det är deras fel att sadistiska encelliga missfoster får göra vad de vill med dig eftersom du inte fick något stöd hemifrån efter olyckan.«

Det tar ännu några sekunder innan Anna flyger på fötter.

»Jag ska döda dig!«

Olivia är snabbare, och Anna är säkert tio meter efter på stigen längs stranden.

Mattias sitter på dass och hör tjejerna. Han reser sig halvvägs för att se mer än himmel genom fönstret. Han ser kusinen som skrikande tar sin tillflykt ut på bryggan. Systern som springer nästan ända fram och hotar med nyporna. Mattias visste inte att vuxna tjejer slogs. Inte förrän Olivia ramlat baklänges i plurret och Anna hoppat efter, förstår han att de egentligen är vänner igen. Trots skriken.

Två unga, blöta kvinnor promenerar upp mot stugan. Den ena säger:

»Vi kan välja mellan mammas nya bil och min läckra amerikanare.«

»Den är inte din! Har du inte fattat att du inte har någon bil!«

»Skitunge. Vilken ska vi ta?«

»Om vi tar amerikanaren ställer jag upp som chaufför. Så kan du festa.«

»Jag kör. Och Mattias får stanna hemma med mamma. Jag tror inte han blir sur för det. Bara onödigt av mig att dra upp Petter förut. Jag vill inte att Mattias ska börja undra ... ibland tänker jag att det måste vara så uppenbart ...«

De går förbi utedasset. Ord slinker genom dörren.

»Bry dig inte. Mattias fattar ingenting.«

Det enda Mattias fattar just då, är att det inte kommer att bli tid över till att leta upp Kajsa idag.

Tjejerna kör genom Örnsköldsvik gång på gång. E4:an norrut genom stan, högersväng ner på en väg med gamla trävillor, ner till kajen och längs hamnen bort till rondellen vid hoppbacken och sedan tillbaka upp på E4:an. Säkert inte den rätta raggarsvängen, men det är roligt och det finns många att hojta åt. Olivia har rutan neddragen och armbågen utanför. När hon ser en parkeringsplats som precis blir ledig framför dem, skriker hon till. Den är tillräckligt lång för den stora bilen också.

Småbåtshamnen ligger ett stenkast bort. De går bland sommarbruna människor längs kajen. En del låtsas att det fortfarande är sommar. Utanför en irländsk pub är det mycket folk trots att det är tidigt på kvällen, så de betalar inträde och klämmer sig fram för att få öl. Olivia blinkar skadeglatt när hon skålar sin stora starka mot Annas vichyvatten.

Mot sin vilja blir Anna glad därinne bland skrålet och alla fulla och halvfulla norrlänningar. Hon tjuvlyssnar på samtal som skriks över musiknivån och känner sig både hemma och inte. På dansgolvet trängs folk och det är blandade stilar, men många fler kan faktiskt jämfört med i Stockholm. Anna är sällan road av att dansa, men börjar fundera på att spana in någon som verkar bra och bjuda upp honom. Dansa på riktigt. Men hon känner som vanligt inte för den sociala biten.

Olivia pladdrar på i hennes öra. Det låter redan som fyllesnack.

»Hela tonåren klagade hon på hur jobbiga vi var. Och när vi äntligen flyttat hemifrån båda två tror hon att hon inte längre är mamma och går ned sig totalt. Och upptäcker att hon är gift. Det har hon glömt i tjugo års tid. Man vet inte om man ska skratta eller gråta, hon är så patetisk ...«

Efter en stund är de så varma att de går ut till serveringen på kajen.

Ett par timmar senare har de fått bord, ätit och gått in igen. Anna vill ut och promenera längs hamnen, så långt ut mot havsbandet det går och tillbaka igen, men Olivia bryr sig inte om det utan beställer bara mer öl och pratar vidare. Det mesta som fyller Olivias tankar efter några glas har med Mattias att göra. Analyser av hans humor. Hur hans liv blivit. Att hon tror att han skulle vilja flytta norrut igen. Anna behöver mest bara nicka och hålla med.

När Anna får syn på honom förstår hon direkt att han redan har sett henne. De är fyra fem killar och ett par tjejer som sitter vid ett av borden längs väggen. Men Jonas är inte med i samtalet. Han flyttar blicken runt rummet hela tiden. När den glider förbi Anna och Olivia fastnar den till, men vandrar direkt vidare. När han ser att hon ser.

Jonas reser sig och Anna tror att han tänker komma och prata. Men han går till baren och köper en öl. Halsar lite direkt ur flaskan och står kvar ett slag innan han kommer åt deras håll.

»Hej.« Han håller buteljen med ena pekfingret krokat runt flaskhalsen. Hälsningen är riktad till båda tjejerna.

»Så det är såna här ställen du håller till på.« Anna vill inte presentera Olivia på en gång.

»Det finns inte mycket att välja på. Jag kan ju inte sitta hemma och vänta på att nån intressant tjej bara ska kliva in genom dörren ...«

I samma stund hänger sig någon på hans arm. Inte en av tjejerna från deras bord utan en mycket yngre. Blond och blåögd.

Om det inte varit för att han ställde sin öl vid Annas arm och höll kvar hennes blick så länge det gick medan tjejen drog honom mot

393

dansgolvet, så skulle Anna gått raka vägen ut nu. Istället berättar hon för Olivia vem han är, och så står de båda och tittar när han dansar. Jonas dansar bra.

»Gillar han stora bröst?« frågar Olivia.

»Jag tror han tänder på rumpor.« Anna vet inte varför hon säger så. Hon hatar den här sortens samtal.

»Det där är silikon. På tal om det, har du fått större bröst?«

Då är det inte inbillning. Anna har tyckt det själv. Och känt det. Brösten ömmar.

Lite senare är Jonas tillbaka vid sitt bord. Anna står med ryggen till, men Olivia refererar. Hon har alltid blivit provocerad av tjejers vampighet. Blondinen lyckas få igång henne ordentligt.

»Och nu försöker hon sätta sig i knät på en av killarna. Snacka om slampa …«

Anna vänder sig om till hälften. Och det räcker med ett halvt ögonkast för att inse att de skrattar åt henne. Hela bordet.

Jonas har berättat något om henne och nu sneglar de och garvar. När Anna börjar titta tillbaka viker de undan blickarna.

Det dröjer inte många sekunder förrän han står bredvid igen.

»Nu dansar vi, Anna.«

De säger inget. Jonas håller henne försiktigt. Han gungar lite till musiken innan han provar med att ta några steg. Anna väntar på dubbelstegen i en foxtrot, men han börjar aldrig. Jonas bara vankar runt till den lugna låten.

Efter ett tag släpper Anna honom. »Varför dansar du inte?«

Jonas ser uppriktigt förvånad ut. »Jag dansar väl.«

»Du går bara.«

»Jag trodde …« Jonas stirrar. Anna är säker på att han rodnar, innan han tar tag i henne igen. Och den här gången trycker han hårdare än nödvändigt.

Anna slappnar av och gör som Charlie lärde henne. Hon låter bli att tänka. Och det känns smidigare att följa Jonas än hon mindes var möjligt. I dansen är hon en annan Anna, alltid med en mjukare personlighet. Ett par minuters andrum.

De dansar två låtar. Ingen av dem släpper taget i tystnaden efteråt.

»Det gick ju bra.« Som om han är tvungen att säga något.

»Dina kompisar skrattade.«

Sekundkort tvekan. »Ja.«

»Varför då?«

Jonas gör en min som om han inte har en aning.

»Driver ni med mig för att jag äger en gård och inte vet hur man sköter den?«

»Nej.«

Anna tror honom. Jonas är lätt att avläsa.

»Vad skrattade ni åt, då?«

»Vi skrattade åt att du öppnade till toaletten uppe. Det har ingen gjort förut. Jag väntade mig inte det av dig.«

Anna ler åt sig själv. Den hade tagit upp hela duschutrymmet. Inte för att hon sett många, kanske ingen alls när hon tänker efter, men det var den största, jävla hembränningsapparat hon kunnat föreställa sig.

»Du väntade dig inte att jag kunde dansa heller.«

Medan Anna och Olivia är på höstfestival, sitter Mattias med en moster han inte känner och försöker konversera. Alens mjuka tafsande mot rutan känns jobbigt. Utan teve finns inget bra sätt att brygga över tystnader.

Han är glad att Anna inte ställde till mer bråk om bilen, men det är inget samtalsämne. Moster Erika har försökt släta över, och hennes ursäktande av Annas beteende är svårhanterligt. Ska han vara tacksam? Eller säga emot? Ett par gånger försöker han prata om sitt tecknande, men moster Erika förstår sig inte på det. Och själv verkar hon inte ha något annat än Anna att prata om. Så det vill sig inte riktigt.

Tills han nämner Petter. Då lossnar det lite.

»Tänk att ingen visste att ni kände varann när Petter jobbade häruppe! Anna hade ingen aning. Vilket märkligt sammanträffande.«

»Inte egentligen. Det var jag som tipsade honom om jobbet.«

»Anna pratade mycket med Petter. Om katastrofen i familjen. Hon hade så stort förtroende för honom …«

Hela tiden, i allt moster Erika säger, är Anna så påtaglig. Han kommer på sig med att studera sin mosters ansikte. Den spända käklinjen. Näsan och ögonbrynen som påminner så mycket om mamma. Men mamma skulle aldrig valt glasögon som döljer mer än framhäver. Som understryker moster Erikas osäkerhet inför hans blick.

»Sedan försökte jag få tag i honom när Anna hamnade på sjukhus. Men Petter slutade precis i den vevan. Det var omöjligt att få ett telefonnummer till honom ens, och jag visste ju inte då …«

»Var Anna på sjukhus?«

»Hon var med om en olycka. Det måste hon ha berättat. Först tänkte vi att det måste vara någon hon träffat i ungdomsgruppen, men …«

»Vadå för slags olycka?«

»… vi trodde visserligen att hon svärmade för Petter, men …« Det tar några sekunder innan moster Erika hejdar sig. Mattias riktigt ser hur hon trampar på bromsen. Sedan backar hon.

»Då ska jag inte prata om det … Anna måste få bestämma själv vad hon berättar.«

Äntligen ett konversationsämne. Och så tar det slut direkt. Mattias, som alltid kommit bra överens med medelålders kvinnor, sitter och önskar att Anna och Olivia kunde komma tillbaka och underlätta umgänget lite. Men Anna ska väl se om hon kan komma någonstans med Jonas först.

»Det är jättevanligt att tjejer blir förälskade i ungdomsledare«, försöker Mattias för att hålla samtalet igång. »Inom idrotten händer det hela tiden. Inom kyrkan också. Präster har alltid kvinnliga församlingsmedlemmar som vill se dem som något annat än människor med ett yrke. Det är tufft för dem ibland att inte utnyttja det.«

Moster Erika svarar inte.

»Jag är i alla fall glad att jag aldrig sett Petter göra det. Även om jag inte har mycket till övers för hans fru.« Mattias skrattar menande.

Moster Erika har inte samma slags humor. »Det gick rykten om Petter«, säger hon snävt, »men det var bara elakt prat. Rent skvaller. Bara så du vet det.«

Hennes uppsyn låter ana att också det här handlar om att skydda Anna.

Mattias har undrat över hennes beslutsamhet. Han ville inte träffa Anna efter katastrofen och moster Erika har genom alla år lyckats hålla truten om vad det blev av honom. Det är klart att hon haft sina skäl. Hon slapp hantera Annas påbrå – *att Anna hade en bror som åkte in och ut på sinnessjukhus* – och hon kunde hålla ihop sin familj utan att bli påmind om det mörka förflutna hos ett av barnen.

När han nu lär känna moster Erika igen, tänker Mattias att han säkert hade rätt i sina misstankar. Men han ser något annat också. Han ser en moster som skulle gå över lik för sin flicka.

Det är inte alla förunnat att ha en sådan mamma.

Nu sitter moster Erika och samlar sig för ett förtroende, det är tydligt på de där händerna.

»Det här om att vi inte brände det ena brevet …« Hon drar på orden. »… jag hoppas du förstår att ingen tog särskilt genomtänkta beslut just då. Både jag och Per-Arne var helt förlamade av det som hänt. Det har påverkat oss två ända sedan dess … Hela vårt äktenskap. Det är först nu vi börjat prata.«

Vill moster Erika att han ska fråga om skilsmässan som kom av sig? I några sekunder blir allt hängande i luften, sedan ger han sig bara rätt in i det. Och på något vis går timmarna.

Nästa dag är det mulet, och västerifrån drar än mörkare moln ihop sig. De kör rätt in i eländet.

Stället är lätt att hitta. Ute på gårdsplanen står en liten, vit japanare, precis som lovat. Hovslagaren som bodde i närheten av travbanan visste vad han pratade om. Riksvägen och banvallen löper längs med fastighetens bortre ände. Hela stället går att se från vägen.

Om de inte vetat, hade han kunnat gissa? Mattias vill tro att han skulle känna hennes närvaro i hela kroppen. Som när hon sov inne hos Charlie och han inte kunde hålla fantasin i styr. Ända tills de parkerar framför den stora gården söker Mattias något som skvallrar om vem som bor här, men fantasin vill ingenting idag.

»Där är hon ju! Där är Kajsa!« Anna pekar på en kvinna med uppsatt hår och glasögon som kommer från en av hagarna med en häst vid grimskaftet.

»Det kan väl inte vara hon.« Han har inbillat sig att han skulle känna igen henne på tusen meters håll.

»Ingen annan tar så långa steg. Och kolla axlarna.«

Mattias tittar på kvinnans ridbyxor, stickade tröja och grova kängor. Schablonbilden av nostalgisk klädreklam. Eller är det hennes sätt att röra överkroppen som får honom att tänka på en modevisning?

Den stora hästen vidgar näsborrarna och dansar några steg åt sidan när den får syn på besökarna.

»Såja. Lugn och fin. Inget att jaga upp sig för.«

Rösten fäller avgörandet för Mattias. Kajsa och hästen fortsätter förbi dem, mot stallarna, men hästen vinklar huvudet och håller nyfiket koll på Mattias och Anna, hela vägen bort. »Fjantpelle«, hörs Kajsa innan de två försvinner in.

Efter någon minut dyker Kajsa upp igen. De går henne till mötes och hennes kroppsspråk säger att hon inte känner igen dem. Att de är okänt folk för henne.

»Mattias. Och Anna.« Han håller fram den ena handen och pekar med den andra.

Hon hälsar och ser på dem båda. Utan att se.

»Skulle ni titta på fölet? Men det var inte du som ringde …«

Mattias ser på hennes ansikte. Han brukar tänka att vissa kvinnor blir vackrare efter trettio. Kajsas släta drag har blivit mer intressanta. Det runda är borta och massor av smårynkor kring ögon och läppar gör ansiktet levande. Hon kommer att vara ännu vackrare efter fyrtio. Så märker han att både Kajsa och Anna ser på honom. Väntar.

»Charlies lillebror.« Överläppen känns bedövad när han säger det.

»Men, Gud.«

Det är enda gången hon avslöjar sig – av-slöjar sig – på riktigt. Annars är hon lika tuff som då, hela besöket igenom. Tuffare. Hon börjar med att slänga ut ett antal skor från dörröppningen i hallen. Ut i farstun åker de, medan Kajsa svär.

»Har du barn?« frågar Mattias innan han lärt sig att vakta sina ord.

»Ja, inte helvete behöver jag tio par dojor själv.« Hon vänder sig mot honom och ler blixtsnabbt. »Jag har *ett* barn, men det räcker för att det ska bli så här. Och nu räcker det med artighetsfraser. Du är inte intresserad i alla fall.«

Ord och inga visor.

Det är tidig förmiddag när de sätter sig ned i Kajsas vardagsrum på anvisad plats. Fårskinnsfällar på golvet. Kajsa har ställt ett fat med vindruvor på stenplattan vid den öppna spisen och sedan satt sig på knä framför eldstaden.

»Det här huset är så jävla kallt … spelar ingen roll om det är vinter eller sommar.« Hon lägger in fyra vedträn, de två översta på tvären. Medan hon petar in några stickor därunder och tuttar på, tar Mattias tillfället i akt att studera henne. Kajsas hår är en bra bit kortare än då, och det är något damigt över henne som han inte kan sätta fingret på. Det enda han vet är att det inte har att göra med hennes sätt att tala.

Kajsa tar inte blicken från elden förrän den tagit sig. Hon berättar om sitt senaste nytillskott på avelsfronten. En hingst hon hämtade från Skåne tidigare på året och som ömsom charmar alla, ömsom skrämmer livet ur henne. Hon talar lågt och sansat, tills hon vänder sig direkt till Anna. Leendet slås på och av med blixtens hastighet.

»Du sitter fan i mig och blänger hela tiden. Lägg ner!«

Men Anna drar inte öronen åt sig.

»Du håller på att bli gammal. Jag såg det inte först, men nu när jag tittar närmare är det jättetydligt.«

Mattias häpnar i skräck.

Kajsa skrattar. *Förtjust*, är det närmaste han kan beskriva hennes reaktion.

»Jag minns att du sa vad du tänkte redan då. Har ingen lyckats lära dig folkvett än? Man öppnar inte käften och vräker ur sig allt man tänker. Min unge visste det när hon var fyra. Och det normala när man pratar med nån är att titta bort ibland, så den andra slipper känna sig så jävla utstirrad.«

Hon skakar på huvudet. »Men jag antar att inget är normalt för dig. Inte för mig heller … Man blir gammal av sånt som hände oss.«

Inget av syskonen hakar på ännu.

»Ibland försöker jag tänka att det måste ha varit mycket förfärligare för er. Ni var hans syskon. Han hade funnits där hela livet för er. Jag var tillsammans med honom i några månader. Ändå tycker jag att jag blev lika drabbad.«

Det verkar som om hon endast pratar till Anna. Och när Anna inte svarar fortsätter hon bara:

»Charlie var först för mig, och han var inte särskilt erfaren han heller. Vi upptäckte allt ihop. Provade allt. Det kan aldrig bli mer speciellt än så. Jag kommer aldrig att uppleva det med nån annan.«

Så lutar hon sig framåt en aning. »Jag ville kontakta dig. Du var så liten när han försvann och jag ville berätta om din bror, vem han var. Men jag är glad att jag aldrig gjorde det.«

I tystnaden som följer behövs det att någon säger »varför då«. Men Mattias känner sig inte tilltalad och Anna ger tydligen igen.

Det berör inte Kajsa. »För jag hade nog bara berättat hur det var att ligga med honom. Sånt som bara jag visste. Löjligt va, men det var så i den åldern. Senare ville jag berätta om annat. Han har betytt så mycket för mig. Han var den rakaste jag mött. Det kändes viktigt att du fick veta det. Men jag tog aldrig kontakt med dig.«

»Inte med mig heller«, säger Mattias.

»Dig vågade jag inte ha med att göra.«

Mattias känner hur det hettar till. Ansiktet och halsen och öronen. Kajsa viftar med handen. »Jag var rädd för att råka ut för samma sak igen. Falla som en kägla.«

Det lägger sig sakta, det röda. Mattias andas in djupt. Han måste säga något.

»Bo-Anders. Du gick och pratade med honom innan polisen kom. Vad sa han?«

Kajsa funderar länge. Gillar nog inte att bli avbruten i sina föredrag. Tänker kanske inte ens svara.

Men Mattias farhågor kommer på skam.

»Jag kan fortfarande gå i god för det. Att han var oskyldig, alltså. Han kunde inte ens ta ihjäl mygg. Bokstavligen.« Kajsa fnyser till. »Han blev fan upprörd när jag drämde till flugor med en tidning.«

Kajsa faller i tankar igen. Möter Mattias blick. »Han blev inte ens arg när han förstod att Charlie och jag var ihop. Han blev fruktansvärt besviken, jag såg det i hans ögon, men han sa aldrig nåt. Han bara gjorde fåniga saker, som att han inte ville ge tillbaka min ring. Men Charlie var också barnslig. Han ville att jag skulle säga till om ringen. Han tog det som ett hån att Bo-Anders gick omkring med min tumring på ringfingret. Jag brydde mig aldrig. Inte förrän Charlie försvunnit ...«

Hon reser sig abrupt. »Då bad jag att få tillbaka den.«

Hon försvinner in i ett annat rum. De skymtar henne vid en hylla där hon lyfter bort en radda pocketböcker och gräver fram något. Så är hon tillbaka igen.

»Jag var lika fånig, jag.« Hon håller fram handen mot Mattias. Silverringen har mörknat med åren. Bara dödskalleögonen blänker.

»Det var därför det såg ut som om ni tog varann i hand.«

Mattias lyfter handen, men Kajsa stänger till om ringen med jämntjocka fingrar. Mattias blick fastnar vid smutsen längs nagelbanden. »När han lämnade tillbaka ringen«, förtydligar han och känner hettan skjuta upp i ansiktet igen. »Det såg ut som om ni tog varann i hand.«

Kajsa ser inte ut att minnas. Hon håller fram ringen till Anna istället.

»Jag har sparat den åt dig. Ta den.«

Anna tvekar. Sedan tar hon emot Kajsas gamla ring. Och säger:

»Kan du inte berätta om Charlie för mig nu istället? Det du minns från den sista tiden.«

En grå, långhårig katt har smugit in. Kajsa sjunker ned på fårskinnet igen, med fötterna under sig. Hon petar katten i pälsen, stryker det mjuka håret mothårs. Det är den enda rörelsen i rummet, och man skulle kunna få för sig att det sprakar och knäpper om katten när man rör vid den.

*

Två dagar. När hon vaknade på morgonen och han hade varit borta i två dagar och ännu inte ringt, blev hon riktigt förbannad. Så barnsligt betedde man sig inte.

Kajsa sjukanmälde sig inte för hon var tvungen att ta kommunens bil. Hon slirade på kopplingen när hon hämtade ut den, och på väg hem till Charlie undrade hon om det var vettigt att köra i sitt upprörda tillstånd. Men när hon ringt Bo-Anders och bett om skjuts hade han bara sagt att hon skulle hålla sig borta. Inte bli indragen när hon ändå inte varit där.

Bo-Anders hade ingen koll. Hon var redan indragen så långt det gick.

Två dagar och två nätter och hon hade börjat undra hur långt Charlie tänkte gå. Han fick driva med henne och spela Casanova, det bekom henne inte. Att han betedde sig svartsjukt ibland hade hon också ryckt på axlarna åt. Hon tyckte inte att hon skulle behöva bevisa inför andra att hon älskade honom. Men han var helvetiskt barnslig på den punkten och nu började hon känna sig trängd. Hon tänkte inte gå med på att en kille abonnerade på henne som en jävla tidning.

De hade haft en urladdning per telefon natten innan han stack och Kajsa var inte dummare än att hon fattade. Det var Charlies mening att hon skulle oroa sig och dessutom bli tvungen att berätta för alla hur det låg till.

Nu satt hon i bilen och var på väg dit, men det var inte för Charlies skull. Hela familjen var orolig, det hade hon förstått på Mattias när han ringde. Kajsa behövde få förklara sig ansikte mot ansikte med Lisbeth.

Hon såg framför sig mor och son, och hur de brukade skratta in i varandras ansikten. Det var Charlies och Lisbeths speciella relation som gjort att Kajsa fått upp ögonen för honom. Och när hon väl lagt märke till det, hade allt Charlie gjort och sagt blivit sant och äkta. Kajsa ville ha mer. Till slut hade stunderna i hans närhet varit så intensiva att hon inte stått ut. Hon måste få komma närmare, hon måste få Charlie.

Hon var fortfarande hög på upplevelsen av närhet till en annan människa. Tankar på Charlie gjorde att hon tappade flera timmar ibland. Vid latrinerna på Veåsands havsbad kunde hon undra över morgontimmarna. Hade hon rensat ogräs utanför pensionärsbostäderna i Docksta, klippt häckar på skolgården, lagat staket? Hon måste ha gjort det, men hon hade inga minnen av arbetet.

Och när hon börjat sätta plant istället, då kunde hela dagen gå utan att hon var närvarande i skogen. Hon bar upp till hygget, hon gick med röret och försökte hitta den bästa platsen för varje stickling, hon till och med bråkade när de andra fuskade och satte tallen i botten på den uppvända tuvan, men hon var inte närvarande i sinnet.

Hon hade mått bra hemma hos Charlie och hans familj. Raka människor som brydde sig om varann. Det var burdusa tag mellan Charlie och Henrik rätt ofta, men inget Kajsa inte sett förut. Och inget som verkade ta särskilt hårt på Charlie. Det var snarare Mattias som for illa av bråken. Lilla Anna bara slog dövörat till när det bröt loss och Lisbeth hade fingertoppskänsla för navigerandet mellan mannen och sonen. Hon bara visade sig och sa en halv mening och så kuvade sig båda männen. Lisbeth hade verkligen koll på alla grabbarna och på lilljäntan med. Minst koll hade hon på sig själv. Det var enkelt att se när hon var nere.

Men nu. När Kajsa kom fram till Ringarkläppen och såg Charlies mor i ögonen fanns där rädsla. Och för första gången i sitt liv blev Kajsa medveten om avgrunden som finns inneboende i varje människa.

Kajsa gjorde vad hon kunde för att övertyga Lisbeth om att det inte fanns något att oroa sig för. »Det handlar om svartsjuka. Det är barnsligt, bara. Charlie vill ge igen för att jag vägrar kräva tillbaka min ring från Bo-Anders.«

Lisbeth lyssnade inte på det örat.

»Vi måste ta det här på allvar och ta reda på vad som hänt.«

»Men jag vet ju vad som har hänt! Charlie är sur på mig. Låt honom hållas bara, så dyker han upp. Vi bråkade. Han tycker att jag måste bestämma mig. Som om jag inte har gjort det …«

Stunder då hon varit ensam med Charlie flög förbi. På hans rum. Och i skogen. Och en gång i vattnet i Degersjön. »Som om jag inte har bestämt mig …« upprepade hon.

Då spände Lisbeth ögonen i Kajsa.

»Jag vill inte att du säger till nån att ni bråkade. Du ska vara tyst, bara.«

Det fick Kajsa att tiga. Ett tag i alla fall. Hon gick med svansen mellan benen upp till Bo-Anders, och där nämnde hon inte med ett ord något bråk. Inte till Mattias heller. Men för polisen berättade hon givetvis om de nattliga samtalen och hur det urartat på telefon.

Och när hon skulle åka hem stod Henrik ute på vägen.

»Vad tror du?« Han for med blicken över talltopparna och hustaken och ner i gruset.

»Jag har sagt till Lisbeth vad jag tror …« Kajsa såg förbi honom, förbi hans stora kropp som sjunkit ihop och tappat hållningen.

»Kan Charlie hålla sig undan för att straffa mig? För att vi käftade med varann på morgonen?«

Jaså. Henrik trodde samma sak. Han tog också på sig skulden.

»Jag bråkade med Charlie jag med«, erkände Kajsa.

»Ja. Det kan nog vara så. Han var ju i luven på alla. Även Bo-Anders rök han ihop med ibland.« Henrik sträckte upp sig och såg bort mot grannhuset. »Man blir ju nästan rädd att det ska ha hänt nåt dem emellan …«

»Bo-Anders gör inte en fluga förnär. Faktiskt. Det är lika osannolikt som att tro att det skulle vara Mattias.«

Mycket mer blev inte sagt. Kajsa satte sig i bilen och körde tillbaka till Kramfors och tänkte på hur snabbt folk börjar se spöken när de är lite omskakade.

*

»Vi var hos Bo-Anders igår. Har du träffat honom på senare tid?« Anna sitter och vrider och vänder på ringen. Som vore den en vänskapsgåva.

»Jag har faktiskt inte sett Bo-Anders sen den där gången. Bor han kvar?«

»Yes … Han sa att du har en dotter.« Anna får det nästan att låta naturligt. »Hur gammal är hon?«

Kajsa spänner ögonen i Anna.

»Hon föddes nio månader efter att Charlie försvann.«

Anna viker inte undan med blicken.

Då tröttnar Kajsa. »Hon kommer hem vilken sekund som helst. Så får du se själv att hon inte är Charlies, för hon är bara tio år. Men du är så nyfiken att jag snart kastar ut dig.«

Anna måste vara gjord av annat virke än Mattias, han inser det. Allt bara rinner av henne och hon fortsätter, som om inget hänt:

»Bo-Anders sa att du är flata.«

»Bo-Anders behöver en stor näve inkörd i käften.«

Utan att Mattias förstår hur eller varför, har de två kvinnorna hamnat i ställningskrig.

»Vad tror du hände Charlie?« får han ur sig. Han måste få veta mer innan de blir utslängda.

Kajsa behöver åtskilliga sekunder för att styra om fokus.

»Det tog säkert en vecka innan det gick upp för mig. Vad sjukt det var. En stor, stark kille som bara var borta en dag. Borta på riktigt.«

»Vad trodde du, då?«

»Att han skulle bli hittad av nån jägare eller bärplockare till slut. Jag tänkte att han måste ha drabbats av nåt. Även unga människor kan ju få en stroke, eller nåt åt hjärtat. Det händer. Och Charlie hade inte sovit så mycket. Vi hade suttit i telefon hela nätterna i säkert en vecka. När vi inte kunde träffas gjorde vi så. Han låg i sin säng och jag satt ute på balkongen, inlindad i en filt.«

Kajsa visar hukande, med armarna runt knäna. »Att prata om det är nästan lika intimt som att göra det. Men den sista natten bråkade vi som fan. Charlie var så förbannad över den där ringen. Det var därför jag gick och hämtade tillbaks den.«

»Trodde du inte att Charlie skulle komma tillbaka?«

Det är Anna som dristar sig till en halv insinuation. Kajsa ser bara uppgiven ut.

»Jag ville inte att han skulle få anledning att vara sur över ringen igen.«

»Snälla Kajsa«, försöker Mattias och hör hur löjlig han låter. Rädd. »Kan du inte berätta vad du minns om plantsättarna? Du jobbade med dem ett tag. Ni satte tall åt Bo-Anders familj.«

Hennes ansikte och händer när hon lägger sig ner på sidan och drar katten intill sig är lugna. Fingrarna i pälsen långsamma. Bestämda, men inte alls arga. Det här är den Kajsa han lärde känna som sjuttonåring. Mer vuxen och kanske mer självmedveten. Men samma Kajsa.

Det gör Mattias både lugnare och inte.

»Bo-Anders påstår att de gömde plant. Att pappa upptäckte det. Kände du till det?«

Men Kajsa har inte mycket att säga. Hon gick helst ensam på hygget och hon hade inte vetat om något fiffel med gömd plant. Hon räknar upp de ungdomar hon minns. Av de som jobbade på hygget känner hon till tre fyra stycken och vad de gör idag.

Hon hämtar ett papper och skriver ned namnen.

»Ni får säkert tag på nån av dem. Så kan ni gå vidare därifrån.«

Mattias försöker ta emot pappret men Kajsa håller kvar sin ände. »Det skulle vara kul att lära känna dig igen. Om Anna åker nu och letar upp plantsättarna så kan jag skjutsa dig till Nordingrå senare. Så hinner vi pratas vid lite … Eller om du vill stanna på käk och ta ett glas vin med mig, men då kör jag inte ikväll. Då får du sova över.«

Mattias hand dråsar ner i knät. Det enda han lyckas tänka är att Kajsa lärt sig gilla vin, att det tydligen inte längre är surt rävgift och enbart överklasshyckleri för att få i sig alkohol. Så måste han svälja, för Kajsas blick gör att hjärtslagen känns nästan ända upp i munnen. Han vänder sig till Anna för att få hjälp.

Hon sträcker sig fram och rycker pappret ur Kajsas hand.

»Det kan jag väl göra.«

När Anna kommit på fötter vinkar hon på Mattias. »Kom med mig ut bara, så jag får säga en sak.«

Det har börjat regna, men Anna vill inte prata i farstun. Mattias får följa med till bilen och sätta sig på passagerarsidan. Båda sitter och tittar rakt fram. Som på bio.

»Vad tycker du om Kajsa?« Annas ord smattrar i kapp med regnet på vindrutan.

»Om hon talar sanning, menar du? Om Bo-Anders?«

»Nej. Jag frågar vad du tycker om henne.«

»Hon är samma tjej som förut …«

»Hon ser trött ut. Gammal.«

Mattias säger inget.

»Hon stöter på dig. Gör hon inte det?«

Nu kan han inte dölja ett flin. »Kanske.«

»Hon är för tuff för dig.«

»Folk med för mycket åsikter ska man alltid ta med en nypa salt.«

Anna vänder sig mot sin bror. »Men gör det, då! Du sitter ju och skakar som ett asplöv så fort hon öppnar truten. Och du gör alltid som du är tillsagd, det är inget bra utgångsläge ... Tänk om hon bara är ute efter din kropp.«

Mattias skrattar till. »Det skulle vara första gången i så fall.«

»Vadå första gången?«

Mattias ser på henne helt hastigt. »Vad var det för olycka moster Erika pratade om? När du var tretton. När Petter bodde häruppe.«

Nu gör Anna det Kajsa anklagade henne för tidigare. Verkligen blänger.

»Vad har mamma sagt? Om mig och Petter?«

Mattias svarar inte. Han bara tänker.

»Olyckan hände precis innan jag gick ut sjuan. Hon fick tro att det var en mopedolycka. Jag visste inte att Per-Arne berättat sanningen för henne ... Men om hon sa att det var Petters fel, så ... var vi väl två om det i så fall.«

»Men vad har Petter med saken att göra?«

Anna kommer av sig, men bara för en sekund. »Gå in till Kajsa. Gå in och låt henne göra en man av dig.«

Tydligen ingenting.

Eller allt.

Han står kvar i regnet när Anna kör iväg för att fortsätta forska i det som hände deras bror. Men Mattias tänker inte på det. Eller på att han blir blöt. Han tänker på årtal. Åldrar. Anna var tretton år den våren hon var med om olyckan. Petter lämnade Härnösand samma vår. Hals över huvud, minns Mattias.

»*Vi trodde att hon svärmade för Petter ... det gick rykten om honom ...*«

»*Jag var liten, och i beroendeställning ... ni valde att blunda.*«

»*Onödigt att dra upp Petter ... måste vara så uppenbart.*«

»*Vad har mamma sagt om mig och Petter?*«

»*Mattias fattar ingenting.*«

Nej, Mattias fattar ingenting.

Ett långt tag, åtminstone tills Anna försvunnit utom synhåll, fattar han ingenting. Sedan tänker han på hur enkelt hon fick Petter att släppa till bilen.

Och förnekelsen. När regnet börjar hitta in under nackhåret och ned längs ryggen minns han förnekelsen.

»*Men erkänn då, att du har en ny tjej.*«

»*Varför tror du det?*«

»*Jag bara får för mig det. Jag tycker jag kan få veta.*«

»*Det tycker jag också. Men jag har ingen tjej.*«

Tills Mattias fått förnedra sig och konfrontera honom med kondomerna.

»*So what? De följde med från Uppsala. Jag är inte ihop med någon här.*«

»*Du ligger med någon! För helvete, Petter! Varför säger du inte som det är? Till* mig*!*«

»*Det är ingen som betyder något. Ingen du ska bry dig om.*«

Revan mellan mor och son. Snittet mellan bröder. Är Mattias ansvarig för sina handlingar om han sticker en kniv i det jävla, satans, helvetes aset? Är inte det en rättfärdig handling?

Den sista dagen

Anna ser något i sidospegeln. Blicken flyttas mellan vägbanan och sidorutan flera gånger. Efter ett tag går hennes blick igenom den våta spegeln och hon ser en vägren som spottas fram där bak, en böljande remsa av gula knoppar på långa stjälkar.

Renfana är en ganska ful blomma. Och den luktar när det regnar. Jäkla Mattias.

Allt är regnvått och i den tidiga eftermiddagen syns inte himlen längre. Vägen har svartnat och de vita strecken lyser blanka. De har ett ljud. Anna kör på ett smattrande tidtagarur.

Hon tänker ta Sandöbron tillbaka över Ångermanälven. Den är intressantare än den monumentala hängbro som byggts närmare älvens utlopp i havet. Nära brofästet i Lunde finns en staty som minner om svarta händelser i Sveriges arbetarhistoria. Fem människor miste livet när utkommenderad militär sköt på civila. Anna har sett bilder av det långa demonstrationståget i början av trettiotalet. Det här är historisk mark.

Hon har undrat över statyn. Varför militären till häst avbildats som en ansiktslös – ja, kroppslös – jätte som tornar ovanför arbetaren. Varför ställdes inte den enskilde människan till svars? Kan man eller kan man inte skylla på att man lydde order? Är man inte alltid ansvarig för sina handlingar?

Anna kör upp på Sandöbron. Som liten var det ett äventyr att åka över den höga bron med det bågformade spannet. Resor in till Kramfors med pappa och mamma.

Nu får det vara nog med det här. *Låt det gamla vara.*

I den långa uppförslöpan vid Gålån sträcker Anna på sig i sätet och får upp en sak ur jeansfickan. Vänsterhanden vevar ned rutan en bit. Med blicken ömsom på vägen, ömsom på rännilarna längs rutan, petar hon ut Kajsas ring utan att blinka. Hon kan höra Mattias kommentar, som om han satt bredvid henne:

»*Vad gjorde du så för?*«

Och sitt eget elaka svar:

»*Kajsa behövde bli av med den. Jag hjälpte henne bara.*«

Sedan börjar hon undra vart hon är på väg. Anna tänker inte leta efter några före detta plantsättare i trettiofemårsåldern, och hon vill inte åka tillbaka till Nordingrå. Mamma är hemma i Härnösand igen, hos Per-Arne, och Olivia jobbar sitt näst sista pass på bageriet. Snart ska hon tillbaka till Luleå för ännu en termin på högskolan.

Vart ska Anna ta vägen? Färden tar henne planlöst norrut, men sedan då? Senare i höst? Hon har kommit in på en utbildning i Stockholm, men hon har varken studiemedel eller lägenhet.

Vart ska Mattias ta vägen, efter att Kajsa knullat honom och kastat bort honom?

Ett flyktigt ögonblick funderar Anna över ansvar. Vad lägger hon på Kajsa egentligen? Vilket ansvar försökte hon själv ta när hon ville förbereda Mattias? Varna honom lite. Måste han inte själv ansvara för sina beslut och handlingar?

Plötsligt vet Anna vart hon vill åka. Upp till byn och hälsa på Jonas. Varför har hon inte erkänt det för sig själv tidigare?

Det är en underlig känsla hon har för Jonas. De kysstes på festivalen, och han höll hennes ansikte mellan händerna. Bara ett kort slag, och försiktigt, men ändå.

Den kyssen var inte försiktig.

Var det så mamma känt för pappa? Gav hon upp sina drömmar för att ibland få bli kysst så häftigt av någon som kan hålla så ömt? Som går ut i regnvåt mark för att döda stora, vackra djur? Jonas hade fått förklara jaktens lockelse på festivalen. Anna hade stått och sett på hans mun och tänkt på hur det skulle kännas att sitta på hans ansikte.

Hon sträcker sig för att trycka ned Kajsas förteckning över plantsättare i sin bruna läderväska, men den står inte på golvet på passagerarsidan. Hon kastar en blick mot baksätet, sedan kommer hon ihåg.

Väskan hänger på en stol i Lennarts kök. Hon har inte haft en tanke på den sedan deras besök där i förrgår.

Den gula skylten vid avfarten dyker upp för snabbt.

Anna står på bromsen, men när hon är mitt för sansar hon sig och låter bli att svänga i det dåliga väglaget. Bilen rullar vidare, men Anna har pulsen uppe i halsen. Hon inser att om någon legat tätt bakom hade det gått illa.

När hon vänt vid nästa avfartsväg och kört tillbaka och svängt in på den lilla vägen, kommer hon att tänka på det som hände hennes mamma. Lisbeth blev påkörd bakifrån på just den här vägsträckan. Historisk mark.

Lennarts gård ligger längst bort. Vägen är inte asfalterad den sista biten. Det blöta gruset stänker under karossen. Anna har inte ringt Lennart, utan använde den kvarglömda väskan som en anledning att få prata med Jonas. Jonas sa att han har ärenden till Docksta i eftermiddag, så om ingen är hemma hos föräldrarna kan hon vänta, så kommer han förbi och låser upp.

Anna hoppas att hon får sitta i bilen och vänta och tänka. Som alternativ hoppas hon bli inbjuden på kaffe, så Jonas hinner komma. Annars kanske hon verkligen gör det. Åker upp till Ringarkläppen efteråt och klampar in i köket hemma på gården. Jonas har en ful frisyr och han skiter fullständigt i det. Han skulle vara ärlig och säga rent ut vad han vill med henne.

Varför han kysste henne som hon aldrig blivit kysst, och sedan nobbade henne.

Anna har alltid haft en förmåga att resa sig igen. Skylla på andra. Förtränga sådant som gör ont. Hon lurade med Jonas till bilen och körde ut förbi Järved, mot havet, i akt och mening att förföra honom. Och sedan …

Hon behöver inte tänka på det nu heller, för i detsamma tar vägen slut. Hon är framme.

Lennarts bil står framför farstukvisten. Anna vågar inte parkera bredvid, för då måste hon upp på gräset. Onödigt att ge honom anledning att gorma. Längst bort vid vedtravarna ställer hon bilen, sedan småspringer hon för att komma undan hällregnet. Leran tjaskar upp från gruset.

Ytterdörren är olåst. Anna stannar upp strax innanför och hämtar andan medan de tyngsta regndropparna släpper från hårtestarna.

När hon knackar på är det mustyst inifrån. Hon gör ännu ett försök, sedan gläntar hon på köksdörren. Ingen syns till och inte ett ljud hörs förutom regnet därute. Hon tvekar. *Hur gör man nu?*

Till sist kliver Anna ur skorna och tassar in. Hon ska bara ha sin väska.

Men den hänger inte på stolen där hon satt för ett par dagar sedan. Hon drar ut ett par av stolarna, men den finns inte där.

»Lennart!« ropar hon samtidigt som hon vänder sig om.

Och där står han, alldeles nära henne, i dörröppningen in till kammaren. Han står bara rakt upp och ner och säger inget.

Och Anna blir rädd. Oförklarligt, löjligt rädd.

När hon sänker blicken ser hon att Lennart har hennes väska i handen. Han håller den så axelremmen hänger i en lång slinga ner mot golvet.

»Sätt dig ner«, stöter han ur sig.

Han är gråare. Ögonen blodsprängda. Han ser inte ens förvånad ut över att hon är här. »Jag sätter väl på kaffe, då.«

Anna sjunker ner på den närmsta stolen.

Annas hjärta slår ända uppe i halsen. Varför blir hon geléartad inför Lennart? Varför inbillar hon sig att han har en vild blick bara för att han inte säger något när hon kommer in? Har hon helt tappat de kulturella koderna, som Mattias vill påstå?

Hjärtat bankar säkert bara för att hon inte hörde honom innan hon vände sig om. Men hon kan inte låta bli att snegla mot dörren. Ifall hon skulle få för sig att springa härifrån.

Och där står det, lutat mot dörrposten. Ett jaktgevär med sikte, med den mörka träkolven mot golvet. Den är full av nitar, precis som Mattias berättat. Som en fet prickig korv.

Hon tänker att hon har sett för många amerikanska filmer.

»Jag såg det i synen på dig att du har andra frågor den här gången.«

Lennart har ryggen till. Han fyller vatten i kaffepannan. Anna kan inte låta bli att tänka på hur bilen står med nosen mot vedtravarna. En återvändsgränd, långt till närmsta granne. Och hon vet att hon är larvig. Vad är det hon tänker sig egentligen? Att han skulle följa efter ut och skjuta prick på hennes ryggtavla?

Hon har blivit stockholmare. Hör inte hemma här.

Men Lennart är också av den sorten som inbillar sig saker. Anna har inga andra frågor, som han påstår. Han har också förföljelseidéer.

»Sätt dig på andra sidan.«

Han har vänt sig mot henne.

Anna reser sig. Hon kan inte annat göra än att flytta sig till andra sidan bordet. Längre från dörren. Hon håller det ifrån sig. Som om det inte händer här och nu.

Lennart har ställt hennes väska på stolen, så hon får lyfta på den för att kunna sätta sig. Då ser hon papprena som sticker upp. Hennes buntar har blivit tillbakastoppade av ovan hand. Lennart har tittat igenom allt.

Då har han sett mammas avskedsbrev, där det står svart på vitt om Charlies far.

Lennart drar stolen långt bak från bordet.

»Om jag ska berätta det här måste det va som det ska va. Och då sitter jag här.«

I rörelsen när han sätter sig dinglar något från höften. Knivskaftet som sticker upp ur slidan är gjort i ett ljust benmaterial, kanske horn. Hur vet hon sådant?

Det här händer inte, tänker hon.

»Jag ser att du är rädd.« Lennart talar till henne, men tittar någon annanstans. »Det är jag också. För jag ska berätta för dig varför Charlie försvann.«

Sedan sitter han länge tyst innan han tar till orda.

*

När den mörkblå Volvon rullade in på vändplanen i Ringarkläppen var det bara knastrandet från däcken som hördes. Lennart hade slagit av tändningen tjugo meter innan han svängde på ratten, och behövde inte ens bromsa för att parkera. Han drog på ena mungipan åt sig själv när han klev ur. Han hade blivit jäkligt bra på att bedöma bilen. Körde bättre än de flesta. Han tog bössan från baksätet och öppnade till skuffen. Den drygt årsgamla hunden hoppade ut. Lennart lät kopplet glida i handen men knep åt så han fick kvar änden.

»Väntar vi på Charlie?«

Lennart såg sig omkring när han ställde frågan, ivrig att komma till skogs.

»Han har redan gått.«

»Då får vi väl se till att komma iväg vi andra också? Jag tar med mig hunn då, och släpper henne vid grustaget.«

Henrik hade redan vänt ryggen till. Han verkade mer fåordig än vanligt. Tänk att man ofta måste dra ur honom orden. Annat var det med Charlie, men ur hans mun kom det å andra sidan bara kvickheter. Och det var ju tillräckligt, alltsom oftast. Lite uppluckrad atmosfär skadade aldrig. Lennart undrade ofta hur Lisbeth gjorde för att lätta upp begravningsstämningen som Henrik bar med sig. När Charlie var inne skötte han säkert saken, men hur gjorde hon när de var ensamma? Nåväl, det var inte Lennarts sak. Det var länge sedan Lisbeths inre tankar varit hans huvudbry. Det hade förresten inte gått att bli klok på vad hon velat. Ena dagen skulle hon ut och resa, nästa kunde hon ha idéer om att öppna en affär som sålde hantverk till turister. Att det redan fanns mer än en på orten och att säsongen var kortare än tre månader hjälpte inte som argument.

Kanske Henrik hade lättare för att tas med henne. I alla fall verkade Lisbeth lugnare mellan varven än hon någonsin varit på hans tid, det fick han medge. Men nyckfull var hon fortfarande. Idag hade han mött henne på väg hit. Hon hade haft jäntan i bilen och vinkat. Det var inte alla dagar hon brydde sig om det. Ibland satt hon med blicken i vägbanan och verkade inte ens se vilka hon fick möte med.

Inte för att det brydde Lennart längre. Han försökte tänka på sin egen situation när han med geväret hängande över axeln gick tvärs igenom det gamla grustaget. Hunden följde honom i löst koppel. Nosade och travade lätt bredvid. Det var en fin jycke, men om det skulle bli något att jaga med kvarstod att se. Han gav väl henne en två tre år i alla fall. Sedan fick hon gå hemma som gårdshund om det inte blev något. Han hade svårt för att göra sig av med hundar som inte visade anlag för jakt. Lite otur hade han allt haft på den fronten.

Ja, inte hade han haft tur på andra fronter heller. Firman gick bra, men till vilken glädje var det, om han inte lyckades behålla en kvinna. Nu var han lämnad igen. Inte för att han skämdes, men visst tänkte han på det. En del fick allt och andra inget. Henrik hade bara behövt visa sig för Lisbeth, så var hon upp över öronen förälskad. Hon hade gjort slut direkt och hämtat sina saker hos Lennart. Vid ett och samma tillfälle.

På andra sidan grustaget tog tallarna vid. Lennart drog läderbandet över öronen på hunden. »Iväg med dig nu. Nosa upp älgen.« Tiken studsade åt ena sidan och stack ned huvudet på några ställen i blåbärsriset. Sedan sprang hon tvärs över åt andra hållet och han kunde följa svanstippen tills den försvann bland buskarna. Lennart meddelade på radion att hon var iväg, sedan gick han efter.

Den här gången hade det inte ens varat ett halvår. Den vackraste kvinna han mött hade tänkt om. Men än var inte loppet kört. De hade haft ett uppträde, och Ritva hade packat ihop sina saker lagom till skolstarten och kört tillbaka till Bredbyn. Men Jonas pappa var det inte mycket bevänt med, det visste han redan. En storskrytare som fått bidrag till att starta eget uppe i en avfolkningsort. Som inte fått snurr på det och sedan åkt söderut igen.

Lennart hoppades få en chans att visa grabben hur bra mamma

kunde må när hon fick den uppmärksamhet av en man som hon förtjänade. Fast det var just den biten Ritva inte varit nöjd med. Det var för mycket tid ägnad åt fordon och på skjutbanan och att gå i skogen. Hon hade fått för lite uppmärksamhet. Fast det blev ju inte mer av den varan när hon flyttade tillbaka till Bredbyn.

Ja, det var många tankar på en och samma gång. Lennart kom fram till nedkanten av ett hygge där hallonriset gjort sitt intåg sedan länge och frötallarna som lämnats kvar inte hunnit göra sitt. Han såg upp mot randen av sluttningen. Längst däruppe fanns vindskyddet. Det var Lennarts pass, och det var Charlie som myntat den halvelaka benämningen som antydde att han inte byggt sitt pass för att skjuta älg, utan för att gömma sig för väder och vind. Men Lennart föredrog att sitta i marknivå, och på sluttningen hade han fin utsikt över hygget, låt vara att han inte kunde se allt som rörde sig åt väster. Men var det ett blåshål så var det.

De lottade inte passen. Charlie vägrade sitta i vindskyddet, och så länge den pojken gapade tills han fick sin vilja igenom, så hade Lennart sin givna plats längst ut i kedjan av passare.

Han sträckte på sig så ryggen knakade lite, och passade på att finkamma hygget med blicken. Plötsligt fick han syn på den viftande svansen. Tiken rörde sig uppåt, mot vindskyddet. *Det var som fan.* Hon trivdes i skogen, det var tydligt, men tänkte hon leta upp en älg eller var hon mer nyfiken på vad folk hade för sig?

Han beslöt sig för att gå och hämta med sig tiken. Han ville inte ha en hund som fick för vana att lägga sig och vänta vid passet. Men när han var halvvägs upp stack hon iväg igen, utan att ha tagit notis om honom. Rakt österut for hon, som en rem.

Han önskade nästan att han hunnit hela vägen upp. Då hade han kunnat sätta ner baken på bänken som han måttat på tok för smal för normalt folk, enligt Charlie. Man skulle ta arslet gånger pi och smälla ihop några brädor, och inte göra som Lennart, en långbänk endast brädan bred.

Men det gick alldeles fint att sitta där.

»Oj, oj, oj«, sa han spontant när första skallet kom. Inte en minut kunde väl ha gått sedan han såg tiken, och nu visade hon intresse för något. Det här var kul.

Lennart skyndade sig att dra fram en kula i loppet, och med säkrat gevär hann han traska en bit tillbaka nedför hygget innan han lugnade sig. Kanske han inte skulle bli så ivrig bara för ett enda skall?

Men strax hördes hon igen. Och nu var hon söröver. Tiken hade rört sig i en båge. Nog borde hon väl ha fått upp spår efter något, även om det lät lite tveksamt. Hade han otur var det en fågel hon skällde efter.

Lennart hann inte ens tänka tanken förrän det brakade till och älgen kom sättande. I språng, tvärs över hygget.

Utan att tveka lyfte han geväret till axeln och slöt fingret runt avtryckaren och siktade på den flyende älgkon. Det gick undan. Och inget såg han genom siktet. *Fan*. Det måste vara inställt på fem gånger förstoring. Han försökte följa med i rörelsen ändå. Han hade ju bredsidan mot sig, och det vore dumt att inte ta den här. Mycket yta att träffa på. Kort avstånd.

Vapnet klickade.

Jädrar. Han flyttade tummen och osäkrade. Försökte se genom siktet igen, men det var bara mörk päls som suddade förbi. Snart skulle djuret försvinna in i skogen.

I sidoblicken såg han – hörde han – sin hund komma sättande. Då bestämde han sig. För att göra en bra älghund av henne borde han skjuta den här.

Han såg över siktet en enda gång. Jo, det var bogen han riktade vapnet mot. Och nu måste det gå undan. Han brände av ett skott. Sedan störtade älgen in i snåren och försvann. I kölvattnet såg Lennart sin hund följa efter.

Smällen ebbade ut i hans öron. Kommunikationsradion sprakade redan. »*Lennart, var det du?*«

Han plockade loss radion från fickan på axelremmen och hörde själv hur andfådd han lät. »Den är på väg åt nordväst. Bo-Anders kan få syn på den.«

»*Är det en kalv?*«

Lennart stod tyst några sekunder. »Jag följer efter. Jag hör fortfarande hunn.«

»*Är det en kalv?*«

Lennart tystnade.

Efter flera sekunder sprakade det till från andra ändan igen. »*Okej. Klart slut.*«

På väg in i skogen kände han att det skulle ordna sig ändå, ko som kalv. Henrik skulle fixa det här.

*

Tänk att Lennart gjort det igen.

Han har gjort det igen. Skadskjutit en älg, för sitt skjutglada sinnes skull. Hur i helvete ska det gå att få bukt med det här jaktlaget? Charlie har rätt, han är inte klok.

Plötsligt ser han älgen i en öppning. Hunden har tystnat. Vad i helvete har den jycken för sig? Sakta höjer han geväret. Det är långt, nästan tvåhundra meter, och inne i riset står den. Han ska bara titta i siktet. Minsta kvist skulle ändra riktning på kulan. Det här är inte ett skott man ska ta om man kan välja.

Genom kikarsiktet ser han den mörka fläcken vid sidan av buken. Ett bukskott är aldrig direkt dödande, men ohyggligt plågsamt för djuret. Hade Lennart otur eller är han så förbannat oskicklig? Skjuter han när han borde låta bli?

Han borde avstått hur det än var. Det här är en fjoling, och de har bara kalvar kvar på kvoten. Men han kunde väl inte hålla fingret borta från avtryckaren, och så gick det som det gick.

Och nu står älgkon där i chock och häver upp och ned i andningen.

Han har alltid förbannat lidandet. Att vara med i skogen var aldrig självklart. Men när jakten fungerar är det spännande. En sysselsättning som slår det mesta.

Ett ljud får honom ur fattningen. Ett prasslande bara några meter bort.

Hunden.

Om det ska bli en jakthund av den ska hon inte överge älgen och komma viftande så fort hon ser folk. Men nu när hon gjort det bör hon slippa bli halvdöv av ett oväntat skott.

Men han har lärt sig att när ett djur lider har man inget val.

Han svär i tanken istället för mellan tänderna. Stilla nu, så geväret är stabilt när han trycker av.

Sedan måste han skjuta ett skott till innan den är fälld.

*

Lennart är framme vid sluttningen av Timmerberget när det första av de två skotten brinner av alldeles i närheten.

Några sekunder senare kommer nästa.

Innan han hinner tänka ser han något. Det kommer farande längs marken, som en oljad blixt. Han får tiken rätt i famnen när han sätter sig på huk.

»Å fy vale på dig. Nä! Nu kommer du med.« Han försöker låta förvånad och bestämd. Pratar högre än han behöver, fast han vet att det är nästintill omöjligt att göra något åt en skotträdd hund. När han reser på sig snurrar hon kring benen på honom så han snubblar.

Han får sparka hunden åt sidan några gånger när han går vidare, men han muttrar bara över hennes ynkedom. Och rätt som det är sticker hon iväg igen. Tillbaka därifrån hon kom.

När han kommer fram till randen av hygget hör han hennes ömkliga gnällande. En tio femton meter bort bara, inne i riset.

Där står någon på knä.

Och när han kommer fram möter han det värsta han sett i hela sitt liv.

Det var inte många unga i jaktlaget. Charlie och Mattias och Bo-Anders. Ungdomarna i Ringarkläppen. Det har varit kul att se dem tillsammans, hur de vuxit upp ihop, tävlat sinsemellan och de sista åren blivit mer individer än ler och långhalm.

Ibland har Lennart känt ett styng av avundsjuka gentemot de

som har söner. Ja, jäntor också för all del, men en grabb skulle det ha varit roligt att ta med ut på fiske och i skogen. Hjälpa upp i tradaren och ha bredvid sig på långfärder. Lära allt han vet om maskiner.

Men det verkade bara vara andra förunnat att få uppleva det. Själv har han fått nöja sig med att hjälpa till när andra inte haft tid eller kunnat. Men nödbedd har han aldrig varit. Och det har blivit ett sant nöje att ha de här ungdomarna omkring sig under jakten. Mycket roligare än Henrik och gubbarna. På så vis har han känt sig yngre än sin egen generation. Engagerad.

Han har alltid skrattat åt Charlies skämt och bekymrat sig över hans dåliga humör. Och hjälpt Mattias med praktiska saker, oftast helt oombedd. När han inte intresserat sig för Bo-Anders förklaringar om rovdjurens återerövrande av Sveriges vilda natur.

Tre ungdomar med livet framför sig.

Och så kommer han här och blir vittne till en mardröm. Hur en av dem ligger i riset, vit i synen och med öppen mun. Och hur en annan av dem vänder upp sitt ansikte med en blick han bara sett hos förstummade djur innan han avslutat lidandet hos dem.

Men det är inte den sortens avslut den här grabben ber om.

»Hjälp mig. Snälla Lennart, hjälp mig, jag visste inte att han var på väg hit. Jag sköt på älgen. Kulan måste ha gått fel, jag såg honom inte, jag stirrade bara på älgen, den var skadskjuten och jag klarade inte av det, jag var tvungen …«

Lennart faller ner på knä bredvid Charlie. Han behöver röra vid honom för att veta. I ena skulderbladet finns utgångshålet. En krater.

»En olyckshändelse«, får Lennart ur sig. »Nu tar vi det lugnt.«

Han vet inte vad annars man skulle göra. Det är försent för allt.

Och det är inte bara hunden som kvider.

»Hjälp mig. Snälla Lennart. Jag får leva med det här. Resten av mitt liv. Jag får leva med det på mitt samvete i alla fall, så snälla hjälp mig …«

Lösa boliner

»Det får inte gå på lösa boliner!«

Hur många gånger hade inte pappa sagt det till honom? Ändå hade Mattias suttit där en dag med en läsk som bubblat över mellan benen som en nyöppnad champagneflaska. Han skulle prompt sitta med en flaska och suga i sig medan han rattade med andra handen. Fick Anna pimpla läsk så skulle han också. Att han övningskörde medan hon bara satt i baksätet tyckte han inte hade med saken att göra. Pappa körde också med bara en hand ibland.

Det kan vara svårt att tro idag att pappa verkligen gav med sig emellanåt. Men minnet av hur Mattias en dag snurrat runt på is-fläckarna och dängt med bredsidan in i snövallen, för att sedan fly ur bilen med kolsyra i skrevet, går inte att resonera bort.

Pappa hade för ovanlighetens skull varit mol tyst. Utan ett ord hade han kört loss bilen och sedan klivit ur och satt sig på passagerar-platsen igen. En uppsträckning behövdes inte. Mattias skakade i både armar och ben efter tillbudet.

Och visst hade han lärt sig sin läxa. Det pappa inte insåg var att stora skälvan kom sig av att Mattias mött sin lillasysters blick när han satte sig bakom ratten igen. Då förstod han vad utsatthet inne-bar. Den unge han såg i backspegeln var tvungen att åka med hur vårdslöst Mattias än körde.

Mattias hade åkallat Gud den kvällen och lovat sig själv att aldrig behöva se den blicken igen.

Mindre än ett halvår senare skulle han sitta och hålla för både öron och ögon på Anna medan helvetet brakade loss runt omkring. Och nu har han förstått att han var henne till direkt skada också. När hans lillasyster knappt hade kommit i tonåren serverade Mat-

tias henne till någon som bara hade en sak i huvudet. Att Mattias
var ovetande om det som skedde gör inte saken mer uthärdlig att
tänka på.

Som storebror räckte han aldrig till.

Det regnar, men det finns en busskur. Mattias står och stirrar på
cementklumpen som spruckit där en av hörnstolparna går ner i
marken. Han stirrar på samma spricka tills bussen kör fram. Idiot-
beteende, han vet det. Kajsa hade sagt det också, när hon inte fick
någon rätsida på honom. Att det måste vara något fel på honom.
Ena stunden stannar han kvar, och nästa ska han iväg till buss-
stationen som en jävla idiot.

Men det var nog lika bra. Man ska inte idka något slags umgänge
när man inte mår bra. Det har han alltid vetat. I alla fall sedan han
kom till den rosa pantern. Och Petter. *Men inte tänka på Petter nu.*
Ta det när han kommer fram. När han kan ställa honom till svars.

Han sätter sig längst bak. Det är halvannan minut kvar till
avgång.

Helvetes as. Som utnyttjade hans lillasyster när han var satt att
vara ett stöd för henne. När Mattias trott att Petter pratade med
Anna om den familj hon förlorat, så hade han i själva verket varit
fullt upptagen med att sätta på henne. Petter hade fått tillgång till
en minderårig tjej och betett sig som en unken, jävla pedofil. Han
borde få vissa delar avskurna och …

Inte nu. Tryck bort det.

Bättre att styra tankarna över till sin rätte bror. Spontanmin-
net av Charlie ramlar alltmer sällan över honom. Det är det sis-
ta halvåret som förändrat saker. Innan Anna dök upp var Charlie
alltid den av syskonen som var mer levande i hans minne, trots att
Mattias innerst inne känt att Charlie är död.

Hur kan man känna sådant?

Mattias har för trasiga minnen från den dagen Charlie försvann
för att kunna lappa ihop något som liknar sanning. Han vet hur
lönlöst det är att försöka.

När bussen pustar till och framdörren går igen, börjar Mattias ändå gå igenom det igen. *För sista gången.*

Idag är en bra dag att förhandla död med Skaparen, det har han redan bestämt. Och någon gång måste det ta slut.

*

Morgonen var stötig. Den dallrade och dunkade.

Mattias ville att de skulle sluta käfta och puckla på varann. Det urartade alltid när mamma inte var hemma. Men han var glad över att Anna slapp sitta där och tvinga i sig frukost med en klump i magen när hennes far höjde rösten. Charlie skrädde inte heller orden, och ibland undrade Mattias vilken vokabulär Anna måste besitta och om hon använde det i skolan ibland och vad läraren tänkte då.

Men nu slapp hon. Mattias kom däremot inte undan. Inte förrän Charlie smällde igen dörren till farstun så hallspegeln ramlade ner och sedan försvann innan någon hann gå efter honom.

Mattias klädde sig så småningom men hittade inte sin röda tröja. Den borde ha legat i farstun, men när han gick dit för att leta blev han stående. För där stod geväret i ett hörn. Charlie hade gått utan gevär. Inte nog med att Mattias borde ta med Charlies ryggsäck och gå förbi passet med den. Han skulle få bära med sig geväret också, som en vapendragare.

Han hade tänkt över det medan jägarna samlades och de var och en gav sig av. Charlie fick vara utan matsäck, för Mattias hade sin egen ryggsäck att bära och det var längre till fäbodarna.

Skogen var lugn. Allt var lugnt efter en sådan uppgörelse hemma. Mattias gick långsamt och njöt av höstluften. Dagdrömde. Den sista värmen och lövskogen som ändrade färg. Rönnen riktigt brann, och det var sådana här morgnar han kunde få tårar i ögonen. Naturen var så vacker att han önskade sig kvar. För evigt. Det var den här känslan pappa måste ha de gånger han kisade mot grantopparna och andades djupt. När sällheten avspeglades i hans ansikte.

Det brakade till en bit bort, följt av ett skrämt flaxande. En större fågel som inte litade till sitt gömställe.

Strax därpå kom knallen. Mattias kom ihåg radion och slog skyndsamt på den. Där var pappas röst som ville försäkra sig om att det var en kalv Lennart skjutit den här gången. Men han fick inget riktigt svar på sin fråga. Alla svor antagligen i den stunden.

Lennart hade skjutit en älg som satt iväg mot Bo-Anders pass. Mattias ändrade automatiskt riktning på stegen.

*

Anna sitter blek i ansiktet.

Lennart sväljer en torr hals. Kaffekopparna står fortfarande tomma.

»Han var tung den jäveln … ja, ursäkta … men jag trodde inte jag skulle klara av det. Men vad annars kunde jag göra, tyckte jag, han var ju redan död … Så jag bar några hundra meter. Jag kom till bäcken och gick i den. Jag bar så långt jag orka … Jag kunde ha gjort vad som helst för de där grabbarna … inte fanns det nån mening i att en av dem skulle få livet förstört. För en olycka. Det var nog jävligt som det var. Man vet ju aldrig om man gör rätt, och jag tänkte väl inte så rediga tankar precis då. Jag hjälpte till med det jag kunde …«

Anna sitter med handen för munnen. För halva ansiktet. Hon säger inget.

Och Lennart vet inte varför han skulle känna skam. Men det gör han. »Jag hann tillbaka till älgen innan nån av de andra kom. Sen pratade vi aldrig mer om det. Gjort var gjort.«

Ofta har han känt obehag och fasa vid tanken på Charlie. Någon gång har han funderat kring det han gjorde själv. Men det var ett beslut han tog i stunden och sedan var det bara att stå för det. Kanske bidrog det att han ville hjälpa en ung grabb eftersom han inte hade någon egen.

»På natten kom jag tillbaka och såg till att han fick komma i jord. Han låg i bäcken medan jag grävde. Jag lämnade honom där så det

425

inte skulle gå att få upp några spår … Det var intill en stor sten jag grävde. Jag tänkte att inga avverkningar ska få påverka platsen. Så djupt jag kom grävde jag.«

Nu är det som om han ser sig själv utifrån. Han ser sin hand, men det är som om det var en annans fingrar som stryker ut veck på bordsduken. Det är inte han som styr.

Kanske började det redan innan Anna kom tillbaka. Han visste i morse att han skulle berätta. Något hade hänt med honom redan då.

Han vet vad det är också.

Det är Henrik som hunnit ikapp honom. Som jagat honom ända sedan han tog livet av sig. Som anklagat honom ända sedan den dagen.

Och nu går det inte att gömma sig längre. För att skrämma fram Lennart ur den håla där han gömt sig de sista sjutton åren har han fått ligga vaken hela natten och tvingats se det från Henriks synvinkel.

»Jag ska berätta vad pappa din gjorde. Varför han tog livet av sig.«

*

Varför minns han inget mer?

Mattias ser ut genom den regniga rutan på bussen och tänker att det är livet som rusar iväg. Och han är på väg bort från det, fort, fort.

Tog han Charlies gevär med sig till skogs den morgonen? Hade han redan hunnit lämna vapnet och var på väg mot fäbodarna när första skottet small? Eller hände det innan han kom till Charlies pass? Gick han kanske direkt mot Timmerberget, med vapnet i hand?

Det är totalt blankt.

Minnet är svartvita fotografier från den dagen och framåt.

En sådan bild i Mattias minne är från köket, några dagar efter att Charlie försvunnit. Henrik sitter med sitt gevär i delar framför sig. Vapenfett och trasa. Noggrannhet. Han tar bort vartenda spår från de dagar som varit. Hans blick på mamma när hon anklagar honom för att ha ljugit för polisen. *För vems skull ljög han?* Mattias får aldrig något svar, för Henriks ögon undviker honom.

En annan bild, där Henrik inte undviker sonen. Han ser Mattias rakt i ögonen när mamma avslöjar att hon vet att Henrik hotat Charlie med en hammare. Pappas blick talar om att han vet att Mattias skvallrat, men också att han förstår. *Vad är det han förstår?*

Mattias kanske aldrig kommer att få ett svar. Det är det allra jävligaste av allt – att kanske aldrig få veta om han lyfte upp vapnet till axeln. Och så det som vill komma längst fram i medvetandet hela tiden, det ständigt undflyende.

Känslan av att han redan vet.

Den första dagen

Hon sitter med väskan i knät nu. Som en sköld. Men det hjälper inte.

»Pappa din gick ut en dag med en spade och han hittade Charlie. Han blev tvungen att se honom efter att naturen gjort sitt i en månad.«

»Hur vet du det?«

Lennart rycker till där han sitter, så barnslig är Annas röst. För en sekund far det genom skallen på honom att han pratar med Henriks barn. Att han inte skulle vilja att någon berättade för Jonas dylika saker. Om honom. Sedan är insikten borta igen och han famlar som vanligt efter orden.

»Efter att Lisbeth kommit hit och anklagat mig var jag tillbaka och tittade till platsen. Det var inte orört längre. Han hade lyft upp några tuvor ... det var tillbakalagt alltihop, men det är vad jag har fått leva med. Att Henrik var tvungen att se pojken sin på det viset.«

»Pojken din.«

Anna och Lennart ser varann i ögonen. För första gången på många år lyckas Lennart hålla blicken kvar i en annan människas. Hon som sitter på andra sidan bordet och måste lyssna till hans korthuggna berättelse är vit i synen. Men hon var ute efter sanning, och han behövde få säga det. Speciellt efter att ha läst Lisbeths papper.

»Ja«, säger han tungt. »Pojken min.« Han reser sig tvärt och går fram mot spisen. Där finns inget att göra, men han kan alltid rassla med kaffepannan medan han måste blinka några gånger. Den håller på att koka torr där den står.

Det som kommer över honom har med sonen att göra. Jonas. Han är förälskad i Anna. Ja, han uttryckte sig inte direkt så. »*Jag ska ha hit den tjejen igen.*«

När Lennart vänder tillbaka mot stolen han nyss suttit på, är det återigen en blick utifrån han tvingas till. Han ser gubben som drar i byxlinningen och irrar med blicken, än ut genom fönstret, än till bordsskivan med de två tomma kopparna och Annas armbågar.

I morse när han vaknade med grusiga ögon var han förvånad att han somnat alls. Han mindes att han hört fåglarna innan han måste ha dåsat bort.

Det var så förbannat otroligt. Lisbeth hade varit med barn och inte sagt något. Lennart hade varit far till Charlie utan att veta om det. Men Henrik hade vetat, under hela grabbens uppväxt.

Det var först nu Lennart förstått ursprunget till Henriks envisa omhuldande. Att det inte var Lisbeth som propsat, utan Henrik själv. Det var som kompensation Lennart hade fått jaga däruppe. Men Charlie själv hade inte vetat, för då hade den grabben inte kunnat hålla truten. Och det är klart som korvspad att Henrik trodde att det var Lennart som vådaskjutit, när det var hans snusnäsduk som låg över ansiktet. För inte hade han kunnat skotta jord direkt i synen på pojken. Det hade inte gått, och inte hade han tänkt på att ha något lämpligare med sig.

När han åkt tillbaka på natten hade han parkerat i grustaget och gått samma väg som han gjort under jakten dagen innan. Så ingen skulle se bilen. Vid bäcken hade han gått uppströms tills han kom på honom. Haft spade och en presenning med. Tungt så det räckte till, men den natten gick han på viljan.

Det var när han lagt pojken i gropen och fått vika knäna på honom som Lennart varit tvungen att blunda. Då var det nära att han ångrat sig. Länge hade han suttit och luktat på nattkylan och myllan och hört ljud från tallkronorna. Kanske hade han blivit sittande en hel timme, med kylan från stenen rakt upp i prostata och grundat för besvär resten av livet. Till slut hade tankarna kommit tillbaka och han hade slutat stirra ut i tomheten. Han hade tänkt på den andre unge grabben. Och hade han ingen annan uppgift på jorden än att hjälpa så att åtminstone en ung kille fick en framtid och slapp en stämpel, så inte skulle han försitta den möjligheten.

Inget gick ju att göra ogjort.

Lennart hade blundat så gott han kunnat när han fyllde igen gropen och passade tillbaka tuvorna. Inte tänkte han då på att Henrik skulle bli tvungen att se, och att den bördan skulle bli för stor. Att Henrik skulle hålla Lennart för skyldig och tycka att det var hans eget görande att pojken var död.

Det var ju Henrik som dragit in Lennart i jaktlaget.

*

Han försöker fokusera på Petter, men det är som om tanken låst sig. Den har fastnat och måste brytas loss. Det där ljudet från vägbanan när bussdäcken tränger undan vattenskiktet. Konstant, sövande. Mattias ser alla i hela bussen när han lättar lite ur sätet. Inte en enda människa som gör något väsen av sig. En massa huvuden som sticker upp, men inget som sticker ut. Ingenting som får igång en låst hjärna.

Det skulle behövas en explosion för att väcka honom till liv. Ett skott från ett grovkalibrigt vapen. Eller ett fyrverkeri, för ögonens skull. Något som sprakar till, som en fyr i mörker. Som Charlie i skogen.

»*Han gick omkring som ett stoppljus.*« Så hade Bo-Anders sagt. Fast det var fel, det var Mattias tröja som varit röd som ett stoppljus. Den som försvann.

Han tycker tanken stannar igen. Gräver sig ner, som däck i lösgrus när man står på bromsarna. Och när han kickar igång gör tanken det också. Den rullar på, helt utan motstånd.

Det är så lätt att förstå att han först inte fattar det.

Charlie gick barbröstad ut i farstun den sista morgonen, med jackan i handen. Där låg Mattias röda tröja. Den drog han på sig. Sedan gick han till skogs och satte sig på passet. Jackan la han ifrån sig för att det var för varmt.

Så enkelt är det.

Och den som vet att Charlie bar en röd tröja, såg honom den dagen.

Mattias begrundar detta i flera mil, sedan blir han viss om hur det hänger ihop.

Det var han som sköt. Han fick syn på älgkon och hur hon plågades. Han avlossade ett skott för att förkorta lidandet. Ett skott som gick fel.

Mattias vådasköt sin bror.

Vad gjorde han med vapnet efteråt? Var det han som bar det till Charlies pass? Och vem tog hand om Charlie?

Frågor som får ett svar lika fort som de dyker upp. Det var Bo-Anders som hjälpte honom den dagen.

Han får fram mobilen.

»Nu vet jag vad som hände, Bo-Anders. Du behöver inte låtsas längre. Den där röda tröjan du var så tvärsäker på att Charlie hade, *stoppljuset* du pratade om, det var min tröja. Det var första och enda gången Charlie hade den på sig. Så kom inte och ljug en gång till, för du var där. När Charlie dog.«

Bo-Anders är tyst i andra änden.

Mattias tankar verkar inte ha något stopp nu. Ingen friktion alls. De flyger vidare helt utan besvär. »Jag vill inte dra upp det här, Bo-Anders. Jag vill inte hänga ut dig. Men jag vill veta var du grävde ner honom. Det är allt jag vill. Jag vill veta var brorsan finns.«

*

Nej, Lennart hade inte kunnat se in i framtiden. För här sitter han nu, och det han gjort för att hjälpa fortsätter ha återverkningar. Det har satt käppar i hjulet för Jonas framtid. Jäntan framför honom är en påminnelse om det. Hon ser inte mycket ut för världen, men han tänker inte försöka sätta sig in i vad som får Jonas att gå i spinn. Det räcker att han vet att det är så. »*Jag ska ha hit den tjejen igen.*« Tydligare kan det inte sägas.

Nu är hon här. Nu sitter hon i Lennarts kök, och han har precis berättat allt för henne. Inte helsicke kommer hon att vilja ha honom som svärfar efter det här!

»Du sa att det inte var orört … Hade pappa grävt i ansiktet på Charlie?«

Lennart blir fortfarande uppskrämd varje gång hon öppnar munnen. Men han har börjat se henne i ögonen och det hjälper. Fasan är också hans, och han skakar på huvudet.

»Nej, nej. Han hade lyft ett par tuvor nere vid fötterna. Nära storstenen.«

»Hur visste han då om …« Lennart får gissa sig till de sista orden, för hon lyckas nästan inte få fram dem, »… snusnäsduken? Som du lagt över ansiktet?«

Tystnaden därefter delar han även den med Anna. Tystnaden som kommer av att inte ha någon förklaring. Tanken mal runt, runt. *Jag begriper det inte. Henrik visste ju att jag varit där. Lisbeth visste. Jag begriper det inte, för det var vid storstenen han hade grävt.*

Men han säger inget högt. Att han inte har någon förklaring ser hon ändå. De sitter vid köksbordet med tomma koppar och en fråga utan svar, och Lennart får gå bakåt istället. Till ett annat spår.

Sonen. Skam den som inte ens försöker.

»Det handlar om Jonas nu«, säger han.

»Har Jonas … nåt med det här att göra?«

Lennart försöker tänka på att han sägs vara bra på relationer. Men det är svårt att tro på det när man sitter och har tunghäfta. Ungdomen har alltid förkörsrätt när det gäller livet.

»Det var inte så jag menade.« Han lyfter den ena av sina nävar och dunkar till i bordet. »Fan också.«

Så ser han på Anna igen. Det går bättre för var gång.

»Om du vill ange mig får du göra det. Då får de komma och hämta mig, om det inte är preskriberat, det jag gjorde. Om du vill ha ett straff utmätt. Men för han som höll i geväret, så blir det inte värre än så här … han har haft sitt helvete i sjutton års tid. Dag och natt. Titta i ögonen på honom, så vet du vad jag menar.«

»Men Charlie kan inte ligga där …«

»Det … kanske han inte kan. Det får du avgöra. Jag ska ge dig en karta och tala om var det ska grävas i så fall. Tänk dig för, bara. Man ska inte nödvändigtvis rota i allt som är gammalt. Det kan få vara också. Det kan skada mer än man tänkt att vända på varenda sten.«

Anna sitter tyst. Något ringer i bakhuvudet. Fraser från en budbärare som gömde sig bakom dammiga palmblad i en pizzeria på Kungsholmen. »*Du ska inte skada mer än nödvändigt.*« Petter Präst som inte ville att Mattias skulle fara illa. Mattias, som hon själv vill skydda till det yttersta.

»Varför har du berättat det här för mig? Om du inte vill att det ska komma ut?«

»För djävulens blod, Anna! Jag håller på att bli gammal.« Lennart torkar hastigt näsan på sin uppkavlade skjortärm. »Jag måste få avbörda mig nån gång. Därmed inte sagt att alla måste få veta. Och om du inte är så förbaskat religiös själv, kanske han ligger lika bra i skogen som nånsin på en körrgård.«

Han uttalar »kyrkogård« på samma sätt som Annas pappa gjorde.

När hon lämnar Lennarts hus har det slutat regna. Det kanske slutade för länge sedan, utan att hon la märke till det.

Är det alltid bättre att få veta? Det var vissheten hon väntat på, men nu när hon äntligen fått den, känner hon att hon håller på att stänga en dörr, sjutton år äldre. Det är först nu hon förstår att barndomen är över.

Riktigt över.

Och att hon helt sonika tänker göra sig av med Lennarts karta, där han satt ett kryss mitt emellan två höjdkurvor vid en sjö som heter Hästtjärn, gör henne till allt annat än stockholmare. Den kanske går att peta ned i jorden på »körrgårn«, om hon kan ta sig samman och besöka föräldrarnas grav.

Hon andas djupt och ljudligt. In och ut. Sanningen på ett bräde, nu sitter hon med den.

»Ja, jävlar i mig«, säger hon högt för sig själv.

Anna saktar in långt i förväg när hon ser bilen. Det blir inte lätt att möta någon på Lennarts väg när man sitter i ett stort amerikanskt as, det inser hon. Och hon hinner tänka *jävla idiot* åt det blinkande helljuset – som om det självskrivet är hon som ska vräka sig ur vägen, *gör det själv* – innan hon förstår vem som sitter bakom ratten.

De stannar inte helt förrän de står front mot front. Då gasar Jonas lätt och knuffar till amerikanaren med sin stora stötfångare. Anna häpnar, men gör samma sak, och Jonas bil åker någon decimeter bakåt. Han måste ha tryckt ned kopplingen. De skrattar ljudlöst mot varann.

Anna är förvånad över sitt eget lugn när hon kliver ur och går rakt in mot hans kropp.

»Akta dig«, säger Jonas mot hennes panna. »Idag är jag nykter. Och jag har varit hos grisarna och inte duschat.«

Anna säger inget.

»Vill du med hem?« När Jonas talar lyssnar Anna på ljudet. Bara en detalj i taget, mer går inte att greppa. Och hon tänker att mullrandet som finns i en mansröst inte hörs när Jonas talar så här lågt till henne. »Kör du före eller efter?« frågar han.

»Jag vet inte.«

»Vadå vet inte? Om du ska med hem, eller om du tänker stanna kvar när du väl kommit dit?«

Då vänder Anna upp ansiktet.

»Det är lika bra att jag berättar en sak.«

De sitter på varsin sten och stirrar framför sig. Bilarna står kvar nos mot nos, fem meter bakom dem. Anna gnuggar gång på gång handflatan över ansiktet.

»Det gör ingenting«, säger Jonas. »Vi behöver inte tala om det för nån.«

»Skulle jag bara låta det vara, menar du?«

»Varför inte? Man kan inte regissera livet. Har du berättat för honom?«

»Det tänker jag inte göra. Jag vill aldrig se honom igen.«

»Varför berättar du för mig, då?«

»Därför att du tror att jag är en oskyldig tjej. Det är jag inte. Jag är en bitch.«

»Det är man väl inte för att man vill göra abort.«

Anna tittar på blåbärsbladen på tuvan intill. En del av dem är rödfläckiga, som om de färgats av bären.

»Han som är pappan är min bästa kompis kille. Där har du bitch-en.«

I ögonvrån ser Anna hur han sitter med händerna knäppta. En lös knut av fingrar, bara en armlängd bort.

»Du vill bara chocka mig. För att kolla var du har mig.«

Anna har inget svar på det.

»Men det funkar inte. Jag är inte så lättskrämd. Och du ska inte göra abort bara för att det är fel pappa. Det har ingen betydelse vem som biologiskt är far till ett barn.«

»Du vet inte vad du pratar om nu.«

»Jo. Jag växte upp med Lennart, och han var mer pappa för mig än min egen nånsin var.«

Ingen av dem vill titta på den andre. Det här samtalet har kommit för tidigt.

»Jag vill ha dig«, säger Jonas. »Och förr eller senare vill jag säkert ha barn.«

»Jag är för ung.«

»Inte här uppe. Du börjar bli gammjänta ju.«

Anna säger inget mer. Hon vill inte skratta. Och han har delvis rätt; hon har blivit gammal med ens. Hon är inte längre oförstörd. *När var hon någonsin det?* Är det därför Jonas är lockande? Att få återvända hem, till en tid och plats där hon inte var förstörd?

Jonas lutar sig framåt och luggar lite i blåbärsriset. När han vänder ansiktet mot henne blir det snett underifrån. Ett intimare perspektiv. Han såg ut så igår natt också, när hon försökte lägga sig över honom i bilens framsoffa i någon avkrok utanför Örnsköldsvik.

»Gör inte abort, Anna. Kom med mig istället.«

Hon är redan blöt och iskall genom brallorna. Precis som hon kände sig då.

»Jag har inte tänkt skaffa barn. Jag vet inte varför jag berättar det här. Varför jag pratar med dig om det, vi som inte ens …«

Jonas lutar sig fram och petar in något mellan Annas läppar. Ett snabbt flin, sedan är han på fötter.

»Tro inte annat än att jag brukar ligga med dem först. Innan jag friar.«

Kärv smak i munnen. Anna spottar ut hårda bitar av enbär. Hon vet inte vart de är på väg med samtalet. Hon vet att hon omedelbart borde åka till sin mamma i Härnösand och berätta att hon behöver hjälp med en abort. Berätta för att hon behöver berätta.

Istället har hon talat om det för Jonas. Som inte ville ha sex med henne.

»Minns du vad jag sa i Övik?« fortsätter han. »Innan jag blev lite dragen? Det är så helvetiskt osannolikt att nån intressant tjej kliver in genom köksdörren om man bara går hemma och väntar. Men du gjorde det i vintras. Sen stack du bara.«

»Det skulle aldrig funka. Kom och hälsa på i Stockholm istället.«

»Jag sitter fast med en massa djur. Den här eftermiddagen är ungefär så spontant det blir. Jag kan inte åka ner en helg och *råka ringa*. Det är därför jag är ute efter dig nu.«

»Vad är det du menar? Att vi ska hoppa i säng så fort vi kommer till Ringarkläppen?«

»Nä, jag brukar va impotent dan efter också. Så det är nog kört. Men du kan väl komma med ändå?«

Anna reser sig utan att bry sig om den utsträckta handen. Hennes leende syns inte bakom håret.

»Skulle inte du jaga idag?«

De är tillbaka vid bilarna innan Jonas svarar:

»Bara gnällspikar i laget. Farsan ringde redan i morse och hade ont i ryggen. Vi andra skulle ut efter lunch men Bo-Anders avblåste jakten. Skyllde på regnet.«

När han redan öppnat bildörren funderar han vidare:

»Sen såg jag honom gå till skogs ändå, med geväret över axeln. Precis när jag skulle fara. Utan hund och utan ryggsäck.«

*

Bussresan ger tid till eftertanke.

Mattias ältar det korta samtalet fram och åter. Bo-Anders hade blivit helt ställd, som om han inte hängde med i resonemanget alls. Med ideliga blickar åt sidan, där hans silhuett syns i bussfönstret, försöker Mattias kisa och se ett gevär i händerna på sig själv. Varför är det så förbannat svårt?

Timme läggs till timme. Eftertanken blir till långsam insikt.

Charlies gevär hade stått i farstun den morgon han försvann. Mattias hade fått syn på det när han letat efter sin tröja. *Men Charlie hade använt pappas gevär den dagen.* Så bössan ute i farstun var den pappa tog när han gick. Det fanns alltså inget vapen för Mattias att ta med sig den dagen.

Dessutom finns det ingen chans att Mattias skulle ha hunnit ända fram till Timmerberget och fått syn på älgkon. Håller man sig till logik och sunt förnuft så förstår man det. Det finns ingen rim och reson i att Charlie skulle ha varit där heller, långt från sitt pass och i strid med vedertagna regler. Och varför skulle Bo-Anders ha hjälpt Mattias om han mot all förmodan skulle ha vådaskjutit sin storebror?

Finns ingen anledning. Så det är klart Bo-Anders blev ställd över ett sådant påstående.

Mattias har gått vilse i hjärnans spökvindlingar igen.

Det borde kännas skönt att kunna sluta sig till det, få dimmorna skingrade. Det är istället förvirrande. Nu har han inget att luta sig mot i det han ska göra härnäst. Ingen trygghet i att redan vara förtappad, att »det spelar i alla fall ingen roll«. Ingen frid i känslan av att vara »den som inte har så mycket att förlora«.

Mattias tänker på hur han öppenhjärtigt berättade för sin blodsbroder om den börda Anna bar på. Hur Petter utnyttjade det, för att komma nära Anna.

Det borde inte göra någon skillnad huruvida han redan bragt någon om livet eller inte.

Mattias egen börda. Medan han färdas söderut mot något han måste, kommer tankar som att »stå upp för det som är rätt« och »ta hand om sin lillasyster för det är inte alla som har en«. Tankar som ska ge förnuft åt handling, åt det han inte vill.

Lögnerna.

Petter hade ljugit för honom, rakt i ansiktet. Om allt från att inte ha en tjej i Härnösand till att de skulle återfinna varann på Kuba.

Och undanglidandet. De evinnerliga ursäkterna för hans urholkade uppsyn de senaste åren. *Man blir trött av att vara småbarnsförälder. Trött av att bära kolikbarn i flera månader. Trött av att vakna när hon ammar och inte kunna somna om för att man vet att man måste. Trött av att inte orka engagera sig i ungdomarna. Trött på sig själv när man önskar att det ska ta slut någon gång.*

Futtigheten. Mattias egen, för att han inte kunnat låta bli att solka ned vartenda ord Petter sagt de senaste tio åren.

För att han dömde honom för länge sedan.

*

Anna ligger ett femtiotal meter efter Jonas. När han försöker dra, sackar hon efter. Hon måste tänka. Livet måste vidare.

Hon kan finansiera sin utbildning genom att sälja hemmanet. Eller avverka några skiften. Det är inte pengar som kommer att avgöra något.

Varför berättade hon för Jonas? Tills hon öppnade munnen visste hon inte att de orden skulle komma ut. Att nämna ett ofött barn är att göra det verkligt. Ge det liv.

Hon var inte beredd på hans reaktion, hon ville bara ha … *vad är det hon vill ha?* Hon hör sin egen andning. Det får henne att tänka på Mattias i våras. När han låg i baksätet.

Eller henne själv, i framsätet. Igår.

»Det kommer inte att funka i alla fall.« Jonas hade plockat bort hennes händer. Hon hade tänkt att han inte ville ha henne ens för

ett snabbknull. När hon för första gången på flera år kände ett så förbannat stort behov av en kille på ett sätt som kanske till och med var normalt, så dög hon inte.

Sedan hade hon resonerat som hon alltid gjort; tänkt att det är han som är värdelös och inte kan ta i en tjej, inte vet vad hon behöver. Och när hon kände hans hand innanför jeansen hade hon blivit sur: »*Men sluta, då. Om du inte vill, så varför fortsätter du?*«

Jonas hade skrattat. Varmt och nära och med glittrande ögon. Nej, fulla ögon. Och sagt att hon inte fattat någonting.

Det gör hon fortfarande inte. Hon förstår inte sig själv. Hon är attraherad av någon som inte klarar av ett samlag när han druckit lite öl. Som inte tycker han behöver ursäkta sig. Som kallar sig själv *impotent*, så att hon höll på att gå på det.

Som om det sexuella inte vore så viktigt.

Men kyssarna. Så där har det aldrig känts att kyssas. Det kanske räcker långt.

Kan man följa en känsla? Har inte hennes föräldrar visat att det inte går? Hennes mamma skrev uttryckligen till henne att akta sig. *Bli inte passionerad över någon eller något.* Vad vill hon med Jonas, inunder suget efter att få känna hans tyngd? För hon kan inte längre välja Jonas utan att också välja ett barn.

Som kräver att man slutar andas för egen del.

Vid samma ställe där hon och Mattias fastnade i vintras tar Anna fram mobilen för att ringa sin mamma, men någon hinner före och hon svarar istället. Mattias ropar rätt i örat på henne:

»Jag tänkte ta ihjäl honom, men jag har ändrat mig. Jag får ingivelser från en högre makt ibland om att skydda dig. Du kanske inte har märkt det, för jag är i så dåligt skick, Anna. Det är inte så förbannat lätt att vara storebror …«

»Mattias, var är du? Vad hände hos Kajsa?«

»Jag får ta reda på det sen. Vad som kan hända hos Kajsa. Och jag glömde fråga henne om hästarna. Varför Norrland är invaderat av hästar. Det måste vara en plan de har, norrlänningarna …«

»Lugna ner dig, jag kör av vägen annars. Är du inte kvar i Kramfors?«

»Jag är på ett ställe utanför Gävle. De har dåligt käk här. Och du behöver inte vara orolig, jag ska inte göra en fluga förnär. Jag har redan gjort för mycket. Jag ringde Bo-Anders och vräkte ur mig en massa. Jag vet inte vad jag fick för mig … ibland inbillar jag mig saker.«

Anna måste bromsa in. Jonas svänger vänster i vägskälet framför och försvinner upp mot Ringarkläppen. En högersväng skulle istället ta en till andra byar och tillbaka till Docksta. Men Anna stannar bilen helt, innan korsningen.

»Vad sa Bo-Anders?«

»Han var schyst, han tyckte inte jag skulle oroa mig så mycket. 'Det löser sig', sa han. Jag var långt borta ett tag på bussen, men jag har vaknat nu. Be om ursäkt åt mig om du träffar honom.«

»Du ber ingen om ursäkt. Kan vi inte bara sluta prata om det som hände mamma och pappa och Charlie? Vi pratar aldrig mer om det.«

»Men det är mycket som måste pratas om. Man ska aldrig sluta prata. Jag lärde mig ett och annat hos Ulf och Petter. Att känna Petter har varit himmel och helvete, ska du veta. Jag älskar den jäveln, men jag var på väg till Uppsala idag för att ta bort honom från jordens yta. Göra det ordentligt, en gång för alla. Men så insåg jag att jag inte kan skylla på honom för att han sabbade dig i Härnösand …«

»Låt Petter vara, du blir bara olycklig om du börjar rota i det. Låt det gamla vara.«

»… när jag själv var hundra gånger värre än Petter.«

»Mattias, sluta. Kan du inte ta nästa buss tillbaka hit?«

»Ingen är utan skuld, särskilt inte jag. Jag var så förbannat svartsjuk … Jag kunde ha gjort dig med barn …«

Mattias börjar gråta. Anna hör det tydligt och vet inte vad hon ska säga. Så hon kniper ihop läpparna och ser ut genom rutan. På vägen som leder till Ringarkläppen och på den som leder tillbaka till Docksta.

»Jag tror inte du är skyldig till särskilt mycket, Mattias. Framför allt inte till någon graviditet hos mig. Om du inte mådde så kasst skulle jag skratta åt dig.«

»Jag satt på Petters säng och stack hål genom kondomförpackningarna. Nästan varenda en innan han stoppade mig. Så jävla dumt. Så jävla barnsligt. Det hade varit mitt fel om du blivit på smällen.«

Man vet inte förrän man är där. Anna sitter orörlig i bilen efter samtalet. Hon tänker på den stunden hon sprang uppför trappan i sitt barndomshem, tre steg i taget, och använde den lilla toaletten uppe för att kissa på ett graviditetstest. Hur hon av rädsla för att bli påkommen skyndade sig ut och låste igen med skruvmejseln. Och gick in på sitt gamla rum medan hon väntade på svaret.

Hur hon hade testet i handen när hon såg det otvetydiga, men att det inte gick in. Det tog henne två dagar och två nätter att förstå att hon plussat. I sitt rum från barndomen var hon – *hemma* – men insåg inte att hon nu skulle stå inför precis det hon alltid anklagat sina föräldrar för.

Man vet inte om man vill ha ett barn förrän man är där. Sveket hon alltid känt utanpå allt annat. Men där Anna sitter på skuggsidan av vägen, tänker hon att det inte längre funkar. Hon kan inte känna sig så förnedrande övergiven ens när hon försöker. Hon undrar om hon varit storasyster för länge, om det är därför hon inte kan låta bli att värna om Mattias först och främst. Han har förlikat sig med att Charlie är död. Han kan besparas detaljer. Han tror att pappa inte orkade längre när han blev anklagad av mamma, att det var passionen till Lisbeth som tog knäcken på honom. En teori lika giltig som någon.

Lennart har sin egen övertygelse om varför pappa tog livet av sig. Att Henrik kände skuld för att han dragit in Lennart i familjen, och att han inte orkade med det han sett i skogen.

Vad tror Anna?

Hon blundar. Det kan vara sant alltihop. Han orkade inte längre. Men Lennart menar att pappa inte kunde ha sett snusnäsduken. Vad betydde i så fall »Fadern ger och Fadern tar« i pappas avskedsbrev?

Då kan han inte ha menat Lennart. Men den ende andre fadern – förutsatt att Henrik inte blivit tvärt religiös – var han själv.

Det var han själv som gav och tog. Underförstått: *som gav och tog ett liv.*

Det måste vara fel.

Annas tankar vägrar landa i att pappa var skyldig. Bakom stängda ögonlock cirklar tankarna istället en bit högre, för att få vidare perspektiv. Där finns också de inledande orden: »*Jag vill inte berätta vad som hänt Charlie. Det ger oss inte pojken tillbaka.*« Ska det också underförstås som att pappa var skyldig? Varför skrev han ord som kunde missförstås? Så det skulle bli upp till läsaren att tolka innebörden.

Varför svor han sig inte fri?

Som ett svagt rus känns det medan Anna provar tanken. Från alla håll närmar hon sig sin far med den utgångspunkt hon behöver – *han var oskyldig* – och söker insikt.

Och tanken tar mark. Det finns bara en anledning till att pappa skulle valt att inte svära sig fri. En enda person han skulle tagit på sig skulden för.

Mattias.

Han trodde att det var Mattias.

Pappa trodde att Mattias hade vådaskjutit sin bror i skogen och grävt ned honom. Avskedsbrevet var skrivet med möda. Ett avvägt sätt att inte svära sig fri. Lisbeth fick gå ut med den sanning hon ville.

Anna tänker på det Mattias berättat. Pappa hade suttit vid köksbordet och rengjort geväret. Var det för att han trodde att det var möjligt att Mattias gjort sig olycklig genom ett vådaskott? Sedan hade pappa fått åka in på polisförhör på grund av schabblet med vapnen. Mamma hade ringt polisen och han hade stillatigande kört in. Kom redan då tankar om att Mattias anförtrott sig till mamma? Att hon försökte hjälpa sin son?

Och lappen som mamma krävt av Mattias, men som han inte klarat att skriva. Den hade visat sig finnas i polisens arkiv i alla fall.

Mamma skrev den själv när Mattias fegade ur. Vad pappa än trott om lappen så måste han ha tyckt att Lisbeth krävde det nästintill omöjliga av honom. Att han skulle offra sig så Mattias fick gå fri. Offra sig för sitt barn.

Det slår Anna att det kanske inte var ett så omöjligt offer. Man kanske gör det man måste för ett barn. Och kanske gjorde Henrik det lika mycket för Lisbeth; hon hade alltid grälat om att han skulle bevisa sin kärlek.

Hade han våndats när han förstod att allt var över, när han skrev sitt brev? Eller var livsviljan redan borta sedan han sett Charlie?

Härifrån finns ingen väg att gå.

Anna öppnar ögonen. Hon stirrar ut på vägen framför.

På andra sidan korsningen växer unga lövträd på branten upp mot skogen. Det har klarnat upp lite, där kan hon fästa blicken. Granskogen, den närapå ogenomträngliga, skymtar i diset mot den gråblå himlen däruppe på kammen. Vad vet hon om granskogen, förresten? Hon har aldrig gått där såsom jägare gör. Som Jonas gör. Hon har inte bott i de här trakterna på snart sjutton år. Större delen av sitt liv har hon trampat asfalt och lekt i förortskvarter. Varför tittar hon mot skogen och får för sig att Lennart en dag kommer att gå med henne i de här markerna? Som en ställföreträdande, jävla pappa.

Hon har alltid valt enskildhet när stora beslut ska fattas. Så när hon börjar rulla igen får det inte gå för fort. I sanning måste det gå erbarmligt sakta, för hon ska svänga i vägskälet där framme.

Bli lycklig, skrev mamma. Hur blir man lycklig? Följer man en känsla och satsar sitt liv på en passion? På det som *eventuellt* kan vara en passion? Eller aktar man sig som satan för det som hotar förvrida huvudet på en, som man vill så intuitivt utan att kunna förklara? Som kommer att göra så det känns att leva. Så det känns så mycket att *impotens* inte ens skulle spela någon roll.

Ska man ens lyssna på en mamma som inte längre finns?

Anna svänger i korsningen. Det går nästan av sig självt.

Sedan trycker hon lite extra på gaspedalen. Mycket extra. För hon är inte en person som vill vara ensam om konsekvenserna av sina beslut. Amerikanaren flyger snart över ojämnheterna i oljegruset. En vit Buick Invicta på väg någonstans.

I backspegeln ser hon skog som avlägsnar sig, åkerlappar som blir mindre och en liten flicka som ringer samtalet hon inte hann förut.

Visshet är ordet som sänker sig i hennes kropp när hon hör sin mammas röst i andra änden. »Jag är på väg hem.«

Epilog

Han tar geväret över axeln för en promenad. Ryggsäcken får vara orörd.

Den förestående vandringen har han förberett många gånger.

På kvällarna har han plockat fram en enda patron och ställt på tändhatten, mitt på köksbordet. För att kunna leva med sig själv när han går till sängs.

Innan sömnen kommit har han grubblat över varför han skulle vänta till morgonen. Svaret har varit att han vill ut i skogen en sista gång i gryningsljus. Och i detta bedrägliga tillstånd har han till slut kunnat somna in. Till drömmen han haft i snart sjutton år.

Det är alltid höst. Jakttider. Sällan har snön kommit. Och det är alltid någon annan som avlossar skottet. Inte han. Han är bara ute en sväng i skogen. Tills han inser att han inte kommer undan. Det kommer alltid att vara han och det är alltid den sista vandringen.

Under natten har också hoppet kommit om att det osannolika ska inträffa. Samtalet han aldrig slutat vänta på. Han har alltid givit sig själv den sista möjligheten. Att den enda han älskat ska ringa innan morgonen.

Men det gudomliga har aldrig brutit in.

Den gudomliga har aldrig kommit tillbaka. Hon som var orsak till olyckshändelsen. Det var hennes ring Charlie kommit älgande i skogen för att hämta. Det var för en rings skull han förlorade livet. Det var en ring han använt sina sista ord till att pusta om.

Ingen kan läsa tankar, men drömmar kan utkräva svar. Det har nog inte gått en enda natt utan att Bo-Anders fått svara för det ögonblickets ingivelse när han vred geväret så han fick i sikte det röda som plötsligt syntes till vänster om älgen. Den ilska som på en

445

bråkdels sekund kom över honom när han förstod att Charlie var ute och travade omkring bland jägarna utan att meddela någon.

Sedan har drömmen färgats röd. Han har suttit på knä i riset med blod på händerna. *Å, Gud hjälpe.*

Det hade varit bättre att inte mörka det som hände. Han hade inte uppfostrats till lögner. Mamma och pappa skulle ha stöttat honom så att han fått komma över det. Ingen annan skulle ha dömt honom heller.

Utom hon.

När han i drömmen, såsom en gång i verkligheten, sitter där och darrar bredvid Charlie och tänker på att han måste se henne i ögonen och förklara – då vet han att han är förlorad. Hon kommer inte att tro på en olyckshändelse. Hon kommer att se det på honom.

Så han bönar om en annan väg.

Sedan är det för alltid försent att göra det som skulle varit rätt.

När gryningen kommit har han tryckt in en snus innan han klivit upp. Medan nikotinet väckt blodomloppet till liv har nattens händelser blivit suddigare. När han svängt benen över sängkanten har han haft svårt att längre greppa orsak och verkan. Svårt att se de sammanhang som nyss varit tydliga.

Men nu, i fullt dagsljus, är det dags. Den här gången ska Bo-Anders följa vägen till dess ände. Stå till svars.

Utan att Lennart berättade var han grävde, har Bo-Anders ändå alltid vetat. Han har vetat det ända sedan den hösten. Det förstod han efter att Henrik stått i köket och svamlat om nedgrävd plant.

En bit upp på höjden på Hästtjärns norra sida finns stenen. Ofta har han suttit där och blickat ut över sänkan. Vetat hur snabbt ett liv kan vara till ända. Känt dess skörhet, men också dess outsägliga skönhet. Begrundat naturen och ödet. Hur ett utsläckt liv kan påverka ett annat, ett som fortgår, för evigt.

Han styr stegen dit för sista gången. Att han skulle göra det en dag som denna är förunderligt. Regnet har upphört och marken han så ofta trampat börjar torka upp. Dofter frigörs från sänkorna.

Allt blir en del av honom själv. Bergen och sjöarna, myrarna och vattendragen, björkskogen och granarna, varje djur och minsta insekt – allt är en helhet i vilken han också är delaktig. Han är en tillfällig beståndsdel liksom allt annat levande, och han vill vara det. Det är bara en fråga om minuter.

Allt är förgängligt.

Berätta om dig själv!

Jag är norrlänningen som levt i exil i många år. På fyra kontinenter har jag gjort mikroskopiska avtryck. Jag har jobbat med vitt skilda saker såsom teknisk systemprogrammering i USA, safariresor i Botswana och genderfrågor i Vietnam.

Så kom en tid när mina rötter började växa sig starkare och sakta dra mig hemåt, norrut. Jag landade i Skåne under ett antal år. När jag så hade lyckan att flytta till Uppsala för en tid sedan kändes det som att komma hem … Här går norrlänningar på gatorna!

Jag är också berättaren, hon som aldrig kan svara på en fråga utan att göra lovar på vägen. Min vänkrets består således av folk som står ut med det (och kanske till och med älskar det!).

För en av mina vänner är jag hon som fick lämna Norrland för att jag pratar för mycket …

Har du skrivit länge?

Jag var sju när jag skrev min första novell. Den handlade om en tjej som kunde gå ned i spagat och jag skrev den på linjerat, rosa papper. Jag hoppas fortfarande att jag ska hitta den en dag!

Sedan blev det dikter i många år och fler noveller som jag aldrig lät någon läsa. Jag började på en roman i tonåren och ännu en när jag var i 25-årsåldern. Sedan följde långa år med för mycket arbete, men berättandet fanns där ändå, fast i perioder bara i mitt huvud.

När jag var föräldraledig skrev jag den första romanen som har en början och ett slut och en helsickes massa sidor däremellan. Efter det kände jag mig redo att skriva på allvar. Jag började på Författarskolan vid Lunds universitet. Under de två åren där skrev jag större delen av *Norrlands svårmod*. (Min första roman ligger fortfarande oredigerad i en digital byrålåda. Det är möjligt att jag aldrig gör något av den – en tanke som hade varit outhärdlig en gång.)

Vad har du för känslor inför att debutera som författare?

Jag är så glad att jag är 45 år och inte 25. Det är mycket att hantera, men proportionerna blir sunda när det är barnens väl som bekymrar mig mer än recensionernas innehåll. Kan med andra ord rekommenderas!

Själva "debuterandet" skedde på några sekunder. Det inträffade den första gången en okänd person sa att hon precis läst ut min roman. Jag insåg då – på riktigt – att jag inte längre har bestämmanderätt över mina ord. Det var en knepig känsla att vem som helst hade rätt att läsa min roman och att den spreds helt utanför min kontroll, men det gav mig mer distans till berättelsen.

Din roman utspelar sig i Norrland och landskapet spelar en viktig roll i din historia. Vad har du för koppling till det norrländska landskapet?

Jag växte upp på olika orter i Höga kusten. Jag var nitton när jag flyttade hemifrån och därmed "lämnade" Norrland. Jag har sedan dess alltid återvänt och aldrig återvänt. Jag kommer alltid tillbaka men kan aldrig stanna. Och varje gång jag återvänder kan jag uppleva mina uppväxttrakter på ett sätt jag aldrig kunde när jag bodde där. Det handlar om lukter, känslor och tillstånd (som svårmod!). Där finns också människors sätt att tala till varandra, eller det sätt man ibland använder åtbörder eller tystnad istället. Blickar. Jag tycker om att studera det och märka att jag förstår alltihop. Som att vara flytande i ett språk.

Undertonen i din berättelse är bitvis rätt skrämmande och våld och makt är begrepp som känns centrala. Vilka är dina inspirationskällor?

Ärligt talat tror jag ingen vet hur inspiration uppstår. För mig är det livet och människorna jag mött som ständigt inspirerar mig, alla livsöden där jag ibland inte kan låta bli att tänka i en annan riktning än den verkligheten tog.

Enskilda händelser eller skeenden från mitt eget liv kan givetvis komma tillbaka när jag skriver, men de tar sig då en annan form än i verkligheten. Romanen blir alltid en förvriden spegling även när man inte tänkt det, ibland vackrare, ibland enklare, alltid överträffad av verkligheten … och kanske därför minst lika sann.

Vad har du för planer för framtiden, har du funderingar på flera böcker?

Jag har en ny roman på gång. Kanske blir spåret rakare än med *Norrlands svårmod*, som tog lååång tid att skriva, men man vet aldrig. Den nya berättelsen utspelas också i Ångermanland och pendlar även den mellan olika tidsplan. Men nu handlar det om en större tidsrymd än sexton år och på så vis blir det mer komplext. Jag hoppas jag ror det iland.

Följ Theréses nästa romanprojekt på
www.theresesoderlind.se